中华人民共和国法律释义丛书

全国人民代表大会常务委员会法制工作委员会 编

中华人民共和国
道路交通安全法释义

主 编：郎 胜（全国人大常委会法制工作委员会刑法室主任）

副主编：王尚新（全国人大常委会法制工作委员会刑法室副主任）

黄太云（全国人大常委会法制工作委员会刑法室副主任）

撰稿人：郎 胜 王尚新 黄太云 滕 炜 王爱立 徐 霞 汤卫平 王 倩 臧铁伟 李再顺 李寿伟 雷建斌 王 宁 卜范城

法律出版社

图书在版编目(CIP)数据

中华人民共和国道路交通安全法释义／郎胜主编. —北京：法律出版社，2003.12(2018.11 重印)
(中华人民共和国法律释义丛书)
ISBN 978－7－5036－4660－7

Ⅰ. ①中… Ⅱ. ①郎… Ⅲ. ①公路运输－交通运输安全－法规－法律解释－中国 Ⅳ. ①D922.145

中国版本图书馆 CIP 数据核字(2003)第 107828 号

中华人民共和国道路交通安全法释义
ZHONGHUA RENMIN GONGHEGUO
DAOLU JIAOTONG ANQUANFA SHIYI

郎 胜 主编

责任编辑 麦 锐
装帧设计 李 瞻

出版 法律出版社
总发行 中国法律图书有限公司
经销 新华书店
印刷 北京玺诚印务有限公司
责任印制 吕亚莉

编辑统筹 法规出版分社
开本 850 毫米×1168 毫米 1/32
印张 10.75
字数 267 千
版本 2003 年 12 月第 1 版
印次 2018 年 11 月第 4 次印刷

法律出版社／北京市丰台区莲花池西里 7 号(100073)
网址／www.lawpress.com.cn
投稿邮箱／info@lawpress.com.cn
举报维权邮箱／jbwq@lawpress.com.cn
销售热线／010－83938336
咨询电话／010－63939796

中国法律图书有限公司／北京市丰台区莲花池西里 7 号(100073)
全国各地中法图分、子公司销售电话：
统一销售客服／400－660－6393
第一法律书店／010－83938334/8335 西安分公司／029－85330678 重庆分公司／023－67453036
上海分公司／021－62071639/1636 深圳分公司／0755－83072995

书号：ISBN 978－7－5036－4660－7 **定价**：46.00 元

总　序

人类文明的历史上，还没有哪一个时代像中国的改革开放40年一样，在历史长河中掀起如此巨大的浪花——它不仅深刻改变了一个国家的面貌与精神气质、使数亿人摆脱贫困，还极大地改变了世界格局。

1978，在那一年的年底，中共中央一次全体会议——十一届三中全会扭转了中国的前进方向，开辟了一个时代。回首过去，我们发现，一些观念从那时开始在中国出现，一些声音从那时开始逐渐响起，一些人物开始登上历史舞台。从这一年开始，随着“加强社会主义民主，健全社会主义法制”历史性任务的提出，“法制”两个字进入了人们的视野；政法机关开始恢复重建；法律院系开始蓬勃发展。一部部法律从庙堂走进了人们的生活，一次次裁决推动着国家前进的脚步。从“有法可依、有法必依、执法必严、违法必究”到“科学立法、严格执法、公正司法、全民守法”；从“法制”到“法治”；从法治观念的形成到“依法治国，建设社会主义法治国家”写进宪法，再到“法治国家、法治政府、法治社会一体建设”，人们对法治的认识步步深入，中国的改革不断向前推进，结出丰硕的果实。在中国共产党的带领下，这个励精图治的古老国度，再一次创造了改革的奇迹。

40年发生了无数故事,40年产生了许多事物。为了纪念这难忘的40年,本社组织编辑出版了一批“纪念改革开放40周年”主题图书。这些图书,将40年来颁布的重要法律及其释义甄选汇集,将法学领域有代表性的学术论文萃取精编,把有关政法机关的重建、法律院系的重生与发展进行展现,将一批被时代改变命运的人物再次唤起。我们希望从法律与法律人的视角,重新审视过去的40年,认真体会这不平凡的40年。

如江河东下,逝者如斯。岁月总会过去,人事总有代谢,但一个不平凡的时代留下的深刻痕迹,永远不会磨灭。“不忘初心,牢记使命”,习近平总书记在党的十九大报告中向全党发出的号召,使我们有理由期待,下一个40年,中国将更加惊艳!

法律出版社编辑委员会

2018年10月

出版前言

《中华人民共和国法律释义丛书》是由全国人大常委会法制工作委员会主持组织编辑的一套系列丛书。

该套丛书由一系列法律释义组成。邀请有关专家、学者和部分参与立法的同志编著。该丛书坚持以准确地反映立法宗旨和法律条款内容为最基本要求,在每部法律释义中努力做到观点的权威性和内容解释的准确性。

我们相信,该套丛书的陆续出版,将会给广大读者进一步学好法律提供有益的帮助。

重 印 说 明

本次重印，是为改革开放40周年制作的特别纪念版，为了保持内容原貌，未对正文和附录作实质修改。个别法条内容有修订或修正的，以脚注形式作了标注。特此说明。

2018年10月

目　　录

前　言

十届全国人大常委会第五次会议于2003年10月28日通过的《中华人民共和国道路交通安全法》(以下简称《道路交通安全法》),是我国第一部关于道路交通安全的法律,它对于维护道路交通秩序,预防和减少交通事故,保护人身安全,保护公民、法人和其他组织的财产安全及其他合法权益,提高通行效率,具有重要的意义。不仅是完善我国道路交通安全管理,推进道路交通安全管理工作法制化的重要举措,也是不断推进我国各项社会管理活动法制化的一项重要内容。

道路交通安全法的内容具有几个突出的特点:

一、特别重视对广大人民群众人身安全的保护,体现“以人为本”的精神。如关于在学校、幼儿园、医院、养老院门前的道路上应当施划人行横道,设置提示标志;城市主要道路的人行道,应当按照规划设置盲道;机动车行经人行横道时,应当减速行驶,遇有行人通过的,应当让行,机动车行经没有交通信号的道路时遇有行人横过道路应当避让;建立机动车第三者责任强制保险制度,设立道路交通事故社会救助基金;明确规定对于道路交通事故受伤人员,医疗机构不得因抢救费未及时支付而拖延救治;对机动车发生交通事故造成人员伤亡、财产损失的赔偿责任做出规定等。

二、强调依法管理和方便群众相结合。法律不仅详细规定了道路交通管理机关的职权范围,行使的条件和程序,而且专门规定了对道路交通管理机关及其工作人员的法律监督措施和法律责任。依法管理的另一个重要内容就是对道路交通违法行为要予以严厉处罚,保证道路交通安全、畅通。对此,法律从两个方面作了严格规定:第一,从源头上防止有安全隐患的车辆上道路行驶。法律规定了机动车安全技术检验制度、机动车强制报废制度,禁止生产、销售拼装车或者驾驶拼装车、报废车上道路行驶,对超载车辆一律扣留直至违法状态消除,不得罚款放行等。第二,对超载、酒后驾车等严重违法行为规定了较高数额的罚款、暂扣驾驶执照直至行政拘留等严厉的处罚措施。

但另一方面,法律对机动车登记、机动车安全技术检验、驾驶证取得、交通信号的设置、实施交通管制措施等与人民群众的交通活动密切相关的事务的规定又充分体现了方便群众的原则。

三、总结道路交通管理经验,注重科学管理交通,对实践证明行之有效的管理方法和改革成果,及时地加以法律化。法律规定各级政府应当保障道路交通管理工作与经济建设和社会发展相适应;机动车安全技术检验、驾驶培训实行社会化;对机动车驾驶人实行累积记分制度;对轻微交通事故实行快速处理等。规定对道路交通管理工作应当加强科学研究,推广、使用先进的管理方法、技术、设备。规定公安机关交通管理部门可以根据交通技术监控记录资料实施处罚。

通过依法管理,保障道路交通安全、畅通、有序,关系到广大人民群众的切身利益。为了深入宣传、学习和正确贯彻《中华人民共和国道路交通安全法》,参与该法立法工作的全国人大常委会法制工作委员会的同志编写了《中华人民共和国道路交通安全法释义》。本书由刑法室主任郎胜任主编,刑法室副主任王尚新、黄太云任副主编。刑法室的郎胜、王尚新、黄太云、滕炜、王爱立、徐霞、汤卫平、王倩、臧铁伟、李再顺、李寿伟、雷建斌、王宁、卜范城同志参加撰写。在写作过程中,我们力求准确阐释立法原意和条文的应有之意。但因时间和水平有限,释义不妥之处在所难免,敬请读者批评指正。

编者
2003 年 11 月 15 日

第一部分　释　　义

第一章　总　　则

第一条　为了维护道路交通秩序，预防和减少交通事故，保护人身安全，保护公民、法人和其他组织的财产安全及其他合法权益，提高通行效率，制定本法。

【释义】　本条是关于道路交通安全法立法目的的规定。

根据本条的规定，制定道路交通安全法的目的包括维护道路交通秩序、预防和减少交通事故、保护人身安全、保护公民、法人、其他组织的财产安全及其他合法权益、提高通行效率等几个方面。

道路交通安全法立法目的的这几个方面之间存在着内在有机联系。维护道路交通秩序可以说是整个道路交通安全法的总的出发点。交通运输是关系国民经济发展的一项重要方面。道路交通则是交通运输体系中的重要组成部分。通过依法管理，维护一个良好的道路交通秩序，对于国民经济和社会主义现代化建设事业的顺利进行具有十分重要的意义。一般说来，一个良好的道路交通秩序可以从道路交通是否安全和通畅便捷两个方面来衡量。保障安全是良好的道路交通秩序的基本要求。简而言之，道路交通就是要通过道路运输活动，将人、货安全送至目的地。如果缺乏安全保障，那么整个交通活动也就失去了意义。影响道路交通安全最直接的因素就是道路交通事故。做好道路交通事故预防工作，最大限度地减少交通事故,也就基本解决了道路交通的安全保障问题。保障交通安全的首要内容,就是要保护人身安全。人的生命是最为重要的,道路交通安全工作要把保护广大人民群众的人身安全放在头等重要的位置。道路交通安全法的很多规定充分体现了这种以人为本的精神。保障交通安全的另一个重要内容就是要保护广大人民群众的财产安全和其他合法权益。从本条的规定可以看出,保障交通安全是整个道路交通安全法的基本指导思想。当然,强调道路交通安全的重要性,并不意味着不要效率。安全与效率二者既存在一定的对立性,又是辩证统一的,是一个良好的道路交通秩序的不可分割的两个方面。再安全的道路交通,如果通行效率低下,也是无法适应国民经济和社会发展的需要的。因此,在确保安全的前提下,通过依法管理、科学管理,保证道路交通的畅通有序,提高通行效率也是道路交通立法的重要目的之一。通过对道路交通安全工作的依法管理,预防和减少交通事故,提高通行效率,维护一个良好的道路交通秩序,是立法机关制定本法的目的所在,是道路交通安全管理机关整个管理工作的目标所在,更是广大人民群众的根本利益所在。因此可以说,保护公民、法人和其他组织的人身安全、财产安全和其他合法权益,是道路交通安全立法的最终目的。

从我国目前道路交通安全的总体情况看,近几年交通基础设施建设取得了长足进展,道路交通管理机关通过建设平安大道、开展畅通工程等活动,道路交通秩序有了很大改善。但是还存在一些比较突出的问题:一方面交通安全形势十分严峻,道路交通事故,特别是群死群伤的重特大交通事故逐年上升。2001 年全国公安交通管理部门共受理道路交通事故案件 75.5 万起,因道路交通事故造成 10.6 万人死亡、54.5 万人受伤,直接经济损失 30.9 亿元,分别比上年增长 23%、13%、33% 和 16%。另一方面,大中城市交通拥挤日趋严重,通行效率降低,严重影响了人民群众的出行和生活。此外，公安机关交通管理部门及其交通警察执法行为不规范，乱执法、滥执法的现象时有发生等，人民群众意见比较大。这些问题说明，我国目前的道路交通秩序无论是安全可靠性，还是畅通有序性，都离国民经济的发展和人民群众的要求还有很大差距。

目前，道路交通安全管理机关实施管理的主要法律依据是国务院1988年颁布的《中华人民共和国道路交通管理条例》、1991年《道路交通事故处理办法》等行政法规。此外，《治安管理处罚条例》中还有一些关于道路交通违法行为的处罚的规定。由于没有一部统一的关于道路交通安全管理的法律，这些行政法规与其他法律、司法解释的衔接存在一些问题。如关于道路交通事故行政处理与民事诉讼的关系问题等。由于法规制定的时间较早，有些比较重要的问题没有规定或者规定得不够具体，比如关于机动车登记的条件、程序、机动车检验的规定等。一些新的内容需要增加规定，如关于设立道路交通事故社会救助基金、实行机动车第三者责任强制保险等。处罚手段和强制措施的种类显得比较单一，处罚的力度也不适应目前的需要。

立法机关制定道路交通安全管理法的目的，就是要适应道路交通安全管理的需要，建立健全交通管理法律制度。以法律手段保证道路交通安全、畅通。针对道路交通事故特别是重特大交通事故逐年上升的情况，道路交通安全法从三个方面作了严格规定：第一，防止存在安全隐患的车辆上道路行驶。在机动车登记环节，对上道路行驶的机动车实行严格的准入制度，规定准予登记的机动车应当符合机动车国家安全技术标准。对登记后投入使用的机动车，规定按照国家规定，根据车辆用途、载客载货数量、使用年限等不同情况，定期接受安全技术检验。建立机动车强制报废制度，规定达到报废标准的机动车应及时办理注销登记，并不得上道路行驶。其中报废的大型客车、大型货车及其他营运车辆，还应当在公安机关交通管理部门监督下解体。第二,防止超载运输。规定机动车装载应当符合核定的载人数、载质量。对于超载车辆除予以处罚外,必须滞留至违法状态消除为止。不允许罚款后放行的错误做法。第三,强化了对机动车驾驶人,尤其是营运机动车驾驶人的安全管理。针对大中城市交通堵塞严重,通行效率低下的情况,道路交通安全法从两个方面作了规定:第一,规定道路基础设施建设与经济和社会发展同步。县级以上地方各级人民政府应当制定道路交通安全管理规划并保证实施;道路、停车场和道路配套设施的规划、设计、建设等应符合道路交通安全畅通的要求等。第二,规定快速处理交通事故。简化了轻微交通事故的处理程序,实行机动车交通事故第三者责任险强制保险制度。针对一些公安机关交通管理部门及其交通警察执法行为不规范的问题,道路交通安全法从两个方面作了规定:第一,明确了关于执法程序的规定。第二,专门规定了执法监督一章,对公安机关交通管理部门加强队伍建设,规范执法活动作了严格规定,并在法律责任一章中明确规定了违反规定的法律责任。

第二条　中华人民共和国境内的车辆驾驶人、行人、乘车人以及与道路交通活动有关的单位和个人,都应当遵守本法。

【释义】　本条是关于道路交通安全法适用范围的规定。

法律的适用范围也就是法律的效力范围,包括法律的时间效力,即法律在什么时间段内发生效力;法律的空间效力,即法律适用的地域范围,以及法律对人的效力,即法律对什么人(包括自然人、法人和其他组织)适用。本条规定了道路交通安全法的空间效力和对人的效力。

根据本条规定,道路交通安全法在空间上适用于中华人民共和国境内。

根据本条规定,在对人的效力上,道路交通安全法适用于中华人民共和国境内所有的车辆驾驶人、行人、乘车人以及与道路交通活动有关的单位和个人。具体来说，对机动车驾驶人而言，一方面应当遵守道路交通安全法律、法规关于驾驶人资格管理的规定，依法取得驾驶机动车上道路行驶的权利，并接受道路交通安全管理机关的依法管理。具体包括，应当符合申请取得车辆驾驶资格的条件，履行取得机动车驾驶证的相应手续，定期接受审验等。另一方面，机动车驾驶人在驾驶机动车辆上道路行驶时，应当遵守道路交通法律、法规关于机动车辆在道路上行驶时应遵守的各项规定，服从交通安全管理机构的依法管理和指挥。具体包括遵守道路交通安全法律、法规关于道路通行的规定，如靠右行驶、在机动车道上行驶、不得超速行驶、不得超载等，遵守关于安全驾驶的规定，严格按照操作规程驾驶机动车等。对于行人而言，在上道路通行时，应当遵守道路交通安全法律、法规关于行人通行的规定，注意按照交通信号的指挥通行，保证安全。除应遵守上述规定外，行人在道路上还不得从事妨碍道路交通安全的活动，比如跨越、倚坐道路隔离设施，扒车、强行拦车等。此外，行人上道路通行虽然不需要像机动车驾驶人一样，要首先取得上路资格，但是行人上道路通行有时候也有一个道路通行权的问题，如在划设有人行道的道路上，应当在人行道内行走，通过路口或者横过道路，应当走人行横道或者过街设施，不能随意穿行等。对于乘车人而言，乘车出行时应当遵守道路交通法律、法规关于乘车人应当遵守的各项规定，保证自身的乘车安全，并且不得实施妨碍道路交通安全的其他活动。

本条除了规定机动车驾驶人、行人、乘车人等直接参与道路交通活动的人员，应当遵守道路交通安全法外，还规定与道路交通活动有关的单位和个人，也应当遵守本法规定。这里的“与道路交通活动有关的单位和个人”，是指虽然与道路交通活动没有直接联系，但是其行为或者活动与维护道路交通秩序密切相关的一些单位和个人。根据道路交通安全法的规定，这些单位和个人主要包括:1. 机动车所有人。根据道路交通安全法的规定,机动车所有人必须依法申请机动车登记,取得机动车登记证书和行驶证后,其机动车方可上道路行驶。机动车所有人应当定期接受机动车安全技术检验。另外,单位作为机动车所有人的,还要按照有关规定,对本单位的驾驶人员进行安全教育和管理,落实各项安全责任制等。2. 机动车安全技术检验机构及其工作人员。根据道路交通安全法的规定,机动车安全技术检验机构应当严格检测,不得出具虚假的检验报告,不得违反规定检验收取费用。3. 负责道路及其附属设施的规划、设计、施工、设置、养护的部门及其工作人员。根据道路交通安全法以及其他相关法律的规定,道路及其附属设施的建设、养护部门应当保证道路及其附属设施状况完好,对道路及其附属设施出现毁损、灭失的,应当设置警示标志并及时修复。4. 其他可能影响道路交通秩序的单位和个人。根据道路交通安全法的规定,需要临时占用道路从事非交通活动的,以及因工程建设需要占用、挖掘道路或者影响道路交通秩序的,必须向有关部门申请,由有关部门依法批准后方可实施。

根据本条规定,除中国公民外,外国人和无国籍人在我国境内驾驶机动车或者通行、乘车的,也应当遵守本法规定。对于外国人和无国籍人在我国境内通行、乘车的,其应遵守的规定与我国公民通行、乘车应遵守的规定并无不同。至于外国人在我国境内驾驶机动车的,根据道路交通安全法的规定,持有境外机动车驾驶证,符合国务院公安部门规定的驾驶许可条件,经公安机关交通管理部门考核合格后,可以发给我国的驾驶证,允许其在我国境内驾驶。此外,按照有关规定入境的境外机动车辆,也应当遵守本法规定,由国家实行统一管理。

根据本条规定,任何单位和个人,只要是在我国境内道路上通行或者从事与道路交通活动有关的活动的,都必须遵守道路交通安全法的规定,不允许任何单位或者个人享有特权。经道路交通安全管理机关依法批准使用的警车、消防车、救护车、工程救险车，在执行紧急任务时，如果确有必要，在确保安全的前提下，可以不受行驶路线、行驶方向、行驶速度和信号灯的限制，享有特别通行权。道路交通安全法赋予这些专用车辆一定的特别通行权是出于保护公共利益和公民生命健康的需要。这里的特别通行权也是依法授予并应当严格按照规定的用途和条件使用，不得滥用。中国人民解放军、中国人民武装警察部队在编的机动车属于部队装备，主要用于执行军事任务，出于国防建设的需要，道路交通安全法规定军车的牌证、检验、驾驶人考核等工作，由中国人民解放军、中国人民武装警察部队有关部门负责。但是军车在正常情况下上道路行驶的，也必须遵守道路交通安全法律、法规关于道路通行等规定，服从道路交通安全管理机关的依法管理。

第三条　道路交通安全工作，应当遵循依法管理、方便群众的原则，保障道路交通有序、安全、畅通。

【释义】　本条是关于道路交通安全工作应当遵循的基本原则和目标的规定。

根据本条规定，道路交通安全工作应当遵循的基本原则有两个，一是依法管理，二是方便群众。而道路交通安全工作的目标，归根结底就是要通过依法管理，保证道路交通秩序井然，安全、畅通。

首先，道路交通安全工作要遵循依法管理的原则。良好的道路交通秩序来自严格、科学的管理。改革开放以来，随着我国经济的高速发展，机动车数量和交通流量急剧增加。据有关部门预计，当前和今后一个时期，机动车数量和交通流量仍将保持高速发展的势头，到本世纪末，我国的民用机动车总数将达到 5400 万辆。因此，道路交通管理工作面临的压力很大。从目前道路交通秩序的实际情况看，形势比较严峻。一是交通违章现象严重，交通秩序混乱,许多机动车驾驶员随意行驶,车辆乱停乱放;三轮车、自行车抢行猛拐,路口闯灯越线;行人乱穿道路,攀越隔离设施。二是交通阻塞的路口、路段日益增多,堵塞时间不断延长,机动车平均时速逐年下降。三是交通事故不断上升,人员伤亡和经济损失惨重。造成这些问题的原因是多方面的。从客观上讲,道路建设滞后于车辆和交通流量的发展,交通工具结构和路网结构不合理、不配套,交通设施严重不足等是重要原因。同时,道路交通管理机关在日常管理上也存在不足之处:有的对日益严重的交通秩序混乱和交通堵塞还没有引起足够重视;严格执法、严格管理、严肃处罚违章的有效机制尚未很好形成。这两个方面的问题都说明我国目前的道路交通管理水平还需要大力提高。提高管理水平必须有法律的保障,只有通过依法管理,才能使我国的道路交通安全管理水平不断提高,以适应社会和经济发展的需要。要实现这一目标,首先要有法可依。要通过道路交通安全立法,进一步健全和完善道路交通管理法制,依法治理交通。把机动车管理、驾驶员管理、对违法行为的纠正和处罚、事故预防和处理以及道路交通法制宣传等都纳入法制轨道,要严格各项管理制度和程序。

依法管理一方面要求道路交通安全管理机关要严格依照法律规定,做好上述各项管理工作,不得懈怠职责。另一方面,要求道路交通安全管理机关必须在法定的职权范围内严格按照法定的程序实施管理,行使职权,不得超越职权或者滥用职权,侵害公民、法人或者其他组织的合法权益。道路交通安全管理工作涉及面极广,道路交通安全管理机关违法行政,必然会给广大人民群众利益造成很大损害。为此,道路交通安全法不仅详细规定了道路交通管理机关的各项职权的范围,行使的条件和程序,而且专门规定了对道路交通管理机关及其工作人员的法律监督措施和法律责任。总而言之,依法管理就是要保证道路交通安全管理机关有权有责。依法实施各项管理活动时,有法律作为强有力的后盾,保证各项管理工作顺利开展。同时,各项管理工作要遵守法律的规定,要接受有关部门和人民群众的监督。

道路交通安全工作应当遵循的另一个重要原则是方便群众。道路交通安全工作直接涉及广大人民群众的切身利益,可以说是涉及面最广的一项行政管理工作,不论是机关、企业、事业单位还是公民个人,不论是机动车驾驶人、乘车人还是行人,其出行、生活都离不开道路交通。一方面,作为道路交通活动的参与人,公民、法人和其他组织是道路交通安全管理的相对人,机动车上牌照、申请驾驶证,上道路通行等都要接受道路交通安全管理机关的管理。另一方面,作为人民群众,他们又是道路交通安全管理工作的服务对象,道路交通安全管理工作的目的就是为广大人民群众的出行创造一个安全、可靠、畅通、便捷的交通秩序和环境。因此,道路交通安全管理机关应当始终坚持把广大人民群众的利益作为自己整个管理工作的出发点和归宿,正确处理管理与服务的关系,牢固树立为人民服务的思想,把方便群众的原则贯穿于整个道路交通安全管理工作中去。明确道路交通安全管理本身就是为了广大人民群众利益,而不是为了管理而管理。在采取具体管理措施时,要充分考虑群众的利益,方便群众。比如道路交通设施的设置,要充分考虑群众的需要。在学校、幼儿园、医院等单位门前设置过街设施或者施划人行横道,设信号灯、减速、慢行标志等。慎重采取交通管制措施,因管理需要不得不采取管制措施时,要尽量考虑对人民群众生活、出行影响最小的方案,并且提前向社会公告等。在日常管理工作中要注意不断改进工作方法,减少不必要的办事环节,公开办事程序,提高工作效率。即使是在纠正道路交通违法行为,进行行政处罚的过程中,也存在方便群众的问题。处罚并不是道路交通安全管理的目的,因此对于一些违法情节轻微,未影响道路通行的行为人,在依法纠正其违法行为并给予口头警告,使其知道违法性所在后予以放行即可。对于依法应当予以处罚的,在公民接受处理、缴纳罚款等程序上也可以尽量采取一些便民措施等。

当然，方便群众与严格执法并不矛盾。良好的道路交通秩序的形成，需要全体道路交通参与者自觉遵守道路交通法规，需要广大道路交通安全管理人员的严格管理。道路交通安全管理机关对广大人民群众要做好广泛深入的宣传工作，对妨碍道路交通安全的违法行为要依法纠正，对违法行为人要依法进行教育，并给予必要的处罚，对严重危及道路交通安全的行为人还要给以严厉的处罚。方便群众要在保障道路交通安全的前提下，在依法管理中体现。不能为了所谓"方便群众"，而违反法律规定，随意省略法定的办事环节和程序。比如，对机动车进行登记时，按照规定应当进行安全技术检验，这是为了保证上道路行驶的机动车保持良好的安全技术性能，杜绝存在安全隐患的机动车上路，预防和减少交通事故。道路交通安全管理机关在机动车登记工作中采取一些方便群众的具体措施，如具体的办事程序上实行"一站式办公"等，都是方便群众原则在工作中很好的体现。但是绝不能为了"方便群众"而违反法律规定，任意简化、省略安全技术检验的内容。更不能以"方便群众"为名，为拉关系、走后门等不正之风大开方便之门。这样的"方便群众"不仅不符合依法管理原则的要求，而且事实上并不符合广大人民群众的利益。

道路交通安全工作的目标是保证道路交通有序、安全、畅通。依法管理作为道路交通安全工作的一项基本原则，它关系到道路交通工作的基本工作方法。方便群众作为道路交通安全工作的另一项基本原则，它关系到道路交通工作的基本作风。而有序、安全、畅通则是整个道路交通工作所要追求的目标，它关系到道路交通安全工作的方向。道路交通井然有序，既是道路交通安全管理机关加强依法管理的目的，也是方便群众最根本的体现。安全、畅通，则是衡量道路交通秩序是否井然有序的两个最基本的指标。道路交通安全法要求道路交通安全管理机关在管理工作中坚持严格依法管理、方便群众的原则，就是为了保证道路交通安全法立法目的的实现。道路交通安全法的立法目的也就是道路交通安全工作应当努力追求的目标。

第四条　各级人民政府应当保障道路交通安全管理工作与经济建设和社会发展相适应。

县级以上地方各级人民政府应当适应道路交通发展的需要，依据道路交通安全法律、法规和国家有关政策，制定道路交通安全管理规划，并组织实施。

【释义】　本条是关于各级人民政府在道路交通安全管理方面的职责的规定。本条共分两款。

本条第一款是关于各级人民政府应当保障道路交通安全管理工作与经济建设和社会发展相适应的规定。交通运输是国民经济发展的一个重要方面，而道路交通运输是整个交通运输网络中重要的组成部分。因此，道路交通管理工作应当和道路交通运输一样，必须与国民经济和社会发展相适应。道路交通运输的发展如果滞后于国民经济和社会的发展，就会成为制约国民经济和社会的顺利协调发展的瓶颈。同样，道路交通安全管理工作如果不能与经济和社会发展相适应，就会制约道路交通运输的发展，进而制约国民经济建设和社会发展。因此，各级人民政府在大力发展经济的同时，应当高度重视道路交通安全管理工作，从经济建设和社会发展的全局需要出发，对道路交通安全管理工作进行科学决策，加大对道路交通安全管理的投入，不断提高道路交通安全管理水平，保证道路交通安全管理工作与经济和社会协调发展。这里的各级人民政府既包括中央人民政府即国务院，也包括地方各级人民政府。

本条第二款是关于县级以上地方各级人民政府应当制定道路交通安全管理规划的规定。“凡事预则立，不预则废”，要保证道路交通安全管理工作与经济建设和社会发展相适应,行之有效的办法就是制定科学、合理的道路交通安全管理规划,并组织实施。道路交通安全法作出上述规定主要是考虑到,我国目前道路交通安全管理工作与国民经济和社会发展相比,相对滞后,不能充分满足经济建设和社会发展的需要。在有的地方,道路交通安全已经成为严重制约经济发展的因素。造成这种状况的客观原因是,新中国成立以来,尤其是改革开放二十余年来,我国国民经济和社会发展一直保持着较高的速度,道路交通作为基础设施,在一些地方存在相对滞后的情况。与此同时,在道路交通安全管理上也还存在许多问题。突出的表现就是,管理工作缺乏整体和长远规划,一些地方和部门领导的道路交通安全意识不强,不能很好地处理发展经济与保障安全的关系、近期建设与长远需求的关系。道路交通安全法明确规定,县级以上地方各级人民政府应当制定道路交通安全管理规划并组织实施,就是为了明确道路交通安全工作在经济建设和社会发展中的重要地位,强化各级人民政府做好道路交通安全管理工作的责任,为做好道路交通安全管理工作提供必要的法律保障。

道路交通安全管理规划的主要内容应当包括:1. 关于道路交通安全管理基础设施建设的内容,如道路及其附属设施、交通枢纽、交通指挥中心、交通安全管理信息系统和数据库、公共停车场等的规划和建设的内容。2. 关于交通安全管理人才培养和储备的内容。3. 关于道路交通安全管理科研工作的内容等。道路交通安全管理规划可以分为近期规划、中期规划和长远规划。

制定道路交通安全管理规划,应当适应道路交通发展的需要,以道路交通安全法律、法规和国家有关政策为依据。道路交通安全管理规划是在科学决策的基础上,对道路交通安全管理工作所作的计划和安排。道路交通的发展,客观上需要道路交通安全管理水平的不断提高。制定道路交通安全管理规划,必须以保证各项安全管理工作与道路交通发展相适应为核心,不断满足道路交通发展的需要,只有这样,才能保证道路交通安全管理工作为道路交通发展服务。制定道路交通安全管理规划,还必须以道路交通安全法律、法规和国家有关政策为依据。一方面,依法行政是社会主义法治建设的基本要求,道路交通安全管理工作直接涉及广大公民、法人和其他组织的切身利益,道路交通安全管理工作应当严格依照道路交通安全法律、法规进行,是依法行政的当然要求。作为对道路交通安全管理工作的计划和安排,道路交通安全管理规划必须以道路交通安全法律、法规为依据。另一方面,道路交通安全管理工作并不是孤立的,它与经济建设和社会发展是紧密相连的。因此,制定道路交通安全管理规划,必须以国家经济建设和社会发展的政策为依据。道路交通安全管理规划中的各项内容,应当根据地方和国家的基本建设、城市建设等的需要和工作安排制定,并按照有关规定和程序,分别纳入基本建设规划、城市发展总体规划、交通规划等,以保证各项道路交通安全管理工作能够满足地方和国家的经济建设和社会发展的需要。

第五条　国务院公安部门负责全国道路交通安全管理工作。县级以上地方各级人民政府公安机关交通管理部门负责本行政区域内的道路交通安全管理工作。

县级以上各级人民政府交通、建设管理部门依据各自职责,负责有关的道路交通工作。

【释义】 本条是关于道路交通安全管理体制的规定。本条共分两款。

本条第一款是关于道路交通安全管理工作的主管部门的规定。根据本条第一款的规定,我国道路交通安全管理工作的主管部门是国务院公安部门和县级以上地方各级人民政府公安机关交通管理部门。道路交通安全管理工作的具体内容主要包括:车辆登记、发牌、发证和车辆检验、驾驶员考试和管理、道路交通指挥、道路交通秩序维护、处理交通事故、纠正违章和进行行政处罚、交通安全宣传教育等。国务院公安部门即公安部负责全国的道路交通安全管理工作。公安部在道路交通安全管理方面的主要职责是,制定全国统一的道路交通安全管理规章,指导全国城乡道路交通安全管理、安全宣传教育、交通指挥、维护交通秩序、处理交通事故和车辆安全检验、驾驶员考核与发证、发牌等工作并制定技术规范和标准,参与道路建设和交通安全设施的规划,组织交通安全科学研究工作等。道路交通是一个网络,因此,道路交通安全工作在宏观上必须由国家进行统一管理。公安部作为国家道路交通安全主管部门,负有对全国范围内道路交通安全工作进行统一管理的职责。如制定机动车登记管理、机动车检验、驾驶员考试和管理等方面的具体办法,组织实施如"城市道路以交通安全管理畅通工程""创建平安大道"等全国性的道路交通安全管理活动等。县级以上地方各级人民政府公安机关交通管理部门负责各自行政区域内的道路交通安全管理工作。"县级以上各级人民政府公安机关交通管理部门"是指县级以上(包括县一级在内)的公安机关的交通警察大队、支队、总队。交通警察属于人民警察的一个警种,属于公安机关内部具体负责道路交通安全管理工作的一个部门。道路交通安全法关于县级以上地方各级人民政府公安机关交通管理部门负责本行政区域内的道路交通安全管理工作的规定,是对道路交通安全管理工作的原则分工。根据这一规定,道路交通安全管理工作应当由各地方公安机关的交通警察负责,其他任何单位和部门不得行使这一职权。交通警察行使道路交通安全管理职权,必须在自己所辖的行政区域内,不得越区行使。实践中有的地方存在的一些公安机关车辆管理部门为了扩大收费等目的,对自己辖区以外的机动车辆办理登记手续的行为,属于一种违法行为,应当予以纠正。当然,道路交通安全管理是一个动态的过程,道路交通安全管理部门在进行具体管理活动时，可能需要在自己所辖行政区域外实施一些行为，比如追赶肇事后逃逸车辆、执行对异地违章车辆的处罚决定等。这些行为实际上是先前的管理行为的继续，仍然属于对自己管辖范围内的事项行使管理权，与本条的规定并不矛盾。强调公安机关交通管理部门应当在自己所辖行政区域内行使职权，是为了分清责任，做到权责明确，各负其责，保证其依法行政。但不能将此简单理解为"交通警察各管一段"，道路交通既是一条线，更是一张网，道路交通安全管理工作需要各管理机关有机配合。各个管理机关做好本辖区内的工作，是保证整个道路交通有序、安全、畅通的前提。各个管理机关实施管理的目的是一致的，即保证整个道路交通秩序有条不紊、安全高效。因此，实际工作中要防止各自为政，互甩包袱等错误做法，既要讲分工，又要讲配合，要以保证整条线路安全畅通的目标统一各个管理部门的认识，共同做好道路交通安全管理工作。同样，强调在自己所辖区域内行使职权，也不是要求所有道路一律按照县级行政区划分工负责。各个地方在具体划分道路交通安全管理职责时，要按照道路交通安全管理的实际需要，科学确定各个道路交通安全管理部门的具体职责、合理确定具体的责任路段。比如有的地方为了便于对高速公路上的道路交通安全工作实施统一管理，在省交通警察总队下设直属的高速公路巡查部门，负责本省境内高速公路道路交通安全管理工作，而不是按照县、市行政区划分段管理。这种做法效果如何，尚有待实践进一步检验，但是从探索科学的道路交通安全管理方式的角度看，确实是一种有益的尝试，而且与本款的规定并不矛盾。

本条第二款是关于县级以上各级人民政府交通、建设管理部门负责有关的道路交通工作的规定。道路交通工作就其内容来说十分广泛，包括与道路交通有关的各项工作，如道路交通发展战略的制定和实施，道路及其附属设施的规划、建设、养护，交通运输行业的管理等。道路交通安全管理工作只是整个道路交通工作一个重要的组成部分。有关道路交通工作的法律很多,如公路法、城市规划法等。道路交通安全法是其中之一,它的调整对象是道路交通安全管理关系。根据道路交通安全法的规定,道路交通安全管理工作的主管部门是公安机关交通管理部门。但是,道路交通工作涉及面很广,要做好道路交通安全管理工作,保证道路交通安全、有序、畅通,仅仅靠公安机关交通管理部门一家是不行的。必须充分发挥与道路交通工作有关的各个职能部门的作用,共同努力。与道路交通安全管理工作关系密切的职能部门就是交通行政主管部门和建设行政主管部门。简单地说,道路交通秩序取决于道路交通三方面因素——"路、车、人(即道路交通的参与者,包括自然人、法人和其他组织)"的相互作用。道路交通安全管理就是要通过政府职能部门的管理工作,使得"路、车、人"三方面要素协调、有序。公安机关交通管理机关的整个道路交通安全管理工作就是围绕着这三方面要素展开的。而公安机关要对道路交通的这三方面要素实行有效管理,离不开各级交通、建设行政主管部门的配合。首先,交通行政主管部门、建设行政主管部门是道路交通安全管理工作的基础——道路的主管机关。规划科学、合理的路网结构,设置齐全、保养状况良好的道路及其附属设施,是保证道路交通安全、有序、畅通的前提条件。道路包括公路、城市道路以及广场、公共停车场等用于公众通行的场所等。根据有关的道路交通法律、法规的规定,公路的规划、建设、养护、管理工作主要由交通行政主管部门负责。城市道路的规划、建设、养护、管理工作则是由建设行政主管部门负责。广场、停车场等和城市道路一样,属于城市基础设施,其规划、管理也是归口建设行政主管部门负责的。由此可见,交通、建设行政主管机关作为"路"的主管部门,其管理工作是否到位,关系到道路交通秩序的基础和前提。公安机关交通管理部门与交通、建设行政主管部门能否相互密切配合,做好各自的工作,直接关系到道路交通秩序是否能够安全、畅通、有序。比如针对我国城市道路交通秩序混乱,管理水平不高的情况,公安部和建设部于2000年提出了实施畅通工程的意见,由公安部和建设部组成实施全国城市道路交通管理"畅通工程"协调工作小组,并在公安部设立办公室,负责制定全国城市道路交通管理"畅通工程"总体方案,并对"畅通工程"的实施进行指导、监督和检查。通过两个部门的紧密合作,"畅通工程"取得了较好的成效,一些城市的道路交通安全管理工作有了较大提高,道路交通秩序有了较大的改善。其次,交通、建设行政主管部门还是"车"的主管部门。根据有关法律、法规的规定,交通行政主管部门是公路运输企业主管部门,而城市建设部门也负有对城市公共交通事业的管理职责。交通、建设行政主管部门对运输线路的设置、调整,投入运营车辆的审批和管理等也直接关系到道路交通安全管理工作。最后,交通、建设行政主管部门也负有管理部分道路交通参与者及其他与道路交通活动有关的单位和个人的职能。交通行政主管部门负有对驾驶学校或者驾驶培训班实施资格管理的职责,保证驾驶学校或者培训班严格依照法律规定对学员进行培训,培养合格的驾驶人员。交通、建设行政主管部门作为交通运输企业、城市公共交通企业的主管部门,负有对这些企业的安全生产进行监督、管理的职责,以保证这些企业认真落实安全生产责任制,预防和减少交通事故。交通、建设行政主管部门作为道路的主管机关,其他单位或者个人因工程建设或者其他活动,需要占用、挖掘道路或者因施工影响道路通行的,需要向其提出申请,由其依法审批。对于未经批准,擅自挖掘、占用道路的,交通、建设行政主管部门有依法制止并予以处罚的权力。此外,交通、建设主管部门的道路养护部门对于公路、城市道路出现坍塌、坑槽、水毁、隆起等损毁的,也负有及时修复的职责。综上所述,由于交通、建设行政主管部门对涉及道路交通秩序的"路、车、人"均具有一定的管理职责,因此，道路交通安全法明确规定，县级以上各级人民政府交通、建设行政管理部门依据各自职责，负责有关的道路交通工作。

第六条　各级人民政府应当经常进行道路交通安全教育，提高公民的道路交通安全意识。

公安机关交通管理部门及其交通警察执行职务时，应当加强道路交通安全法律、法规的宣传，并模范遵守道路交通安全法律、法规。

机关、部队、企业事业单位、社会团体以及其他组织，应当对本单位的人员进行道路交通安全教育。

教育行政部门、学校应当将道路交通安全教育纳入法制教育的内容。

新闻、出版、广播、电视等有关单位，有进行道路交通安全教育的义务。

【释义】　本条是关于动员社会各界力量进行广泛教育和宣传，培养和提高公民道路交通安全意识的规定。本条共分五款。

本条第一款是关于各级人民政府进行道路交通安全教育义务的规定。大力提高广大公民的道路交通安全意识，使其自觉遵守道路交通安全法律、法规，是本法要达到的目的之一。道路交通秩序是由路、车、人三方面要素的相互作用形成的。这里的路，是指道路、交通设施等，它是道路交通的硬件，构成道路交通安全、畅通的前提；车是指机动车、非机动车等车辆，它是人们进行道路交通活动的工具；人是指车辆驾驶人、行人、乘车人等道路交通活动的参与者、承担者。良好的道路交通秩序，必须要以规划科学、合理的路网结构，设置齐全、有效的交通设施作为前提。性能良好、结构合理的交通工具也是良好道路交通秩序必不可少的条件之一。但是，作为道路交通活动的具体参与者的人，是形成良好道路交通秩序最为关键的因素。如果广大道路交通活动的参与者具有很高的道路交通安全意识,能够自觉遵守道路交通管理法规,维护道路交通秩序,良好的道路设施和交通工具就能充分发挥作用。相反,如果道路交通参与者普遍缺乏道路交通安全意识,不遵守道路交通管理法规,比如机动车驾驶人随意闯红灯、超速、酒后开车,营运机动车严重超载,行人乱穿马路等,再好的道路交通设施,再优良的交通工具也难以充分发挥作用。安全可靠、畅通高效的道路交通秩序也根本无法形成。从我国道路交通秩序的实际情况看,情况是不容乐观的。尤其是大中城市道路交通堵塞严重,通行效率低下,事故发生频繁等现象比较严重。虽然说道路基础设施建设的速度落后于经济和社会发展的速度,交通工具结构不尽合理等问题,在很大程度上仍然是目前制约道路交通秩序良性发展的重要因素,但是,广大道路交通活动的参与者道路交通安全意识不强,遵守道路交通安全法律、法规的自觉性不够,道路交通违法行为大量存在等问题,也是形成目前一些地方道路交通秩序混乱的重要因素。通过加大道路基础设施建设的力度,缓解车辆和交通流量逐年快速增长给道路交通带来的压力,是形成良好的道路交通秩序必不可少的措施。但是,我们还应该看到,仅仅靠道路设施这种硬件建设是远远不够的。维护道路交通秩序必须充分重视"人"这种软要素。一方面,我国目前道路交通参与人的道路交通安全意识普遍不高。这样就给道路交通管理机关的工作带来很大压力。警力总是不足,违法行为纠不胜纠,交通事故防不胜防。整日疲于应付各种事务,根本无暇考虑如何改进工作,提高道路交通管理水平。其实,维护道路交通秩序并不是道路交通管理机关一个部门的事情,也不是仅靠政府机关就能够做好的。良好的道路交通秩序必须要靠广大的道路交通活动参与者的自觉维护才能够形成。同时,提高道路交通参与者的交通安全意识和遵纪守法意识,实际上也是为实施道路交通安全管理创造良好环境和氛围,减少管理的阻力和成本,是道路交通管理的基础性工作。另一方面,改革开放以来,国家在道路基础设施建设方面的投入力度是很大的。但由于我国正处于经济高速发展时期,各项基础设施包括道路基础设施的建设速度跟不上经济发展速度的情况可能还要持续一定时期。在相当长一段时间内,仅仅靠发展道路基础设施建设来保证良好的道路交通秩序的想法是不现实的。因此要维护良好的道路交通秩序,既不能等,也不能靠,必须通过加强管理,在道路基础设施等资源既定的条件下,在“人”这种软要素上下工夫,通过不断提高道路交通参与人的道路交通安全意识,提高其遵守道路交通管理法律、法规的自觉性,充分挖掘道路交通管理的潜力。从这个意义上讲,道路交通参与人道路交通安全意识普遍不高,交通违法行为大量存在的现状,也正说明我们在这方面还有很大的潜力可挖,改善道路交通秩序还有很多工作可做。

提高公民道路交通安全意识需要社会各方面共同努力,各级人民政府在这方面负有主要的宣传教育职责。这是因为,进行法制宣传教育是各级人民政府的法定职责。道路交通安全法制教育是整个法制宣传教育的重要组成部分。各级人民政府应当把道路交通安全教育纳入法制宣传教育规划中,常抓不懈,不断提高公民的道路交通安全意识。公民的道路交通安全意识包括公民道路交通安全基本知识和公民自觉遵守道路交通安全法律、法规的意识两个方面。提高公民的道路交通安全意识:一方面关系到提高公民在参与道路交通活动时的自我保护能力;另一方面,也是为了提高公民的守法意识。可见,公民的道路交通安全意识实际上也是公民守法意识的一个方面,是公民基本素质的一个方面。道路交通安全涉及广大公民的切身利益,各级人民政府通过经常性的道路交通安全教育,使广大公民掌握道路交通安全知识,了解道路交通安全法对于保护其切身利益的重要性,就能够提高公民自我保护能力,增强自觉遵守道路交通法律、法规的积极性和主动性。这种长期的宣传教育和公民个人的自我培养过程,必然能够不断提高公民的法律素养和守法意识,不断提高公民的基本素质,进而有利于整个社会主义法治建设。

本条第二款是关于公安机关交通管理部门及其交通警察进行道路交通安全教育和模范遵守道路交通安全法律、法规的义务的规定。通过有效的道路交通安全教育,不断提高道路交通参与者的道路交通安全意识和遵守道路交通安全法的自觉性,是公安机关交通管理部门做好道路交通管理工作的重要前提。因此,道路交通安全教育是公安机关交通管理部门管理工作的重要内容。公安机关交通管理部门应当不断加强道路交通法的宣传工作,采用各种有效的方式进行道路交通安全教育。另外,公安机关交通管理部门依法实施各项道路交通安全管理工作本身,就是对道路交通安全管理相对人的交通安全教育。公安机关交通管理部门及其交通警察应当注意结合执法工作,开展道路交通安全法律、法规宣传,把道路交通安全教育融入到其日常工作当中,以取得良好的效果。

要保证道路交通安全、畅通、高效,道路交通主管机关、各个道路交通参与人以及全社会都要严格遵守道路交通安全法。公安机关交通管理部门作为道路交通安全法的主要执法部门,不仅要通过开展执法活动,管理和监督道路交通参与人遵守道路交通安全法,其本身更应当作为遵守道路交通安全法的模范和表率。只有这样,其道路交通安全管理工作才能得到广大人民群众的支持,其道路交通安全宣传和教育才能够具有说服力。

本条第三款是关于机关、部队、企事业单位、社会团体以及其他组织对本单位的人员进行道路交通安全教育的义务的规定。进行道路交通安全教育,提高公民道路交通安全意识,需要动员各种社会力量,形成一个合力。除了各级人民政府进行必要的宣传教育以外,各个单位经常对自己所属的人员进行道路交通安全教育也是非常必要的。实践证明这种教育也是非常有效的。单位对自己所属人员的教育,根据对象的不同,可以分为两种:一种是单位对自己所属的机动车驾驶人的道路交通安全教育;一种是对本单位其他人员的道路交通安全教育。机动车驾驶人是否具有较高的道路交通安全意识,是否能够自觉遵守道路交通安全法律、法规,不仅关系到其本人的生命健康,而且关系到道路上的其他车辆、人员的安全,也关系到单位正常的工作和生产秩序。因此,各个单位应当高度重视对其所属的机动车驾驶人员的安全教育工作。要教育机动车驾驶人注意保持车况良好,防止存在安全隐患的车辆上路,认真学习、自觉遵守道路交通安全法律、法规,安全驾驶、文明驾驶。机动车较多的单位,尤其是客运、货运企业,应当建立严格的交通安全责任制并负责监督实施。除了机动车驾驶人以外,其他人员也是道路交通活动的重要参与者。这些人员掌握必要的道路交通安全知识,自觉遵守道路交通法律、法规,不仅能够提高保护自己的意识和技能,而且对于维护良好的道路交通秩序也必不可少。因此,各个单位除了对本单位机动车驾驶人进行道路交通安全教育以外,对其他人员经常进行道路交通安全教育也是非常必要的。

本条第四款是关于教育行政部门、学校对学生进行道路交通安全教育的义务的规定。学校是教书育人的场所,学校教育除了传授学生必要的知识以外,还有一个很重要的方面就是教育学生成为一个富有社会责任感、守法、爱国、高素质的公民。学生在学校学习的过程既是知识不断增长的过程,也是其人格不断发展和完善的过程。道路交通安全法规定将道路交通安全教育纳入法制教育的内容,有两个方面的重要意义:一是通过学习,可以掌握必要的道路交通安全知识,有利于培养学生的交通安全意识,提高其在参与道路交通活动时的自我保护能力;二是有利于使其从小就养成遵纪守法的良好习惯,将来成长为一名具有较高素质的公民。只有广大公民普遍养成良好的遵纪守法习惯,才能够共同创造一个良好的社会氛围,从而最终减少交通事故的发生。这里的教育行政部门,是指各级人民政府负责教育工作的行政主管部门,包括高等教育主管部门在内。这里的学校包括中小学校、幼儿园、大学以及各类学校。需要特别说明的是,道路交通安全法规定将道路交通安全教育纳入学校法制教育的内容,与减轻中小学生课程负担并不矛盾。一方面,对学生进行道路交通安全教育既是为了提高学生自我保护能力,保护其生命和身体健康,也是为了培养其遵纪守法的良好意识。这对于保证广大学生身心健康发展是至关重要的,而且与素质教育的目标是一致的。另一方面,道路交通安全法规定,教育行政主管部门、学校应当将道路交通安全教育纳入法制教育的内容,这就不至于额外增加学生的课程负担。法制教育是学校教育的重要内容,道路交通安全法作为涉及面极广的一部法律,关系到广大学生的出行安全,学生有必要了解必要的知识,而且需要广大学生在出行时自觉遵守。因此,道路交通安全法可以说是对学生进行法制教育,培养学生遵纪守法意识最佳的教育素材。另外,各级各类学校对学生进行道路交通安全教育,乃至整个法制教育,应当是根据不同年龄段学生的特点,结合本校教育任务和内容,采取形式丰富多样的教学方式。既可以进行课堂教育,也可以通过开展课外活动,举办夏令营、少年警校等形式进行教育,而不是要求无论什么学校,都一律要进行课堂教育,以收到良好的教育效果。

本条第五款是关于新闻、出版、广播、电视等媒体进行道路交通安全教育宣传义务的规定。新闻、出版、广播、电影、电视等大众传播媒体是公民、法人及其他社会组织获取信息的重要渠道,因此进行道路交通安全教育离不开这些传播媒体。道路交通安全法规定新闻、出版等传播媒体进行道路交通安全教育的义务,就是为了充分发挥各种传播媒体的优势。新闻、出版等传播媒体应当通过制作、出版、播放有关道路交通安全教育的节目,向广大道路交通活动参与者宣传道路交通安全法的有关规定，使人们了解道路交通安全法的内容，掌握道路交通安全知识；报道交通事故的情况，提高人们的交通安全意识，引以为鉴；引导人们自觉遵守道路交通安全法律、法规，服从道路交通安全管理机关的管理，自觉维护道路交通秩序。

第七条　对道路交通安全管理工作，应当加强科学研究，推广、使用先进的管理方法、技术、设备。

【释义】　本条是关于增加道路交通管理工作的科技含量的规定。

“科学技术是第一生产力”。科技进步在经济、社会生活中的重要作用已经得到广泛认同，各个行业和部门均把科技进步作为推动和改进自己工作的主要动力，道路交通管理工作也不能例外。随着我国国民经济和社会的持续高速发展，道路交通安全管理工作既迎来了快速发展的机遇，也面临着严峻的挑战。一方面，国家对道路交通建设的投入力度大大加强了，另一方面，急剧增长的车辆和交通流量给道路交通安全管理工作带来很大的压力。面对这种新的情况，要使得道路交通管理工作上一个新的台阶，就必须依靠科技进步的力量，必须加强对道路交通安全管理工作的科学研究，推广使用新的管理方法、新技术、新设备。加强道路交通安全管理工作的科学研究，包括对优化道路及其附属设施的规划、建设的研究、对交通工具的研究、对管理方法的研究等几个方面。通过对道路及其附属设施的规划、建设的科学研究，制定科学、合理的道路建设规划，有利于形成合理的道路交通运输网络，减少无谓的重复建设并消除“瓶颈”于未然，这对于提高道路交通运输的总体效率具有重要的意义，也为做好道路交通管理工作打下良好的基础。加强对道路交通工具的科学研究，推广使用先进、适用的道路交通工具，可以形成合理的交通工具结构，提高道路的使用效率，保证运输的快捷性、安全性和舒适性。另外,减少能源消耗和污染物的排放,保证道路交通运输的可持续发展,也是道路交通工具研究和推广应当考虑的问题。加强道路交通安全管理方法的研究,对于做好道路交通管理工作尤其重要。在资源既定的情况下,管理方法的优劣直接关系到管理的效果。目前,我国道路交通安全管理水平与发达国家相比,还有相当大的差距。加强对道路交通安全管理方法的研究,形成一个先进的管理战略和思路,探索出一套先进的、适合我国道路交通安全基本情况的管理方法,是从整体上大大提高我国道路交通安全管理工作亟待解决的基本问题。除了先进的管理方法以外,提高道路交通管理水平还需要注意推广使用先进的管理技术和设备。近年来道路交通安全管理机关在道路交通安全管理方面使用了大量的先进技术手段和设备,大大提高了管理效率,也规范了执法行为,方便了群众。如机动车登记实行计算机系统联网,不仅大大缩短了机动车登记所需要的时间,方便了群众,而且为整个道路交通管理提供了方便快捷的基础性数据系统,对于制定道路交通规划,提高道路交通安全管理水平,预防和减少走私、盗抢机动车等犯罪行为。此外,其他一些先进技术和设备的使用,也在提高管理效率,减轻交通警察的工作负担,规范交通警察的执法行为,促使道路交通活动参与者自觉遵守交通安全管理法律、法规方面发挥了非常积极的作用。如有的地方对机动车驾驶员考试实行电子考杆,有的地方在重要的路段设置了自动探测机动车超速、闯红灯的装置和记录仪器,有的地方在交通警察执法方面实现了全省计算机系统联网。这些情况充分表明,加强道路交通安全管理的科学研究,推广使用先进的管理方法、技术、设备,确实能够在道路交通安全管理方面起到事半功倍的作用,是在改革开放新形势下做好道路交通安全管理工作的必由之路。

第二章　车辆和驾驶人

第一节　机动车、非机动车

第八条　国家对机动车实行登记制度。机动车经公安机关交通管理部门登记后，方可上道路行驶。尚未登记的机动车，需要临时上道路行驶的，应当取得临时通行牌证。

【释义】　本条是关于国家对机动车实行强制登记制度的规定。

根据本条规定，机动车经公安机关交通管理部门登记后，方可上道路行驶。对机动车实行登记制度，是做好道路交通安全管理工作的需要。从宏观上看，对机动车实行登记管理，能够为道路交通安全管理规划的制定提供准确的基础信息和资料，指导道路交通安全管理机关科学分析道路交通安全管理工作的情况，提高道路交通安全管理工作的主动性。从具体管理工作看，通过机动车登记环节，可以有效防止不符合国家安全技术标准的机动车上道路行驶，消除道路交通安全的隐患。对机动车进行登记，核发牌证，是保证各项道路交通管理措施如机动车定期检验、机动车报废制度等得以贯彻实施的重要保证措施之一，也是对机动车进行监督、检查，纠正道路交通违法行为，进行行政处罚、处理道路交通事故等的重要依托。对机动车实行登记制度，不仅是做好道路交通安全管理工作的需要，而且还为有关部门制定相关政策提供基础性资料。从汽车工业的发展，到城市建设规划、交通规划等的制定，无不需要考虑机动车保有量、交通工具结构、机动车增长趋势等问题，而对这些问题的分析，都需要通过机动车登记来收集资料。对机动车实行登记制度，是国家与机动车有关的各项管理制度得以贯彻实施的重要保证。如国家推行机动车第三者责任强制保险制度、机动车环境保护制度、与机动车有关的税收以及机动车养路费征稽等必须以机动车登记制度为依托。机动车登记制度有助于打击走私、盗窃、抢劫、抢夺机动车的犯罪活动。对机动车实行登记，还是保障公民、法人和其他组织正常的民事活动，维护交易安全的重要措施。如同对不动产的买卖、转让、抵押需要依法进行登记一样，机动车作为重要的生产和生活资料，也需要进行相应登记，以保证与机动车有关的各项民事活动依法、有序地进行。这也是各国通行的做法。

根据道路交通安全法的规定，机动车上道路行驶必须依法登记并领取号牌和行驶证。但是，机动车从出厂或者进口到购买人上道路行驶，中间还有一个运输、销售的过程。机动车所有人购买机动车以后，在申请登记前的这一段时间，也需要临时上道路行驶，如返回住所、前往办理机动车登记手续等。对于这些尚未取得机动车号牌、行驶证的机动车实行临时通行牌证管理，是整个机动车牌证管理制度的一个部分。临时机动车牌证应当由公安机关交通管理部门依法发放，临时通行牌证只能用于机动车运输、移动等临时通行需要，不得代替机动车牌证。使用临时通行牌证的机动车应当按照国家规定，及时办理机动车登记手续，取得正式的机动车牌证。

第九条 申请机动车登记，应当提交以下证明、凭证：

(一)机动车所有人的身份证明；

(二)机动车来历证明；

(三)机动车整车出厂合格证明或者进口机动车进口凭证；

（四）车辆购置税的完税证明或者免税凭证；

（五）法律、行政法规规定应当在机动车登记时提交的其他证明、凭证。

公安机关交通管理部门应当自受理申请之日起五个工作日内完成机动车登记审查工作，对符合前款规定条件的，应当发放机动车登记证书、号牌和行驶证；对不符合前款规定条件的，应当向申请人说明不予登记的理由。

公安机关交通管理部门以外的任何单位或者个人不得发放机动车号牌或者要求机动车悬挂其他号牌，本法另有规定的除外。

机动车登记证书、号牌、行驶证的式样由国务院公安部门规定并监制。

【释义】 本条是关于机动车注册登记制度的具体规定。本条共分四款。

本条第一款是关于申请机动车登记时应当提交的文件的规定。根据本款规定，申请机动车登记时，应当向公安机关交通管理部门提交以下证明和凭证：机动车所有人的身份证明；机动车来历证明；机动车整车出厂合格证明或者进口机动车进口凭证；车辆购置税的完税证明或者免税凭证；法律、法规规定应当在机动车登记时提交的其他证明、凭证。道路交通安全法之所以要明确规定申请机动车登记时需要提交的文件的种类，一方面是为了明确公安机关交通管理部门对机动车进行审查登记时的职责，保证其严格依照法律规定的条件进行机动车登记审查工作。另一方面，是为了方便群众，防止一些地方和部门利用机动车登记，随意附加条件和要求，增加群众负担。机动车所有人在申请机动车登记时，只需依法提交上述法律明确规定的有关凭证和证明即可，任何地方和部门不得在上述规定之外，要求机动车所有人提交其他证明或凭证。这里的机动车登记是国家机动车登记主管部门应机动车所有人申请，对机动车进行初次入籍登记，建立原始登记档案的一种活动，一般称为注册登记。至于机动车经依法登记并取得车籍以后，由于发生法定事由，需要变更登记内容或者注销登记的，不属于本条规定的机动车登记，其所需要提供的有关证明和凭证也不同于本条规定。为了保证机动车登记资料准确、真实，道路交通安全法规定，申请机动车登记时，应当提交机动车所有人的身份证明。“机动车所有人的身份证明”是指依法能够用于证明机动车所有人本人身份的证明文件。对于自然人而言，居民身份证、户口本、中国人民解放军或者中国人民武装警察部队核发的军人身份证件、公安机关为香港、澳门特别行政区的居民，台湾居民和外国人核发居留证件均属于有效的身份证明。对单位而言，营业执照、社团登记证书、组织机构代码证书等均是有效身份证明。在机动车登记环节，对申请登记的机动车的来源依法进行审查，是规范机动车流通渠道，防止各种来历不明的车辆、存在产权纠纷的车辆或者非法车辆通过登记投入使用的重要措施。因此，道路交通安全法规定，申请机动车登记时应当提交机动车来历证明。“机动车来历证明”是指证明机动车来源合法并已经办理了国家规定的必要手续的各种证明。机动车来源不同，在申请登记时需要提交的机动车来历证明也不一样。一般来说，购买的机动车，来历证明是机动车的销售发票。通过人民法院或者仲裁机构依法裁判而转移所有权的机动车，其来历凭证是人民法院、仲裁机构依法出具的已经生效的裁判文书和人民法院的协助执行通知书。通过行政渠道调拨的机动车，其来历证明是有关部门依法出具的调拨证明。为了防止不符合安全技术标准的机动车上道路行驶，给道路交通安全造成隐患，道路交通安全法规定，申请机动车登记时应当提交机动车整车出厂合格证明。“机动车整车出厂合格证明”，是指机动车整车生产企业对其出厂的机动车经检验合格后出具的证明文件。国家对进口机动车有着严格的管理规定，在登记环节堵住走私机动车领取牌证的渠道，是打击走私机动车违法犯罪活动的重要举措。为此,道路交通安全法规定,进口机动车申请登记时应当提交进口凭证。“进口机动车进口凭证”,是指证明进口机动车符合国家关于机动车进口管理各项规定的各种证明文件,具体包括:海关依法签发的货物进口证明书、海关监管车辆进(出)境领(销)牌照通知书、国家授权的执法部门签发的没收走私汽车、摩托车证明书等。根据国家规定,购买机动车需要缴纳车辆购置税。为了防止国家税款的流失,道路交通安全法规定申请机动车登记时需要提交车辆购置税的完税凭证。此外,车辆购置税暂行条例还规定了一些免征车辆购置税的情形:外国驻华使馆、领事馆和国际组织驻华机构及其外交人员自用的车辆;中国人民解放军和中国人民武装警察部队列入军队武器装备订货计划的车辆;设有固定装置的非运输车辆,如挖掘机、平地机、叉车、装载车(铲车)、起重机(吊车)、推土机等工程机械;国务院规定予以免税或者减税的其他情形的。对于按照国家规定免征车辆购置税的机动车,在申请登记时应当提交相应的免税凭证。免征车辆购置税的情形应当由国务院规定,因此,对属于国务院决定或者批准的免征车辆购置税的情形之外的机动车辆,在申请登记时必须提交完税证明。除上述有关凭证和证明外,本条第五项还规定,申请机动车登记时还应当提交法律、行政法规规定的其他证明、凭证。这样规定是为了给将来国家根据管理的需要,增加有关证明或者凭证留有余地。如国家实行机动车交通事故第三者责任强制保险制度后,就可以将机动车投保第三者责任险的保险凭证列入申请登记时应当提交的凭证,以保证机动车所有人按照国家规定参加保险。需要强调的是,增加申请机动车登记时需要提交的证明和凭证的种类,只能由全国人民代表大会及其常委会制定的法律或者国务院制定的行政法规规定。除此之外,任何地方和部门,不得以任何名义要求机动车所有人在申请登记时提交其他各种凭证和证明。

本条第二款是关于公安机关交通管理部门办理机动车登记审

查工作的程序的规定。根据本规定，公安机关交通管理部门应当在受理机动车登记申请之日起，五个工作日之内完成审查工作。道路交通安全法对机动车登记机关审查登记的时限作出具体规定，是为了促使机动车登记机关提高办事效率，方便群众。公安机关交通管理部门对经审查符合登记条件，决定予以登记的，应当发放机动车登记证书、号牌和行驶证。机动车登记证是机动车已经依法登记的证明文件，应妥善保管。机动车号牌是标示机动车编号的证明，应悬挂于机动车前后。行驶证是证明准许机动车上道路行驶的证件，应随车携带。公安机关交通管理部门对经审查不符合规定条件的机动车，决定不予登记的，应当向申请人说明不予登记的理由。要求公安机关交通管理部门说明不予登记的理由，是道路交通安全法依法管理、方便群众原则的具体体现。这样便于群众对公安机关交通管理部门的工作进行监督，便于申请者根据公安机关交通管理部门的意见，采取补救措施，有助于管理者与群众的沟通和交流。

本条第三款是关于禁止其他任何单位和个人发放机动车号牌或者要求机动车悬挂其他号牌的规定。按照道路交通安全法的规定，机动车号牌是机动车登记主管部门对机动车进行依法登记、编号后，发放的标示机动车编号的标牌。它是机动车相互区别的重要标志，是道路交通安全管理部门发现和查处道路交通违法行为、处理交通事故等活动的重要参考。机动车号牌的发放应当由道路交通安全法规定的机动车登记工作主管部门实施统一管理，这样有利于保持机动车牌号的唯一性，能够保证号牌标识作用的有效发挥。根据道路交通安全法的规定，机动车登记主管部门是公安机关交通管理部门。机动车辆号牌的发放应当由公安机关交通管理部门的车辆管理部门统一实施。除公安机关交通管理部门以外，任何单位和个人都无权发放机动车号牌。除不得发放机动车号牌外，也不得要求机动车悬挂其他号牌。实践中一些部门以管理需要等种种理由,要求已经在公安机关车辆管理部门登记并领取牌照的机动车悬挂其自行发放的各种牌证。这种做法不仅缺乏法律依据,增加机动车所有人的负担,而且也干扰了公安机关交通管理部门对机动车牌证的依法管理,影响机动车号牌标识作用的发挥。对这种违法行为,机动车所有人有权予以拒绝。需要说明的是,对机动车实行统一管理是道路交通安全管理工作的重要原则,但考虑到我国目前农村经济发展的实际情况和现行的农用机动车管理体制,立法机关对上道路行驶的拖拉机的登记和牌证发放、安全技术检验,以及驾驶员考核、驾驶证发放和审验工作,在本法第一百二十一条作了特殊的规定。本款所谓的"本法另有规定的除外",就是指本法对第一百二十一条的规定。

本条第四款是关于机动车登记证书、机动车号牌、行驶证的式样由国务院公安部门统一规定并负责监制的规定。机动车登记管理是重要的基础性的道路交通管理工作,而机动车牌证的制作、发放则是机动车登记管理工作的重要组成部分。道路交通全国是一张网,一盘棋。机动车是具有高度流动性的交通工具,对机动车的登记和牌证管理不宜以地域来划分。对道路交通安全工作,包括机动车登记和牌证管理工作,实行全国统一的管理,是保证我国整个道路交通有序、安全、畅通的必要措施。全国实行统一的机动车牌证,有利于机动车登记工作准确、有序,能够为机动车管理工作提供一个全国统一的、权威的信息资料系统,便于公安机关交通管理部门相互协作,便于对异地车辆的依法管理。全国实行统一的机动车牌证,还有利于打击走私、盗窃、抢劫机动车的犯罪活动。公安机关交通管理部门是道路交通管理工作包括机动车登记和牌证发放工作的主管部门,因此,道路交通安全法规定,由国务院公安部门即公安部对机动车牌证的具体式样作出规定,并负责机动车牌证的监制。根据这一规定,各级公安机关交通管理部门发放的机动车牌证,应当由公安部统一规定并监制。

第十条 准予登记的机动车应当符合机动车国家安全技术标准。申请机动车登记时，应当接受对该机动车的安全技术检验。但是，经国家机动车产品主管部门依据机动车国家安全技术标准认定的企业生产的机动车型，该车型的新车在出厂时经检验符合机动车国家安全技术标准，获得检验合格证的，免予安全技术检验。

【释义】 本条是关于机动车登记时有关安全技术检验工作的规定。

本条确立了机动车登记时强制性安全技术检验制度。机动车是一种速度比较高，具有一定危险性的运输工具。上道路行驶的机动车安全技术状况如何，不仅关系到该机动车驾驶者自身以及车上乘员的生命和财产安全，而且也关系到道路上通行的其他车辆和行人等的生命和财产安全。国家对机动车实行强制性登记的一个重要目的，就是在登记环节卡住不符合机动车安全技术标准的车辆，防止所谓“马路杀手”上路，消除安全隐患。为了保证准予登记的机动车符合机动车国家安全技术标准，道路交通安全法规定，机动车登记时，应当接受安全技术检验。机动车登记制度是国家强制推行的一项管理制度，机动车安全技术标准也是国家强制性标准，因此，不符合机动车国家安全技术标准的机动车依法不得出厂、销售，也不得上道路行驶。这就要求机动车生产者加大机动车安全技术投入，保证生产出来的机动车符合国家安全技术标准。机动车销售者应当通过合法、正规的渠道进货，不得销售非法拼装或者其他无安全保障的机动车辆。

本条除确定机动车在登记时应当进行安全技术检验外，又根据实际情况，规定对某些符合条件的机动车，可以予以免检。之所以作此规定，是因为随着汽车等工业的不断发展，机动车制造工艺和水平有了很大提高。同时，国家对机动车生产实行着严格的准入管理，对机动车产品质量也有严格的管理规定。机动车生产企业为了适应激烈的市场竞争,也在不断的改进生产工艺,提高内部质量管理水平。从我国目前市场上销售的汽车等机动车的实际安全技术状况来看,一些主要生产厂家的机动车产品合格率还是比较高的。对这些具有较高的生产工艺水平和严格的质量控制体系的企业生产的部分车型,按照国家规定实行严格的认证,并对这些经过严格认证的机动车型,在登记时免予安全技术检验,既能保证机动车安全技术检验制度得到落实,又能够大大方便群众,减少不必要的工作环节,使公安机关交通管理部门能够把更多的警力投入到道路交通秩序的维护上去。免予安全技术检验的机动车需要具备以下条件:第一,免予检验的机动车,只限于国家机动车产品主管部门根据国家规定认证的企业生产的机动车。机动车生产企业的规模,技术力量,质量管理体系等因素,都直接关系到其生产的机动车成品的质量。因此,根据国家有关规定,对生产企业进行认证,是保证机动车符合国家安全技术标准的重要措施,也是有条件地实行部分机动车免予检验制度的前提。第二,免予安全技术检验的机动车必须是根据机动车国家安全技术标准认定并批准投入生产的车型。并不是只要生产企业经过国家认证,其生产的任何型号的机动车就都能够免予安全技术检验。只有经机动车产品主管部门认定的,产品设计符合国家安全技术标准,而且具备在批量生产的情况下保持产品质量同一性的条件的机动车型,在登记时方可免予安全技术检验。第三,免予安全技术检验的机动车必须是出厂时经检验合格并获得检验合格证的新车。机动车产品主管部门对机动车生产企业以及机动车型进行认证时,该企业是否具备国家规定的质量控制体系是一个重要的内容。经认证的企业生产的机动车,必须在出厂时经严格的质量检验合格的,方可在登记时免予安全技术检验。使用过的车辆,其出厂时的安全技术状况可能已经改变,无法保证其符合机动车国家安全技术标准,在登记时不能予以免检。

第十一条 驾驶机动车上道路行驶,应当悬挂机动车号牌,放置检验合格标志、保险标志,并随车携带机动车行驶证。

机动车号牌应当按照规定悬挂并保持清晰、完整,不得故意遮挡、污损。

任何单位和个人不得收缴、扣留机动车号牌。

【释义】 本条是关于机动车有关证件、号牌、标志的使用和管理的规定。本条共分三款。

本条第一款是关于机动车有关证件、号牌、标志的悬挂、放置、携带的规定。

机动车号牌是机动车登记主管部门在对机动车登记后,依法发放的用于识别机动车身份的带有编号的标识。要求机动车上道路行驶时按照规定悬挂车辆号牌,是为了便于公安机关交通管理部门实施管理,也便于社会公众进行监督。行驶证是机动车登记主管部门依法签发的用于证明机动车身份,表示机动车可以上道路行驶的证明。要求机动车上道路行驶时应当随车携带行驶证,是为了便于公安机关交通管理部门根据管理的需要查验。机动车检验合格标志是机动车符合国家安全技术标准的证明,保险标志是证明机动车所有人已经按照国家规定参加了机动车第三者责任强制保险的标识。要求机动车上道路行驶时,按照规定放置检验合格标志、保险标志,是为了便于公安机关交通主管部门依法管理和检查,保证国家实行的机动车定期检验、机动车第三者责任强制保险制度得以贯彻执行。

本条第二款是关于机动车号牌悬挂要求的规定。机动车号牌就是机动车的标识。要求上道路行驶的机动车按照规定悬挂号牌,是为了便于公安机关交通管理部门依法管理,便于群众监督。因此,机动车所有人应当注意保持号牌清洁卫生,号码清晰可辨。号牌因故损坏的,应按照规定及时修复或更换,以便于对其进行管理和监督。实践中一些机动车所有人故意将机动车号牌用车牌套遮住,或者用泥巴等涂抹遮盖,或者将机动车号牌的字母或者数字部分涂抹、遮掩起来。有的是为了逃避道路交通管理,如使交通警察或者自动监测装置无法辨识车辆身份,有的是为了逃避其他方面的监督,如公车私用怕被发现等。不论行为人是出于什么目的,其遮挡、毁损车辆号牌的行为都是一种道路交通违法行为,应当依照道路交通安全法的规定责令其改正并予以处罚。

本条第三款是关于禁止收缴、扣留机动车号牌的规定。机动车号牌是机动车登记主管部门依法发放的,用于证明机动车身份的凭证。机动车号牌应当按照规定悬挂在机动车上。机动车号牌只能用于道路交通管理机关查验机动车身份,任何单位和个人不得收缴、扣留。实践中一些地方和部门,以实施管理为名,任意查验甚至扣留、收缴机动车号牌的情况时有发生。对于这种违法行为,机动车所有人有权予以拒绝,并向有关部门反映。公安机关交通管理部门以及其他有关部门对于这种违法检查、扣留、收缴机动车号牌的行为,应当依法予以处理,追究有关当事人的法律责任。需要说明的一点是,这里的任何单位和个人也包括公安机关交通管理部门及其执法人员在内。这是因为,扣留、收缴机动车号牌不仅没有必要,而且不利于道路交通安全管理工作。根据道路交通安全法的规定,如果机动车本身有违反道路交通安全法律、法规的情况的,如属于非法拼装的车辆或者应当报废的车辆的,公安机关交通管理部门应当依法扣留、收缴、强制报废该机动车。如果是机动车的号牌存在违反道路交通安全法律、法规的情况的,如系伪造、变造的号牌、行驶证的,公安机关交通管理部门应当依法将该机动车扣留,并将伪造、变造的机动车号牌、行驶证予以收缴。由此可见,如果机动车本身身份合法,机动车号牌属于机动车登记主管机关依法发放的,只是机动车所有人或者驾驶人有违法行为,公安机关交通管理部门只需要依法对其进行相应处理即可。如果确有必要，也可以依法将该机动车予以扣留，而不是扣留或收缴机动车的号牌。如果允许只扣留机动车的号牌，而不是扣留机动车，那么机动车本身成为没有号牌、行驶证的机动车，反而不利于道路交通安全管理。实践中发生的有的交通警察对有些违章车辆动辄撬掉机动车号牌的行为，既是违法的，也是很不负责任的，极易引起群众的不满和抵触情绪。道路交通安全法的上述规定，正是针对这种情况作出的。

第十二条　有下列情形之一的，应当办理相应的登记：

（一）机动车所有权发生转移的；

（二）机动车登记内容变更的；

（三）机动车用作抵押的；

（四）机动车报废的。

【释义】　本条是关于机动车办理过户登记、变更登记、抵押登记和注销登记的规定。

机动车依法进行注册登记以后，所登记的事项依法载入机动车登记档案之中，这些信息是公安机关交通管理部门实施道路交通管理的重要依据，也是公民、法人和其他组织从事相关活动时重要的参考资料。机动车登记以后，如果机动车产权发生转移或者受到重大限制的，或者登记资料发生重大变更的，或者机动车报废的，都应当按照国家规定及时办理相应的手续，这样才能保证机动车登记资料的准确性。机动车所有权发生转移的，新的所有权人，应当按照国家规定，到机动车登记主管部门依法办理机动车过户登记手续。根据道路交通安全法的规定，机动车所有人依法享有各项权利，也应当承担相应的义务，如定期接受安全技术检验、参加机动车第三者责任强制保险等。机动车所有权发生转移的，相应的权利义务也应当转移给新的机动车所有人。新的机动车所有人及时办理机动车过户登记，一方面是道路交通安全管理的需要，另一方面也是对其自身权利的保护。对机动车实施登记制度是国家一项重要的法律制度,机动车转让行为属于依法应登记的民事行为,根据合同法的规定,只有依法登记后才发生所有权移转的法律效力。新的机动车所有人及时办理机动车过户手续,才能享有自己对机动车的所有权的法律保障。除机动车所有权发生变动以外,机动车所有人在机动车上依法设立抵押的,也应当依法申请抵押登记。机动车抵押,是指机动车所有人作为债务人或者第三人,在不转移对机动车的占有的情况下,将机动车作为债权的担保。在机动车所有人或者被担保人不履行债务时,担保权人有权依照法律规定以该机动车折价或者拍卖、变卖该机动车的价款优先受偿。对机动车设立抵押,是对机动车所有权的重大限制。根据担保法的规定,以机动车作抵押的,应当到机动车登记主管部门办理抵押登记,抵押合同自登记之日起生效。要求机动车抵押实行登记,是为了保证第三人的合法权益,保障交易的安全。机动车的登记内容发生变更的,如出现机动车所有人更改姓名或者单位名称、改变机动车车身颜色、机动车更换发动机或者改变燃料种类、机动车需要更换车身或者车架等情况的,应当依法办理变更登记手续。机动车所有人应当依法办理变更登记,以保证登记资料与机动车实际状况相适应。根据道路交通安全法的规定,国家实行机动车强制报废制度。因此,机动车达到国家规定的报废标准的,机动车所有人应当依法及时办理报废登记。机动车登记主管部门应当收回机动车号牌、行驶证、机动车登记证。对报废的机动车实行强制登记制度,有利于防止报废车辆上道路行驶,消除道路交通事故隐患,保证道路交通安全。

第十三条　对登记后上道路行驶的机动车,应当依照法律、行政法规的规定,根据车辆用途、载客载货数量、使用年限等不同情况,定期进行安全技术检验。对提供机动车行驶证和机动车第三

者责任强制保险单的，机动车安全技术检验机构应当予以检验，任何单位不得附加其他条件。对符合机动车国家安全技术标准的，公安机关交通管理部门应当发给检验合格标志。

对机动车的安全技术检验实行社会化。具体办法由国务院规定。

机动车安全技术检验实行社会化的地方，任何单位不得要求机动车到指定的场所进行检验。

公安机关交通管理部门、机动车安全技术检验机构不得要求机动车到指定的场所进行维修、保养。

机动车安全技术检验机构对机动车检验收取费用，应当严格执行国务院价格主管部门核定的收费标准。

【释义】 本条是关于机动车安全技术检验制度的规定。本条共分五款。

本条第一款是关于投入使用的机动车应当定期接受安全技术检验，以及在进行机动车安全技术检验时不得随意附加条件的规定。机动车必须经过依法登记后，方可上道路行驶。在机动车进行登记时，公安机关交通管理部门登记审查的项目之一，就是对机动车进行安全技术检验，只有安全技术检验合格的，才准予登记上路。道路交通安全法这样规定的目的，就是防止存在安全隐患的车辆上路，尽可能地把事故隐患消灭在机动车登记环节。但是机动车投入使用后，其机械部件会随着使用而磨损，需要随时进行妥善保养和维修。在车辆进行登记时的一次安全技术检验，是无法保证机动车的安全技术状况长期处于良好状态的。因此，对投入使用后的机动车定期进行安全技术检验是很有必要的。然而，对机动车进行安全技术检验的次数如果过于频繁，则不仅会增加机动车所有人的负担，而且也会给机动车管理部门带来不必要的工作负担。根据道路交通安全法的规定，在确定机动车安全技术检验的期限时，应当注意以下几点。首先，机动车定期安全技术检验应当由法律、行政法规规定。机动车种类繁多,用途各异,而且随着汽车工业的不断发展和汽车制造工艺的不断进步,机动车的安全使用寿命也越来越长。在法律中直接对机动车定期检验的期限作出详尽的具体规定比较困难,因此有必要授权道路交通安全主管部门根据实际情况和管理的需要,确定具体的检验期限和检测项目。但是,机动车定期进行安全技术检验毕竟会对机动车所有人的生产、生活带来一定的不便。制定机动车定期安全技术检验制度既要保证道路交通安全管理的实际需要,还要充分考虑机动车所有人的利益。同时考虑到,实践中存在一些地方和部门从局部利益和需要出发,随意规定、增加机动车安全技术检验的次数和项目的情况,有的甚至将此作为谋取不正当利益的手段,群众意见很大。因此道路交通安全法规定,机动车定期检验制度由法律、行政法规规定。在国家法律、行政法规规定之外,任何地方和部门均不得以任何名义要求机动车接受其安全技术检验。其次,国家在制定机动车定期安全技术检验制度时,应当考虑机动车的用途、载客载货数量和使用年限等对机动车安全技术状况影响比较大的因素。

机动车的用途直接关系到机动车的安全技术状况和安全使用寿命。同样的机动车,用途不同,其使用的频度、相同使用年限内的行驶公里数等存在很大差异,车辆的安全技术状况也就不同,对其进行安全技术检验的期限和检测的项目就应当作出不同规定。比如从事营运的出租车和家用的机动车相比,一般来说,前者的使用频度大大高于后者,实际所跑的里程也要远远超过后者,因此在确定安全技术检验的期限时,出租车可以比家用车辆相对短一些,检验的次数和检测的项目要相对多一些。另外,车辆的用途与道路交通安全管理部门监督管理工作的重点也存在直接联系。营运机动车涉及公众的道路交通安全,其在道路上行驶的时间比较长,发生交通事故的可能性相对比较大。同时,有的营运机动车主,会为了追求经济效益而让机动车带病上路，超负荷运转。因此营运机动车应当是道路交通安全管理部门进行管理和监督的重点。在规定其安全技术检验的期限、次数和检测项目时，应当相对从严要求。

机动车载客载货数量也是制定定期检验制度时应当重点考虑的因素之一。机动车载客载货数量一方面直接关系到机动车机械和部件的磨损程度和使用寿命，另一方面载客载货数量多的车辆，一旦发生事故，造成的人员和财产损失也比较大。因此对载客载货数量较多的机动车，进行安全技术检验的期限应相对较短，检测的项目和次数也应相对较多。如对于大型客车、大型货车的定期安全技术检验应当严格要求，应将其作为道路交通安全管理工作的重点。

机动车使用的年限是制定机动车定期安全技术检验制度时应当重点考虑的另一个重要因素。一般来说，机动车的使用年限与机动车的安全技术状况之间存在直接联系。随着汽车制造工艺的不断进步，目前新出厂的机动车无故障运行的时间和里程越来越长。对于新车进行安全技术检验的期限可以规定得长一些，次数少一些。机动车随着不断使用，机械和部件不断磨损，车况会越来越差，直至达到报废标准。使用年限较长的机动车，由于车况相对比较差，需要更多的维修和保养。对使用年限较长的机动车，安全技术检验的次数要相对多一些，间隔的期限相对短一些，有利于促使机动车所有人注意对机动车及时进行保养和维修，使机动车保持良好的安全状况，减少发生道路交通事故的隐患。这样既有利于维护道路交通安全，也有利于机动车所有人、驾驶人自身的生命、财产安全。

本款除规定上道路行驶的机动车应当定期进行安全技术检验外，还规定了机动车进行安全技术检验时需要提交的有关单证。对机动车强制性的定期进行安全技术检验是为了保证上道路行驶的机动车能够保持良好的安全技术状况,从道路准入的环节就有效预防事故的发生。但是实践中一些地方和部门利用机动车安全技术检验的强制性,在检验时随意增加各种附加条件,搭车收费或者要求机动车所有人履行一些与机动车安全技术检验无关的义务。这既增加了群众负担,又影响了机动车安全技术检验工作的正常进行。为了防止这种情况的发生,立法机关在本条中专门规定了机动车所有人在接受对机动车进行安全技术检验时需要提交机动车行驶证和机动车第三者责任强制保险单,并明确规定除这两项单证外,任何单位不得再增加其他条件。要求机动车所有人提交机动车行驶证是为了确认接受安全技术检验的机动车的身份,是机动车安全技术检验工作所必需的。要求提交机动车第三者责任强制保险单,是因为国家对机动车实行第三者责任强制保险。这一险种对于维护道路交通安全,及时救治道路交通事故受伤人员,处理因交通事故发生的纠纷有重要作用。要求机动车所有人提供机动车第三者责任强制保险单,是推广和落实第三者责任强制保险的实际需要,也是道路交通安全管理工作的需要。

公安机关交通管理部门对于按照法律、行政法规规定接受定期安全技术检验并经检验合格的机动车,应当发给检验合格证书。机动车所有人应当将检验合格证书按照规定放置在机动车上,以备随时监督检查。通过核发检验合格证书,公安机关交通管理部门能够对上道路行驶的机动车实施严格的管理,保证机动车定期安全技术检验等各项安全管理制度落到实处,防止不符合安全技术标准的机动车上路。

本条第二款是关于机动车安全技术检验实行社会化的规定。机动车安全技术检验实行社会化是指,机动车安全技术检验工作由专门从事机动车安全技术检验服务的社会中介组织承担,对机动车的安全技术管理实行行政管理与技术服务相分离的一种管理模式。机动车安全技术检验从性质上看,是一种纯粹技术性的工作。长期以来,我国机动车安全技术检验工作是由公安机关交通管理部门负责的。随着改革开放的不断深化,我国的道路交通有了很大的发展,机动车一直保持着高速增长的势头。随着情况的变化,传统的管理体制越来越不适应道路交通管理工作的新要求。机动车安全技术检验由公安机关交通管理部门负责的主要弊端是:第一,由于机动车保有量急剧增长,机动车安全技术检验的工作量增长很快,公安机关交通管理部门过多的精力投入到安全技术检验这种纯粹技术性事务中,影响了其维护道路交通秩序职能的实现。第二,对机动车进行安全技术检验和对机动车的安全状况实行监督和管理,应当是一个相互制约的关系。这样有利于保证安全技术检验的客观性和中立性。技术检验和监督管理工作均由公安机关交通管理部门负责,混淆了两种工作的性质,容易产生检验和管理流于形式的弊端。对机动车安全技术检验实行社会化,将技术检验工作交由专业技术部门负责,有利于减轻公安机关交通管理部门的负担,能够在制度上保证公安机关交通管理部门对机动车安全技术状况实行严格的监督和管理。通过将机动车安全技术检验实行社会化,能够保证安全技术检验设施与社会需求相适应,有利于科学配置资源,防止资源浪费。同时,实行社会化还能够在机动车安全技术检验服务行业内形成一个有益的竞争环境,促使机动车安全技术检验机构不断提高技术检验水平和服务的质量。机动车安全技术检验实行社会化,有利于机动车所有人根据需要随时对机动车进行检测、保养和维修,使机动车随时保持良好的安全技术状况,纠正其将安全技术检验视作应付公安机关交通管理部门监督、检查的手段的错误认识。当然,机动车安全技术检验社会化属于当前机动车管理体制改革的一个新的举措和尝试,推行机动车安全技术检验社会化是一个比较复杂的过程。如何平稳地推行机动车安全技术检验社会化,保证实行社会化以后,安全技术检验机构能够依法公正、严格地进行检验,防止产生新的腐败,是必须首先解决的问题。虽然说对机动车安全技术检验实行社会化,是机动车管理体制改革的方向,但是实行社会化必须根据各地的实际情况和条件稳步推行,不能采取一刀切式的简单做法。因此,道路交通安全法规定,机动车安全技术检验社会化的具体办法由国务院规定。

本条第三款是关于在机动车安全技术检验实行社会化的地方,禁止为机动车指定安全技术检验场所的规定。机动车安全技术检验实行社会化,就是为了要让机动车的行政管理工作与技术检验相分离,保证机动车安全技术检验的中立性和客观性。在机动车安全技术检验实行社会化的地方,机动车安全技术检验机构属于为社会提供技术服务的一种中介组织。依法取得进行机动车安全技术检验资格的机构之间应当是一种平等竞争的关系,机动车安全技术检验机构的选择,应当由机动车所有人在具有合法资质的检验机构中自主进行。这样既可以保证检验机构之间有一个平等的竞争环境,促使其在依法严格检验、热情服务方面下工夫,又能够方便机动车所有人参加检验。实践中,一些地方和部门,从自己的局部利益出发,利用管理职权,强迫机动车所有人到其指定的检验场所接受检验。也有一些检验机构为了获得较多的客户,通过各种手段取得有关部门的指定。这种做法侵犯了机动车所有人自主选择检测机构的权利,妨碍其他检测机构参与平等竞争,事实上也使得被指定的检测机构不在提高检测和服务的质量上下工夫,而是靠"官"吃饭。事实证明,指定检验机构不仅无助于严把机动车安全技术检验关,加重了群众负担,群众意见比较大,而且容易滋生腐败。

本条第四款是关于禁止指定机动车维修、保养场所的规定。机动车投入使用以后,机动车所有人应当注意对机动车进行认真的保养,定期进行检查和维修,以保证机动车保持良好的安全技术状况。机动车所有人根据需要，自主选择保养和维修的场所是其当然的权利。有关主管部门对机动车维修、保养质量的监督和管理，主要应当通过对从事机动车维修、保养服务的企业实行严格的资质管理和服务质量监督来实现。对于机动车安全技术状况，则应通过对机动车实施安全技术检验来进行管理。机动车所有人可以自主选择任何一家具有机动车维修、保养资格的企业为其提供维修、保养服务。有关主管部门应当关注的是机动车的安全技术状况是否符合国家规定，而不是机动车在哪个维修、保养场所进行维修和保养。对于经检验合格的机动车，即应依法办理相应手续，对于即使是经过“指定”的维修、保养场所维修、保养的机动车，只要仍不符合安全技术标准，就不得办理相应的手续。实践中，有的地方、部门为了局部利益，利用手中的各项管理职权，强行为机动车指定维修、保养场所的现象比较严重。有的机动车经过维修和保养，已经达到了国家规定的安全技术标准，但由于没有到有关部门指定的场所维修和保养，被迫重新去指定的场所。甚至有的机动车本来不需要维修，也不得不到指定的场所接受“服务”。与之相对应，有的机动车维修服务场所对“奉命”前来维修、保养的机动车只是走走过场，只要缴费即可，而有关主管部门对经自己指定的场所维修、保养的机动车在检验时，则高抬贵手，一律放行。这种现象严重影响了有关主管部门的形象，群众反映强烈。因此，道路交通安全法明确规定，公安机关交通管理部门、机动车安全技术检验机构不得指定机动车到指定的场所进行维修、保养。

本条第五款是关于机动车安全技术检验机构收费的规定。根据道路交通安全法的规定，机动车安全技术检验机构进行检验服务的收费标准，应当由国务院价格主管部门依法核定。经国务院价格主管部门依法核定的收费标准，机动车安全技术检验机构必须遵守，不得在核定的收费标准之外以任何名目加收其他费用。

第十四条　国家实行机动车强制报废制度，根据机动车的安全技术状况和不同用途，规定不同的报废标准。

应当报废的机动车必须及时办理注销登记。

达到报废标准的机动车不得上道路行驶。报废的大型客、货车及其他营运车辆应当在公安机关交通管理部门的监督下解体。

【释义】 本条是关于机动车强制报废制度的规定。本条共分三款。

本条第一款是关于国家实行机动车强制报废制度的规定。本款共规定了两方面的内容。一是国家实行机动车强制报废制度。根据有关规定，报废机动车，是指达到国家报废标准的各种机动车，或者虽未达到国家报废标准，但发动机或者底盘严重损坏，经检验不符合国家机动车运行安全技术条件或者国家机动车污染物排放标准的机动车。国家实行机动车强制报废制度，就是在法律上要求，对于依照有关规定应当报废的机动车，有关单位或者个人必须及时对报废机动车进行报废处理，任何单位或者个人不得将报废机动车出售、赠与、自行拆解或者使报废机动车继续上路行驶。如果报废机动车得不到及时回收拆解，报废机动车继续上路行驶，或者报废机动车被非法拼装后进行销售，上路行驶，不仅会因为机动车的安全技术性能没有保障，危害人民群众的生命财产安全，还会造成污染环境等后果。因此，为了规范报废机动车回收活动，加强对报废机动车回收的管理，保障道路交通秩序和人民生命财产安全，保护环境，国家实行机动车强制报废制度。各级政府及有关部门要以对人民群众高度负责的态度，充分认识这项工作的重要性。二是本款对机动车的报废标准作了原则规定，规定有关部门要根据机动车的安全技术状况和不同用途，规定不同的报废标准。规定机动车的报废标准，主要要考虑适应机动车生产和交通运输发展以及交通安全、节能、环保等需要。其主要指标包括累计行驶公里数、使用年限、车型、技术状况、污染物排放标准等。

根据本款规定,有关部门在制定报废标准时,既要根据机动车的安全技术状况规定不同的报废标准,如因各种原因造成车辆严重损坏或技术状况低劣,无法修复的;车型淘汰,已无配件来源的;经修理和调整仍达不到国家对机动车运行安全技术条件要求的,等等;又要根据机动车的不同用途规定不同的报废标准,主要是累计行驶公里数或者使用年限标准,如对于轻、微型载货机动车、矿山作业专用车,重、中型载货机动车,各种类型客车、轿车等,规定不同的累计行驶公里数或者使用年限标准。此外,在实践中,对于一些特定类型的客、货车辆,虽然达到规定的使用年限,但经公安车辆管理部门依据国家机动车安全排放有关规定严格检验,性能符合规定的,可延缓一定时间报废。对于这些机动车,有关部门要实行更加严格的管理制度。

本条第二款是关于应当报废的机动车必须及时办理注销登记的规定。国家对机动车实行登记制度,应当报废的机动车不能再继续上路行驶,应当按照有关机动车登记制度及时办理注销登记。实践中发现有的单位和个人对已经报废的机动车,不去办理注销登记,有关管理部门也不收回已报废的机动车的证件和号牌,使其还在社会上使用,严重扰乱了机动车管理秩序,给交通安全埋下隐患。本款内容正是针对上述情况而规定的。对于应当报废的机动车,机动车所有人应当填写机动车登记申请表,持机动车登记证书等,向机动车管辖地车辆登记机关申请注销登记;交回机动车号牌和机动车行驶证。

本条第三款是关于达到报废标准的机动车不得上道路行驶和报废的营运车辆应当在公安机关交通管理部门的监督下解体的规定。本款共规定了两方面内容。一是达到报废标准的机动车不得上道路行驶。依照本条第二款的规定,应当报废的机动车应当及时办理注销登记,在办理注销登记时,车辆登记机关应当缴回机动车号牌和机动车行驶证。没有机动车号牌和机动车行驶证的机动车是不能上路行驶的。同时,对于达到报废标准的机动车,即使在办理注销登记前,只要依照国家有关规定是应当报废的,从达到报废标准之日起,该机动车就不能再上路行驶。还应当注意的是,这一规定适用于所有的达到报废标准的机动车,即不论达到报废标准的机动车是否应当依照本款规定予以解体,都不能上路行驶。依照本法第一百条的规定,驾驶已达到报废标准的机动车上道路行驶的,公安机关交通管理部门应当予以收缴,强制报废。对驾驶已达到报废标准的机动车上道路行驶的驾驶人,处二百元以上二千元以下的罚款,并吊销机动车驾驶证。出售已达到报废标准的机动车的,没收违法所得,处销售金额等额的罚款,公安机关交通管理部门对该机动车应当予以收缴,强制报废。二是报废的大型客、货车及其他营运车辆应当在公安机关交通管理部门的监督下解体。法律之所以规定大型客、货车及其他营运车辆应当在公安机关交通管理部门的监督下予以解体,是为了确保对这些报废车辆的解体真正落到实处。大型客、货车及其他营运车辆(包括营运的小型轿车、小型货车)与非营运车辆相比,具有使用频率高的特点,一旦超期服役,事故危险极大。因此,必须确保报废的大型客、货车及其他营运车辆被及时解体,不再使用。从目前的情况看,报废车辆的解体主要是由报废机动车回收企业进行的。国家对报废机动车回收业实行特种行业管理,对报废机动车回收企业实行资格认定制度。除取得报废机动车回收企业资格认定的外,其他单位和个人不得从事报废机动车回收活动。报废机动车回收企业除应当符合有关法律、行政法规规定的设立企业的条件外,还应当具备一定面积的拆解场地,具备必要的拆解设备和消防设施,具有一定的回收拆解能力和相应的专业技术人员。报废机动车回收企业对回收的报废机动车进行登记后,必须拆解回收的报废机动车。其中,回收的报废大型客、货车及其他营运车辆,应当在公安机关交通管理部门的监督下解体。拆解的机动车发动机、方向机、变速器、前后桥、车架应当作为废金属，交售给钢铁企业作为冶炼原料；拆解的其他零配件依照有关规定可以继续使用的，可以出售，但必须标明是报废机动车回用件。报废机动车回收企业拆解报废机动车，应当遵守国家环境保护法律、法规，采取有效措施，防治污染。至于非营运车辆，法律没有要求必须予以解体，主要是考虑有些车辆可能会具有保存或者收藏价值，只要车辆的所有人不再驾驶有关车辆上道路行驶，继续拥有该车辆是可以的。当然，车辆的所有人不再需要该报废的非营运车辆的，可以将该车辆交报废机动车回收企业予以解体，报废机动车回收企业依照有关规定对非营运车辆进行解体，不需要在公安机关的监督下进行。

第十五条　警车、消防车、救护车、工程救险车应当按照规定喷涂标志图案，安装警报器、标志灯具。其他机动车不得喷涂、安装、使用上述车辆专用的或者与其相类似的标志图案、警报器或者标志灯具。

警车、消防车、救护车、工程救险车应当严格按照规定的用途和条件使用。

公路监督检查的专用车辆，应当依照公路法的规定，设置统一的标志和示警灯。

【释义】　本条是关于警车、消防车、救护车、工程救险车、公路监督检查专用车辆喷涂、安装标志图案、警报器、标志灯具、示警灯及其使用问题的规定。本条共分三款。

本条第一款是关于警车、消防车、救护车、工程救险车应当按照规定喷涂标志图案，安装警报器、标志灯具，和其他机动车不得喷涂、安装、使用特种车辆专用的或者与其相类似的标志图案、警报器或者标志灯具的规定。警车、消防车、救护车、工程救险车属于特种车辆，主要用于执行直接保护人民群众人身、财产安全的特殊任务。为了保证这些特殊任务的有效完成，更好地保护公民的利益,法律规定这些特种车辆经批准应当喷涂标志图案,安装警报器和标志灯具,以区别于一般机动车辆,便于识别。在通行规则上,依照本法第五十三条的规定,警车、消防车、救护车、工程救险车执行紧急任务时,可以使用警报器、标志灯具;在确保安全的前提下,不受行驶路线、行驶方向、行驶速度和信号灯的限制,其他车辆和行人应当让行。为了加强对特种车辆警报器和标志灯具的管理,严格控制特种车辆数量,保证特种车辆执行紧急任务时顺利通行,维护社会治安和交通秩序,国家对特种车辆的范围及其安装使用警报器和标志灯具作了严格的规定。凡是不属于警车、消防车、救护车、工程救险车范围的,不得喷涂有关标志图案,安装警报器和标志灯具;属于警车、消防车、救护车、工程救险车范围的,在喷涂标志图案,安装警报器和标志灯具时,必须严格按照有关规定执行。本款共规定了两方面内容。一是警车、消防车、救护车、工程救险车喷涂标志图案,安装警报器、标志灯具,应当遵守国家有关审批程序,标志图案,包括字体、颜色等喷涂要求,警报器、标志灯具的规格、标准等规定。关于特种车辆的范围,根据国家有关规定,警车,包括公安机关用于侦查、警卫和治安、交通管理的巡逻车、勘察车、护卫车、囚车以及其他执行特别紧急任务的车辆;国家安全机关用于执行侦察和其他特殊任务的车辆;人民检察院用于侦查刑事犯罪案件的现场勘察车和押解人犯的囚车;人民法院用于押解人犯的囚车;以及司法行政机关用于押解罪犯、运送劳教人员的囚车或专用于追缉逃犯的车辆。消防车,包括公安消防部队和其他消防部门用于灭火的专用车辆和现场指挥车辆。救护车,包括急救、医疗机构和卫生防疫部门用于抢救危重病人或处理紧急疫情的专用车辆。工程救险车,包括防汛、水利、电力、矿山、城建、交通、铁道等部门用于抢修公用设施、抢救人民生命财产的专用车辆和现场指挥车辆。二是其他机动车不得喷涂、安装、使用特种车辆专用的或者与其相类似的标志图案、警报器或者标志灯具。

首先，按照规定喷涂、安装、使用特种车辆专用的标志图案、警报器或者标志灯具的机动车只限于警车、消防车、救护车、工程救险车四种，其他任何机动车都不得喷涂、安装、使用特种车辆专用的或者与其相类似的标志图案、警报器或者标志灯具，不得因而享有在通行规则上的特殊的待遇。在实践中有少数地方在特种车辆管理上存在漏洞，擅自扩大警车、消防车、救护车、工程救险车的范围，滥发特种车辆号牌，或者随意安装警报器或者标志灯具，随意喷涂专用的标志图案，如果出现这样的问题，或者这样的问题得不到及时解决，不仅会严重影响正常的道路交通秩序，而且会严重影响警民关系，损害党和政府以及有关部门的形象。其次，本款所规范的不仅仅是特种车辆专用的标志图案、警报器或者标志灯具的喷涂、安装和使用，还包括与其相类似的标志图案、警报器或者标志灯具的喷涂、安装和使用。在机动车上喷涂、安装和使用与特种车辆专门的标志图案、警报器或者标志灯具相类似的图案、灯具等，不论出于何种动机，都会扰乱正常的道路通行秩序，影响公安机关对车辆的日常管理和监督，并且可能会影响有关国家机关、社会机构的声誉，造成不好的社会影响。对于非法安装警报器、标志灯具的行为，依照本法第九十七条的规定，由公安机关交通管理部门强制拆除，予以收缴，并处二百元以上二千元以下罚款。同时，根据本法第一百一十五条第一款第二项的规定，交通警察批准不符合法定条件的机动车安装、使用警车、消防车、救护车、工程救险车的警报器、标志灯具，喷涂标志图案的，依法给予行政处分。

本条第二款是关于警车、消防车、救护车、工程救险车应当严格按照规定的用途和条件使用的规定。法律对警车、消防车、救护车、工程救险车在交通管理方面赋予了优先通行权，目的是为了使这些特种车辆更好地执行有关紧急任务。如果警车、消防车、救护车、工程救险车不按照规定的用途和条件使用，一方面会变相扩大特种车辆的范围，造成特种车辆管理的混乱；另一方面不规范使用或者滥用警报器、标志灯具,也会干扰正常的交通管理秩序和公民正常的生活、工作秩序,造成恶劣的社会影响,败坏党和政府的形象。有关的法律法规对这些特种车辆的使用用途和有关警报器、标志灯具的使用条件作了具体的规定,如规定在执行非紧急公务时,严禁使用警灯、警报器;在执行紧急公务时,尽量不使用或少使用警报器。警车在执行下列任务时可以使用警灯、警报器:赶赴刑事案件、治安案件、交通事故及其他突发事件现场;追捕在逃的违法犯罪分子;追捕交通肇事逃逸人员和车辆;押解人犯或者赶赴刑场;执行警卫、警戒和治安、交通巡逻等任务。有关部门在使用警车、消防车、救护车、工程救险车时,应当严格遵守有关规定,不断完善各项管理制度,加强纪律教育。对于违反本款规定的行为,本法第一百一十五条第一款第十二项规定,交通警察非执行紧急公务时使用警报器、标志灯具的,依法给予行政处分。

本条第三款是关于公路监督检察专用车辆依法设置标志和示警灯的规定。根据公路法的有关规定,交通主管部门、公路管理机构依法对有关公路的法律、法规执行情况进行监督检查。为了有利于交通主管部门、公路管理机构的公路执法工作,便于实施公路监督、检查、处罚活动,交通主管部门、公路管理机构可以配备用于公路监督检查的专用车辆。公路法第七十三条规定:“用于公路监督检查的专用车辆,应当设置统一的标志和示警灯。”本法重申了公路法的这一规定。应当注意的是,公路监督检查的专用车辆,不属于本条第一款所列的警车、消防车、救护车、工程救险车的范围,不享有本法所赋予上述车辆在通行规则上的优先通行权。

第十六条　任何单位或者个人不得有下列行为:

(一)拼装机动车或者擅自改变机动车已登记的结构、构造或者特征;

(二)改变机动车型号、发动机号、车架号或者车辆识别代号;

（三）伪造、变造或者使用伪造、变造的机动车登记证书、号牌、行驶证、检验合格标志、保险标志；

（四）使用其他机动车的登记证书、号牌、行驶证、检验合格标志、保险标志。

【释义】　本条是关于不得拼装、擅自改装机动车和伪造、变造机动车登记证书、号牌、行驶证、检验合格标志或者保险标志问题的规定。

本条共规定了四项内容。

一、根据本条第一项的规定，任何单位或者个人不得拼装机动车或者擅自改变机动车已登记的结构、构造或者特征。根据有关规定，这里所说的拼装机动车，一般是指使用报废或者不合格的机动车的发动机、方向机、变速器、前后桥、车架以及其他零配件组装机动车。这里所说的擅自改变机动车已登记的结构、构造或者特征，是指对机动车进行改装或者修理时，未经有关部门批准，改变了机动车在注册登记时载明的机动车的结构、构造或者特征。如更换不同型号的发动机，改变燃料种类，更改排量/功率、轴数、轴距、轮距，以及增加载货车厢厢架的高度、长度和客车的乘客座位数等。机动车的研制、生产，要求很高的技术水平。而拼装车辆和对机动车进行重大改装，很难达到机动车应有的安全技术标准，这样的车辆上路行驶，会构成很大的事故隐患。国家对报废机动车的回收、拆解和机动车的修理实行严格的监督管理。根据有关规定，报废机动车回收企业必须拆解回收的报废机动车；拆解的机动车发动机、方向机、变速器、前后桥、车架应当作为废金属，交售给钢铁企业作为冶炼原料；拆解的其他零配件能够继续使用的，可以出售，但必须标明是报废机动车回用件。禁止任何单位或者个人利用报废机动车的发动机、方向机、变速器、前后桥、车架以及其他零配件拼装机动车。改装机动车，需要更换发动机，改变车型，或者改变其他已登记的结构、构造或者特征的，应当经公安机关交通管理部门审批，出具机动车变更、改装审批证明。机动车修理企业和个体工商户承修更换发动机或车身（架）、改装车型等项目的，必须查验公安交通管理部门出具的机动车变更、改装审批证明。任何单位或者个人都不得擅自改变机动车已登记的结构、构造或者特征。根据本法第一百零三条第四款、第五款的规定，生产、销售拼装的机动车或者生产、销售擅自改装的机动车的，没收非法生产、销售的拼装车或者擅自改装的机动车，可以并处非法产品价值三倍以上五倍以下罚款；有营业执照的，由工商行政管理部门吊销营业执照，没有营业执照的，予以查封。构成犯罪的，依法追究刑事责任。

二、根据本条第二项的规定，任何单位或者个人不得改变机动车型号、发动机号、车架号或者车辆识别代号。机动车型号，是指机动车的车型技术参数。发动机号、车架号或者车辆识别代号都是实际打刻在机动车的发动机、车架等部位的特定号码。这些型号和号码都是机动车注册登记的重要内容。在机动车登记证书和机动车行驶证上也都有相应的记载。机动车登记证书是机动车办理了登记的证明文件。机动车所有权转移时，原机动车所有人应当将机动车登记证书随车交给现机动车所有人。机动车型号、发动机号、车架号是判定机动车是否达到报废年限、是否盗抢车、走私车、拼装车的重要依据，任何单位或者个人都不得改变这些号码。改变机动车型号、发动机号、车架号或者车辆识别代号，包括在登记证书、行驶证和在机动车发动机、车架等部位上采用涂抹、喷涂、凿改等手段改变上述型号、号码的内容的行为。改变机动车型号、发动机号、车架号或者车辆识别代号的行为，不仅会干扰国家对机动车的登记管理制度，而且会危害机动车所有人的合法权益。任何单位和个人都不得实施上述行为。

三、根据本条第三项的规定，任何单位或者个人不得伪造、变造或者使用伪造、变造的机动车登记证书、号牌、行驶证、检验合格标志、保险标志。本项共禁止两种行为:一是伪造、变造机动车登记证书、号牌、行驶证、检验合格标志或者保险标志的行为。“伪造”,是指没有制作权的单位或者个人,冒用名义,非法制作机动车登记证书、号牌、行驶证、检验合格标志或者保险标志的行为。“变造”,是指对已经领取的机动车登记证书、号牌、行驶证、检验合格标志或者保险标志通过涂改等方式,改变其记载内容的行为。二是使用伪造、变造的机动车登记证书、号牌、行驶证、检验合格标志、保险标志的行为,包括自己伪造、变造机动车登记证书、号牌、行驶证、检验合格标志、保险标志并使用的行为,和购买伪造、变造或者其他机动车的登记证书、号牌、行驶证、检验合格标志、保险标志后进行使用的行为。根据本法第九十六条的规定,伪造、变造或者使用伪造、变造的机动车登记证书、号牌、行驶证、检验合格标志、保险标志的,由公安机关交通管理部门予以收缴,扣留该机动车,并处二百元以上二千元以下罚款;构成犯罪的,依法追究刑事责任。

四、根据本条第四项的规定,任何单位或者个人不得使用其他机动车的登记证书、号牌、行驶证、检验合格标志、保险标志。本项所禁止的是通过购买、租借等方式将其他机动车的登记证书、号牌、行驶证、检验合格标志或者保险标志据为己用的行为。这种行为,干扰了国家对机动车的登记管理制度,而且会损害国家对机动车的安全技术检验和第三者责任强制保险制度。因此,本法第九十六条规定,使用其他车辆的机动车登记证书、号牌、行驶证、检验合格标志、保险标志的,由公安机关交通管理部门予以收缴,扣留该机动车,并处二百元以上二千元以下罚款。同时规定,当事人提供相应的合法证明或者补办相应手续的,应当及时退还机动车。

第十七条　国家实行机动车第三者责任强制保险制度,设立道路交通事故社会救助基金。具体办法由国务院规定。

【释义】 本条是关于机动车第三者责任强制保险制度的规定。

本条从三个方面对机动车第三者责任强制保险制度作了规定。

一、国家实行机动车第三者责任强制保险制度。机动车第三者责任保险，一般称为“第三者责任险”，是指被保险人向有关保险公司购买第三者责任险后，被保险人允许的合格驾驶人员在使用保险车辆过程中发生意外事故，致使第三者遭受人身伤亡或财产的直接损毁，依法应当由被保险人支付的赔偿金额，由保险人依照保险合同的规定给予赔偿。但因事故产生的善后工作，由被保险人负责处理。在现实生活中，机动车发生意外事故是很难避免的，一旦发生这样的交通事故，就涉及有关车辆的所有人、驾驶人与受害人之间的损害赔偿问题。有时候会发生车辆的所有人、驾驶人负担不起赔偿金额的问题，致使受害人的合法权益得不到有效保障；即使车辆的所有人、驾驶人能够负担有关的赔偿，巨大的赔偿责任对于车辆的所有人、驾驶人的正常经营、生产和生活也往往会产生非常不利的影响。机动车辆责任险在很大程度可以缓解这一社会经济问题。而且机动车辆责任险强制实施，不仅有利于保障受害人的合法权益，保护车辆的所有人、驾驶人的正常生产经营，而且还会有利于交通事故的快速、妥善解决。因此，世界上许多国家都规定了机动车辆的强制保险制度。考虑到在我国，有关保险公司开展机动车辆第三者责任险的经验比较成熟，本法规定我国实行机动车第三者责任强制保险制度。根据这一制度，在我国境内所有的机动车，都必须购买第三者责任险。这是一种强制制度，机动车的所有人、管理人有法律义务为自己的机动车购买第三者责任险。根据本法第十一条的规定，驾驶机动车上道路行驶，应当放置保险标志。同时，本法第九十五条还规定，上道路行驶的机动车未放置保险标志的，公安机关交通管理部门应当扣留机动车，通知当事人提供相应的标志或者补办相应手续，并可以处警告或者二十元以上二百元以下罚款。当事人提供相应的标志或者补办相应手续的，应当及时退还机动车。

二、设立道路交通事故社会救助基金。道路交通事故社会救助基金，目的是为了保障交通事故中的受伤者的医疗抢救费用，从而使伤者得到及时救治。实践中，虽然国家强制实行第三者责任保险制度，但总会有极少数人贪图小利不参加保险，或者由于疏忽大意在已购买的第三者责任保险保险期满后未及时再购买责任险，或者所购买的责任险的保额不足以支付对交通事故受害人的抢救费用。实践中还可能会出现机动车肇事后逃逸的情况，在这种情况下，无论肇事机动车是否购买第三者责任保险，由于在短时间内无法查出肇事机动车的身份甚至有的根本查不出来，交通事故的受害人就可能得不到及时的抢救。因此，在国家强制实行第三者责任保险保险制度的同时，有必要设立道路交通事故社会救助基金。该基金主要用于支付尚未参保的机动车造成的交通事故和肇事逃逸机动车造成的交通事故受害人的抢救费用。根据本法第七十五条的规定，医疗机构对交通事故中的受伤人员应当及时抢救，不得因抢救费用未及时支付而拖延救治。肇事车辆参加机动车第三者责任强制保险的，由保险公司在责任限额范围内支付抢救费用；抢救费用超过责任限额的，未参加机动车第三者责任强制保险或者肇事后逃逸的，由道路交通事故社会救助基金先行垫付部分或者全部抢救费用，道路交通事故社会救助基金管理机构有权向交通事故责任人追偿。

三、法律授权国务院对机动车第三者责任强制保险制度和道路交通事故社会救助基金的设立和使用制度规定具体办法。机动车第三者责任强制保险制度涉及多方面内容，包括赔偿范围、保险费率、赔偿限额、赔偿处理、被保险人义务和争议解决等，都需要制定具体的操作办法。道路交通事故社会救助基金的资金来源渠道、基金的管理机构设置、管理办法、基金的使用办法等，也需要制定具体的操作办法。考虑到我国是第一次实行机动车第三者责任强制保险制度和设立道路交通事故社会救助基金，需要不断总结实践经验，不断地加以完善，目前不宜在法律中直接对这些内容进行规定，因此，本条授权国务院对机动车第三者责任强制保险制度和道路交通事故社会救助基金的设立和使用制度规定具体办法。

第十八条　依法应当登记的非机动车，经公安机关交通管理部门登记后，方可上道路行驶。

依法应当登记的非机动车的种类，由省、自治区、直辖市人民政府根据当地实际情况规定。

非机动车的外形尺寸、质量、制动器、车铃和夜间反光装置，应当符合非机动车安全技术标准。

【释义】　本条是关于非机动车登记和非机动车安全技术标准问题的规定。本条共分三款。

本条第一款是关于依法应当登记的非机动车经登记后方可上道路行驶的规定。根据本法第一百一十九条的规定，“非机动车”，是指以人力或者畜力驱动，上道路行驶的交通工具，如自行车、手推车、马车、牛车等，以及虽有动力装置驱动但设计最高时速、空车质量、外形尺寸符合有关国家标准的残疾人机动轮椅车、电动自行车等交通工具。不是所有的非机动车都依法应当登记，如手推车、马车、牛车等，主要在田间活动，即使上道路行驶也主要在农村公路上，因此就不一定需要登记。但有的非机动车依法应当办理登记手续，这样可以起到对这些非机动车的控制和管理的作用，同时也具有一定的防盗功能和为破案查找、捡拾发还等提供条件，有利于保护车主的合法权益。根据本款的规定，对于依法应当登记的非机动车，在购买后应当及时到公安机关交通管理部门进行登记，由公安机关交通管理部门发给有关牌照。依法应当登记的非机动车,在办理有关登记手续,取得牌照前,不得上道路行驶。

本条第二款是关于依法应当登记的非机动车的种类,由省、自治区、直辖市人民政府根据当地实际情况规定的规定。考虑到我国地域广阔,各地的发展情况很不一样,城市与农村还存在一定的差别,对于某一特定的非机动车,在有的地方进行登记管理很有必要,在有的地方可能就必要性不大,甚至可能会给群众带来不便,因此,本法不对依法应当登记的非机动车的种类作统一规定。根据本款规定,对于依法应当登记的非机动车的种类,由省、自治区、直辖市人民政府作出规定,省级人民政府在作出规定时,应当充分考虑当地的实际情况,从实际出发,规定非机动车的登记范围。

本条第三款是关于非机动车安全技术标准的规定。非机动车虽然车速较慢,但如果设计不当,也会增加发生交通事故的机会。比如非机动车制动器失灵,车铃失灵等,可能会导致原本可以避免的交通事故发生。因此,为了更好地保证交通安全,维护公民的利益,有关部门应当对非机动车制定相应的安全技术标准。这里所说的“安全技术标准”,是指对非机动车的外形尺寸、质量、制动器、车铃和夜间反光装置等,在安全性方面规定的技术指标。根据本款的规定,非机动车的生产、销售单位,在生产和销售非机动车时,应当符合非机动车安全技术标准。非机动车的所有人、使用人也应当注意维护非机动车,使之符合有关安全技术标准。

第二节 机动车驾驶人

第十九条 驾驶机动车,应当依法取得机动车驾驶证。

申请机动车驾驶证,应当符合国务院公安部门规定的驾驶许可条件;经考试合格后,由公安机关交通管理部门发给相应类别的机动车驾驶证。

持有境外机动车驾驶证的人,符合国务院公安部门规定的驾驶许可条件,经公安机关交通管理部门考核合格的,可以发给中国的机动车驾驶证。

驾驶人应当按照驾驶证载明的准驾车型驾驶机动车;驾驶机动车时,应当随身携带机动车驾驶证。

公安机关交通管理部门以外的任何单位或者个人,不得收缴、扣留机动车驾驶证。

【释义】 本条是关于机动车驾驶证申请和管理问题的规定。本条共分五款。

本条第一款是关于驾驶机动车应当依法取得机动车驾驶证的规定。机动车驾驶证是允许驾驶机动车的法定证件。机动车驾驶证全国有效。根据国家有关规定,机动车驾驶证分为中华人民共和国机动车驾驶证(简称驾驶证)、中华人民共和国机动车临时驾驶证(简称临时驾驶证)等。其中驾驶证,是取得正式驾驶员资格者的技术证明。凭此证可以在全国道路上驾驶准驾车型的民用机动车。临时驾驶证,是核发给持有我国承认的有效驾驶执照,临时来华需要在道路上驾驶机动车的外国人以及香港、澳门和台湾地区人员的驾驶证件。凭此证可以在规定的时间、路线上驾驶准予驾驶的机动车。实行机动车驾驶证制度,要求驾驶机动车应当依法取得机动车驾驶证,主要是为了加强对机动车驾驶员的管理,维护道路交通秩序,保障道路交通安全,保障人民群众生命财产的安全。无机动车驾驶证的人员,由于未经专业培训,缺乏必要的驾驶技能与知识,容易造成交通事故,扰乱道路交通秩序,危害国家财产和人民群众生命财产的安全,因此,必须严禁任何人无机动车驾驶证或者持假机动车驾驶证驾驶机动车。

本条第二款是关于机动车驾驶证的申请条件和机动车驾驶证考试的规定。本款共规定了两个方面的内容:一是申请机动车驾驶证,应当符合国务院公安部门规定的驾驶许可条件。例如,必须符合一定的身体、年龄等许可条件。这些条件由国务院公安部门加以规定。如根据有关规定，申请机动车驾驶证应当具备的身体条件主要包括：申请大型客车、大型货车、无轨电车驾驶证的，身高不低于155厘米，申请其他车型驾驶证的，身高不低于150厘米；两眼视力或者矫正后的视力不低于标准视力表0.7或对数视力表4.9；无赤绿色盲；两耳分别距音叉50厘米能辨别声源方向；四肢、躯干、颈部运动能力正常。但有妨碍安全驾驶疾病及生理缺陷的，不得申请机动车驾驶证。初次申请的年龄条件主要包括：申请大型客车、无轨电车为21至45周岁；申请大型货车为18至50周岁等。二是申请机动车驾驶证，应当经考试合格后，由公安机关交通管理部门发给相应类别的机动车驾驶证。要求机动车驾驶员在取得机动车驾驶证前应当经考试合格，主要是为了保证机动车驾驶员具备应有的驾驶知识和技能，保障道路交通安全。这里所说的"考试"，是指机动车驾驶考试。根据有关规定，机动车驾驶考试共包括三个考试科目，即交通安全法律、法规与相关知识、场地驾驶、道路驾驶。交通安全法律、法规与相关知识考试主要是考察申请人对现行道路交通安全法律和有关管理法规、规章，异常气候、复杂道路、危险情况时的安全驾驶知识，简单的伤员急救和危险物品运输知识，所考车辆的总体构造、主要装置的作用，车辆日常检查、保养、使用知识，以及常见故障的判断方法、紧急情况的处理知识等。场地驾驶考试主要考察申请人在没有障碍的场地驾驶车辆的能力。道路驾驶考试主要考察申请人在实际道路上正确操纵驾驶机动车的能力，遵守交通安全法律、法规行驶的程度，驾驶姿势及观察、判断、预见能力及综合控制车辆的能力等。参加这三门考试并达到考试合格标准，由公安机关交通管理部门发给相应类别的机动车驾驶证。这里所规定的"相应类别"，是指根据本条第四款的规定，载明不同准驾车型的机动车驾驶证类别。不同类型的机动车，如大型客车、大型货车、小型机动车等，在操作方法、保养使用知识和紧急情况处理等方面都有所不同,要求不同的驾驶技术和操作规范,因此,机动车驾驶考试根据不同的车型,设置不同的考试内容。通过相应车型的驾驶考试,公安机关交通管理部门应当发给相应类别的机动车驾驶证。此外,根据本法第一百二十一条的规定,对上道路行驶的拖拉机,农业(农业机械)主管部门依照本法的规定行使发给拖拉机驾驶证的管理职权,并接受公安机关交通管理部门的监督。

本条第三款是关于持有境外机动车驾驶证如何换发中国的机动车驾驶证的规定。随着我国改革开放的不断深入,外国人驾驶机动车临时进入我国境内和我国公民在外国取得机动车驾驶证后又回国定居的情况越来越普遍。为了方便外国人驾驶机动车辆临时入境旅游、比赛或者进行其他交往活动,同时又要保障交通安全,有必要对其进行一定的考核后发给中国的机动车驾驶证。对于我国公民在外国取得机动车驾驶证的,再要求其按照一般的程序参加考试后再取得国内的机动车驾驶证,不利于方便群众,也没有实际意义。根据本款规定,持有境外机动车驾驶证的人,符合国务院公安部门规定的驾驶许可条件,经公安机关交通管理部门考核合格后,可以发给中国的机动车驾驶证,允许其在我国境内驾驶机动车。“持有境外机动车驾驶证”,是指已经持有外国或香港、澳门、台湾地区机动车驾驶证或者国际机动车驾驶证的情况。可以依据本款规定申请换领中国机动车驾驶证的人,主要包括持有外国或香港、澳门、台湾地区机动车驾驶证或者国际机动车驾驶证的我国公民、外国人和无国籍人。外国人根据情况,可以分别申请机动车驾驶证或者临时驾驶证。对于居住在我国境内,并在境内驾驶车辆的境外人员,在提交有关证明后可以申请在全国有效的机动车驾驶证;对于临时入境的境外人员,则应当申请在规定的时间、路线上有效的临时驾驶证。此外,华侨及香港、澳门、台湾同胞虽然是我国公民,但如果是属于驾驶机动车辆临时入境旅游、探亲或参加比赛等活动，也可以参照外国人申请临时驾驶证的办法办理。申请中国的机动车驾驶证，必须符合国务院公安部门规定的驾驶许可条件，包括身体条件和年龄条件等。对境外驾驶员考核发给中国的机动车驾驶证的具体管理工作，按照管理权限，应由公安机关交通管理部门负责。

本条第四款是关于准驾车型和携带机动车驾驶证的规定。本款共规定了两层意思：一是驾驶人应当按照机动车驾驶证载明的准驾车型驾驶机动车。在机动车驾驶证上，记载有持证人准驾车型代号。准驾车型代号表示机动车驾驶人准予驾驶的车辆种类，如大型客车、大型货车、小型机动车等。根据机动车驾驶证上的准驾车型代号，机动车驾驶人可以驾驶该代号代表的一种或者几种机动车。一般来说，取得准驾大型机动车资格的，可以驾驶小型机动车。取得准驾小型机动车资格的，需要增加驾驶车类时，应经考试合格后在机动车驾驶证上签注。考虑到不同的车型对驾驶技能和条件有不同的要求，为了维护道路交通秩序，保障道路交通安全，根据本款规定，驾驶人驾驶机动车，只能限于其机动车驾驶证上载明的准驾车型。二是驾驶机动车时，应当随身携带机动车驾驶证。机动车驾驶证是允许驾驶机动车的法定证件。公安机关交通管理部门在查处道路交通违法行为，处理交通事故时，需要根据情况查验或者扣留机动车驾驶证。根据本法第八十八条的规定，暂扣或者吊销机动车驾驶证，属于道路交通违法行为的处罚种类。因此，为了方便道路交通管理，有利于公安机关交通管理部门的执法活动，维护道路交通秩序，机动车驾驶人在驾驶机动车时，应当随身携带机动车驾驶证。

本条第五款是关于收缴、扣留机动车驾驶证的规定。根据本款的规定，只有公安机关交通管理部门有权收缴、扣留机动车驾驶证。机动车驾驶证是机动车驾驶人的重要证件，是允许驾驶机动车的法定证件。驾驶人驾驶机动车时，应当随身携带机动车驾驶证。因此,对于机动车驾驶证的收缴、扣留,必须严格加以限制。公安机关交通管理部门以外的任何单位或者个人,不得收缴、扣留机动车驾驶证。

第二十条　机动车的驾驶培训实行社会化,由交通主管部门对驾驶培训学校、驾驶培训班实行资格管理,其中专门的拖拉机驾驶培训学校、驾驶培训班由农业(农业机械)主管部门实行资格管理。

驾驶培训学校、驾驶培训班应当严格按照国家有关规定,对学员进行道路交通安全法律、法规、驾驶技能的培训,确保培训质量。

任何国家机关以及驾驶培训和考试主管部门不得举办或者参与举办驾驶培训学校、驾驶培训班。

【释义】 本条是关于机动车驾驶培训的规定。本条共分三款。

本条第一款是关于机动车的驾驶培训实行社会化,由交通主管部门或者农业(农业机械)主管部门对驾驶培训学校、驾驶培训班实行资格管理的规定。机动车驾驶培训实行社会化,是指国家机关不举办或者参与举办机动车驾驶培训,机动车驾驶培训工作由社会上有关单位,如驾驶培训学校、驾驶培训班等培训业户承担。根据本款规定,为了促进机动车驾驶员的培训工作向正规化发展,加强机动车驾驶员培训行业管理,提高培训质量,保障道路交通安全,对从事机动车驾驶员培训的驾驶培训学校、驾驶培训班实行资格管理制度。从事机动车驾驶员培训的驾驶培训学校、驾驶培训班必须向交通主管部门或者农业(农业机械)主管部门提出申请,取得相关的资格后,才能到工商、税务等部门办理有关手续后开业。关于交通主管部门和农业(农业机械)主管部门对驾驶培训学校、驾驶培训班进行资格管理的分工,根据本款规定,除专门的拖拉机驾驶培训学校、驾驶培训班由农业(农业机械)主管部门实行资格管理外,其他驾驶培训学校、驾驶培训班,都由各级交通主管部门负责。

本条第二款是关于驾驶培训学校、驾驶培训班应当严格按照国家有关规定，对学员进行交通安全法律、法规、驾驶技能的培训，确保培训质量的规定。驾驶培训学校、驾驶培训班的培训质量，直接关系到机动车驾驶人的驾驶技能。如果驾驶培训学校、驾驶培训班的培训质量得不到保证，大量驾驶技能不过关的驾驶人驾驶机动车上道路行驶，就会对道路交通安全构成极大的事故隐患，危害到群众的人身、财产安全。因此，本款明确规定，驾驶培训学校、驾驶培训班应当严格按照国家有关规定，对学员进行交通安全法律、法规、驾驶技能的培训，确保培训质量。这里所说的"国家有关规定"，主要是指国家关于驾驶培训学校、驾驶培训班的举办条件、培训内容、培训方式、教员、教练车、教练场等规定。驾驶培训学校、驾驶培训班对学员的培训内容主要包括两个方面，即交通安全法律、法规培训和驾驶技能培训。这里所说的"交通安全法律、法规"，包括本法、有关道路交通安全管理法规和交通规则等。驾驶技能培训的范围比较广泛，包括机动车驾驶的有关知识，如异常气候、复杂道路、危险情况时的安全驾驶和处置知识，简单的伤员急救和危险物品运输知识，车辆的总体构造、主要装置的作用，车辆日常检查、保养、使用知识，常见故障的判断方法、紧急情况的处理知识等；实际驾驶车辆的能力，如机动车的操作方法，以及观察、判断、预见交通状况，综合控制车辆的能力等。

本条第三款是关于任何国家机关以及驾驶培训和考试主管部门不得举办或者参与举办驾驶培训学校、驾驶培训班的规定。根据本条第一款的规定，机动车的驾驶培训实行社会化，由社会上的驾驶培训学校、驾驶培训班承担机动车驾驶的培训工作。国家机关以及驾驶培训和考试主管部门举办或者参与举办驾驶培训学校、驾驶培训班，不利于机动车驾驶培训市场的公平竞争，不利于交通主管部门和农业（农业机械）主管部门对各类驾驶培训学校、驾驶培训班实行统一管理，同时国家机关以及驾驶员培训和考试主管部门举办或者参与举办营利性的驾驶培训学校、驾驶培训班，也不利于国家机关以及有关部门的廉政建设，影响政府形象。因此，依照本款规定，任何国家机关以及驾驶培训和考试主管部门都不得举办或者参与举办驾驶培训学校、驾驶培训班。这里所说的驾驶培训主管部门，是指依据本条规定，对驾驶培训学校、驾驶培训班实行资格管理的交通主管部门和农业（农业机械）主管部门。驾驶考试主管部门，是指依照本法第十九条和第一百二十一条的规定主管驾驶考试和发给机动车驾驶证的公安机关交通管理部门和农业（农业机械）主管部门。“举办”，是指国家机关以及驾驶员培训和考试主管部门直接出资，开办驾驶培训学校或者驾驶培训班对机动车驾驶员进行培训的行为。“参与举办”，是指国家机关以及驾驶员培训和考试主管部门采取与其他企业事业单位合资、联营、合作或者其他方式等各种直接参与举办或者变相参与举办驾驶培训学校或者驾驶培训班，以及参与对这些培训机构的经营管理或者利益分配等行为。

第二十一条　驾驶人驾驶机动车上道路行驶前，应当对机动车的安全技术性能进行认真检查；不得驾驶安全设施不全或者机件不符合技术标准等具有安全隐患的机动车。

【释义】　本条是关于驾驶人对机动车的安全技术性能进行检查的义务的规定。

本条是根据减少交通事故要从预防入手的精神，对机动车上路行驶前所作的要求，共规定了两方面内容。一是驾驶人驾驶机动车上道路行驶前，应当对机动车的安全技术性能进行认真检查。为了预防和减少交通事故，保护群众的人身财产安全，同时也为了保护驾驶人的人身财产安全，上道路行驶的机动车应当保持良好的安全技术性能。为了做到这一点，除了对机动车要进行定期检测、维护外，驾驶人经常对机动车的安全技术性能进行检查也是非常重要的。因此，本条作了这样的规定。依照本条规定，驾驶人在驾驶机动车上道路行驶前，应当对机动车的安全技术性能进行认真检查，包括检视车辆的制动系统及各部机件连接的紧固情况，检查机油、空气、燃油滤清器和蓄电池等是否清洁，是否有漏水、漏油、漏气、漏电等现象，刹车是否灵敏。二是驾驶人不得驾驶安全设施不全或者机件不符合技术标准等具有安全隐患的机动车上路行驶。具有安全隐患的机动车，又称为事故隐患车，包括安全设施不全或者机件不符合技术标准等的机动车。这样的机动车如果上路行驶，容易因为行驶过程中出现机械故障从而引发交通事故，在行驶中出现紧急情况时也可能因为车况问题导致本来可以避免的事故发生，在发生交通事故时也可能因此而加重对人身财产的损失破坏程度。因此，依照本条规定，安全设施不全或者机件不符合技术标准等具有安全隐患的机动车，不得上道路行驶。

第二十二条　机动车驾驶人应当遵守道路交通安全法律、法规的规定，按照操作规范安全驾驶、文明驾驶。

饮酒、服用国家管制的精神药品或者麻醉药品，或者患有妨碍安全驾驶机动车的疾病，或者过度疲劳影响安全驾驶的，不得驾驶机动车。

任何人不得强迫、指使、纵容驾驶人违反道路交通安全法律、法规和机动车安全驾驶要求驾驶机动车。

【释义】　本条是关于机动车驾驶人的基本义务，不得驾驶机动车的情形以及不得强迫、指使、纵容驾驶人违法驾驶问题的规定。本条共分三款。

本条第一款是关于机动车驾驶人上道路驾驶机动车时基本义务的规定。根据本条规定，机动车驾驶人的基本义务，包括遵守道路交通安全法律、法规的规定，按照操作规范安全驾驶、文明驾驶。

这里所规定的“道路交通安全法律、法规”，是指全国人民代表大会及其常委会通过的法律、国务院制定的行政法规、地方法规等关于道路交通安全方面的各项规定，以及相关法律、法规中有关交通安全等方面的规定。机动车驾驶人不仅仅要了解、掌握有关交通法规的内容，更重要的是在驾驶机动车时，要严格遵守。如果人人都严格遵守道路交通法律、法规，道路交通的良好秩序就有了保障。机动车的操作规范对于保障安全驾驶、文明驾驶也具有重要意义，机动车驾驶人在驾驶机动车上道路行驶时，也要时时注意遵守机动车操作规范的要求，不得进行危险驾驶、野蛮驾驶。

本条第二款是关于禁止驾驶机动车的情形。根据本款规定，以下五种情形不得驾驶机动车：一是饮酒。酒后驾驶，是当前交通事故发生的主要原因之一。饮酒后驾驶机动车，不仅对行人、其他机动车等的安全造成极大的威胁，也严重威胁了驾驶者本人的人身安全。统计数字表明，酒后驾车引起的交通事故占整个交通事故的很大比例。因此，这次立法将严治酒后驾车作为减少交通事故的措施之一。这里所说的“饮酒”，包括饮用任何含酒精的饮料，包括白酒、果酒、啤酒等。机动车驾驶人饮用含有酒精的饮料后，具有酒精反应，在酒精作用期间驾驶机动车的，都属于饮酒后驾驶。针对饮酒后驾驶机动车的情况，本法第九十一条规定：“饮酒后驾驶机动车的，处暂扣一个月以上三个月以下机动车驾驶证，并处二百元以上五百元以下罚款；醉酒后驾驶机动车的，由公安机关交通管理部门约束至酒醒，处十五日以下拘留和五百元以上二千元以下罚款，并处暂扣三个月以上六个月以下机动车驾驶证。”“饮酒后驾驶营运机动车的，处暂扣一个月以上三个月以下机动车驾驶证，并处五百元罚款；醉酒后驾驶营运机动车的，由公安机关交通管理部门约束至酒醒，处十五日以下拘留和二千元罚款，并处暂扣六个月机动车驾驶证。”“一年内有前两款规定醉酒后驾驶机动车的行为，被处罚两次以上的，吊销机动车驾驶证，五年内不得驾驶营运机动车。”二是服用国家管制的精神药品。这里所规定的“精神药品”，是指直接作用于中枢神经系统，使之兴奋或抑制的药品，如安纳咖、安眠酮、甲基苯丙胺等。精神药品，有的具有兴奋神经中枢的作用，有的具有抑制神经中枢的作用。如甲基苯丙胺，又称去氧麻黄碱、去氧麻黄素，俗称“冰毒”，是一种苯丙胺类精神药品，药性非常强。吸食、注射甲基苯丙胺，会使吸食、注射者变得兴奋、易激动和焦躁不安，会出现暴力倾向，长期服用会严重损害健康，甚至造成死亡。服用精神药品，在药物的作用下会产生神经中枢的兴奋或者抑制，导致人的判断能力、控制能力下降，服用者驾驶机动车，容易发生交通事故。因此，服用精神药品后不得驾驶机动车。需要注意的是，这里所规定的精神药品，不仅仅是指由国家规定管制的属于毒品范围的精神药品，还包括其他由国家管制的直接作用于中枢神经系统，可能影响安全驾驶机动车的精神药品。医师在进行医疗诊治开出处方时，如果处方中包含可能影响安全驾驶机动车的国家管制的精神药品，应当向患者说明。患者在服用该精神药品后在精神药品作用期间不得驾驶机动车。三是服用国家管制的麻醉药品。这里所规定的“麻醉药品”，是指国家规定管制的能够使人形成瘾癖的麻醉药品，包括鸦片、海洛因、吗啡、大麻、可卡因等麻醉性毒品。如吗啡属于鸦片的精制品，是一种极易溶于水的粉末，是一种抑制呼吸的药物，剂量过大会造成呼吸停止以致死亡。大麻是一种无花瓣双子叶植物，是当今世界使用最多、范围最广的麻醉品。它的主要成分是四氢大麻酚。经常或者过量吸食大麻，会对人体的许多器官造成危害，破坏其功能。可卡因是从古柯叶中提取出来的，又称古柯碱，是一种粉末状的白色晶体，具有强烈的麻醉作用。大剂量的可卡因会导致人的中枢神经的传感源受阻，严重的会造成极度痉挛和心力衰竭，从而导致死亡。服用国家管制的麻醉药品，不仅对服用者本人的身体健康造成极大危害，同时由于药品的麻醉作用会导致人的判断能力、控制能力大大下降,服用者在驾驶机动车时,很容易发生交通事故。因此,服用国家管制的麻醉药品后在药品作用期间不得驾驶机动车。四是患有妨碍安全驾驶机动车的疾病。机动车驾驶人的身体状况,是保证安全驾驶的重要条件之一。机动车驾驶人患有妨碍安全驾驶机动车的疾病的,在疾病未治愈前,不得驾驶机动车。这里所规定的"患有妨碍安全驾驶机动车的疾病",是指患有足以影响观察、判断事物能力和控制行为能力的疾病。五是过度疲劳影响安全驾驶的。当前,疲劳驾驶也是引发交通事故,特别是长途客运、货运过程中的交通事故的重要原因之一。机动车驾驶人在疲劳时,应当及时休息,从而保证行车安全,而不能强行上路,威胁道路交通安全。这里所规定的"过度疲劳",是指机动车驾驶人每天驾车超过八小时或者从事其他劳动体力消耗过大或睡眠不足,以致行车中困倦瞌睡、四肢无力,不能及时发现和准确处理路面交通情况的情况。

本条第三款是关于不得强迫、指使、纵容驾驶人违法驾驶的规定。根据本款规定,任何人不得强迫、指使、纵容驾驶人违反道路交通安全法律、法规和机动车安全驾驶要求驾驶机动车。本款所规定的主体包括任何人,如机动车驾驶人的雇主、上级领导、乘客、托运人等。这里所规定的"强迫",是指违背机动车驾驶人的意愿,以暴力、胁迫或者其他手段,迫使机动车驾驶人违反道路交通安全法律、法规和机动车安全驾驶要求驾驶机动车的情形;"指使",是指指挥、唆使、命令机动车驾驶人违反道路交通安全法律、法规和机动车安全驾驶要求驾驶机动车的情形;"纵容",是指行为人明知机动车驾驶人有违反道路交通安全法律、法规和机动车安全驾驶要求驾驶机动车的行为,不依法制止,反而给予放纵、宽容,或者听之任之其继续进行违法驾驶的情形。根据本法第九十九条的规定,强迫机动车驾驶人违反道路交通安全法律、法规和机动车安全驾驶要求驾驶机动车,造成交通事故,尚不构成犯罪的,由公安机关交通管理部门处二百元以上二千元以下的罚款，可以并处十五日以下拘留。

第二十三条　公安机关交通管理部门依照法律、行政法规的规定，定期对机动车驾驶证实施审验。

【释义】　本条是关于机动车驾驶证审验制度的规定。

根据本条规定，公安机关交通管理部门依照法律、行政法规的规定，定期对机动车驾驶证实施审验。这里所规定的“法律、行政法规”，包括全国人民代表大会及其常委会通过的法律和国务院制定的行政法规。这里所规定的“审验”，是指公安机关交通管理部门按照国家的有关规定，对不同准驾车型的机动车驾驶证，按一定期限对驾驶证及驾驶人的有关情况进行审查、检验。根据国家的有关规定，审验的项目主要包括：核对驾驶证上的各项记录和照片是否与现况相符，有无漏办审验及其他登记的情况；审查驾驶人的身体有无妨碍驾驶工作的情况，以及驾驶技术情况等；考核安全与违章肇事情况，有无未处理的违章肇事事件等。对于审验合格的，由公安机关交通管理部门在驾驶证上按规定格式签章或记载；不合格的，予以复试或注销驾驶证。持未记载审验合格的驾驶证不具备驾驶资格。因此，机动车驾驶人应当注意按期办理驾驶证审验；因故不能如期办理审验的，应事先向公安机关交通管理部门申请延期办理。此外，根据本法第一百二十一条的规定，对于上道路行驶的拖拉机，农业（农业机械）主管部门依照本法的规定行使定期对拖拉机驾驶证实施审验的管理职权，并接受公安机关交通管理部门的监督。

第二十四条　公安机关交通管理部门对机动车驾驶人违反道路交通安全法律、法规的行为，除依法给予行政处罚外，实行累积记分制度。公安机关交通管理部门对累积记分达到规定分值的机

动车驾驶人，扣留机动车驾驶证，对其进行道路交通安全法律、法规教育，重新考试；考试合格的，发还其机动车驾驶证。

对遵守道路交通安全法律、法规，在一年内无累积记分的机动车驾驶人，可以延长机动车驾驶证的审验期。具体办法由国务院公安部门规定。

【释义】 本条是关于对违反道路交通安全法律、法规的行为的累积记分制度和有关奖励措施的规定。本条共分两款。

近几年来，公安机关交通管理部门在对道路交通进行管理的过程中，采用了对机动车驾驶人违反道路交通安全法律、法规的行为实行累积记分的制度。这一制度对于维护道路交通秩序，增强机动车驾驶员遵守交通安全法律、法规的意识，减少道路交通违章行为，预防交通事故，发挥了重要的作用。因此，本条明确规定了对违反道路交通安全法律、法规的行为的累积记分制度。

本条第一款是关于对违反道路交通安全法律、法规的行为的累积记分制度的规定。根据本款规定，对违反道路交通安全法律、法规的行为的累积记分制度主要包括两方面内容：第一，这里规定的累积记分制度适用于公安机关交通管理部门在道路交通管理工作中，处理机动车驾驶人的违反道路交通安全法律、法规的行为。本条对累积记分制度作了原则性的规定，将这一制度以法律的形式确立下来。具体在实践中对各种违反道路交通安全法律、法规的行为的分值、记分方法等，由国务院或者国务院公安交通管理部门作出具体规定。根据本款规定，机关交通管理部门对机动车驾驶人违反道路交通安全法律、法规的行为除依法给予行政处罚外，实行累积记分。这里所说的"累积记分"，是指从机动车驾驶员初次领取机动车驾驶证之日起一年内为一个记分周期，在一个记分周期内，记分分值累加计算；一个记分周期期满后，记分分值累加未达到规定分值的，该周期内的记分分值予以消除，不转入下一个记分周期。根据本款规定，机动车驾驶人有违反道路交通安全法律、法规的行为的，公安机关交通管理部门在对机动车驾驶人违反道路交通安全法律、法规的行为依法给予行政处罚的同时，根据有关规定对机动车驾驶人给予记分。第二，关于对累积达到规定分值的机动车驾驶人的处理办法，根据本款规定，公安机关交通管理部门对累积记分达到规定分值的机动车驾驶人，扣留机动车驾驶证，对其进行道路交通安全法律、法规教育，重新考试；考试合格的，发还其机动车驾驶证。这里所说的“累积记分达到规定分值”，是指机动车驾驶员在一个记分周期，即一年内，记分分值累加达到规定分值。公安机关交通管理部门发现机动车驾驶员累积记分分值已达到规定分值的，扣留机动车驾驶证正证和副证，等考试合格后再及时发还。对累积记分达到规定分值的机动车驾驶人，公安机关交通管理部门要对其进行道路交通安全法律、法规教育，并要求该驾驶人重新参加考试。机动车驾驶人考试合格的，机动车驾驶证发还，原记分分值予以消除。

本条第二款是关于对在一年内无累积记分的机动车驾驶人的奖励措施的规定。规定奖励措施，主要是为了鼓励机动车驾驶人遵守道路交通法律、法规，从而有利于维护正常的道路交通秩序，促进道路交通安全。根据本款的规定，对遵守道路交通安全法律、法规，在一年内，即在一个记分周期内，没有累积记分的机动车驾驶人，可以采取一定的奖励措施。这里所规定的奖励措施是指延长机动车驾驶证审验期。根据本法第二十三条规定，公安机关交通管理部门按照法律、行政法规的规定，定期对机动车驾驶证实施审验。根据本款规定，公安机关交通管理部门在对机动车驾驶证实施审验时，可以根据机动车驾驶人在一年内有无累积记分的情况，规定不同的审验期限。一年内无累积记分的机动车驾驶人，可以在经过更长的期限后再参加机动车驾驶证审验。同时，本款还规定，对在一年内无累积记分的机动车驾驶人的奖励措施的具体办法，由国务院公安部门制定。

第三章 道路通行条件

第二十五条 全国实行统一的道路交通信号。

交通信号包括交通信号灯、交通标志、交通标线和交通警察的指挥。

交通信号灯、交通标志、交通标线的设置应当符合道路交通安全、畅通的要求和国家标准,并保持清晰、醒目、准确、完好。

根据通行需要,应当及时增设、调换、更新道路交通信号。增设、调换、更新限制性的道路交通信号,应当提前向社会公告,广泛进行宣传。

【释义】 本条是关于道路交通信号的规定。本条共分四款。

本条第一款是关于全国实行统一的道路交通信号的规定。在现代社会中,经济发展成为社会发展的首要因素,作为经济发展的命脉之一的道路交通的发展在经济发展中发挥着重要的作用。在我国,由于汽车普及率的提高,道路交通拥挤的状况日益严重,交通事故频频发生,交通环境不断恶化。为了解决道路交通问题,提高道路的通行能力,预防和减少交通事故,加强道路交通信号的管理和运用尤为重要。道路交通信号是通过一定的形式和特定的内容,向车辆驾驶人及行人发出能否通行或者如何通行的信息,它的主要功能是用以管理和疏导交通。我国的交通网络犹如一盘棋,要使其通行顺畅,安全有序,必须在全国实行统一的道路交通信号,便于人们掌握和识别,避免交通事故的发生。

本条第二款是关于交通信号的规定。交通信号是指挥车辆和行人前进、停止或者转弯,向车辆驾驶人和行人提供各种交通信息，对道路上的交通流量进行调节、控制和疏导的以光色信号、图形、文字或者手势表示的特定信号。交通信号既是车辆驾驶人和行人的安全保护神，又是交通警察纠正违章、处理交通事故的执法依据，同时通过交通信号对道路上交通流量的调节、控制和疏导，以达到维护交通秩序，保障交通的安全畅通的目的。根据本款规定，交通信号包括交通信号灯、交通标志、交通标线和交通警察的指挥。“交通信号灯”，是指设置在道路交叉路口，用以指挥交叉路口交通通行的灯光设备。交通信号灯是对车辆和行人实行或停或行交替的继续式指挥疏导，把不同方向的交通参与者从时间和空间上隔开，先后通行，避免相互干扰，减少冲突点和交织点，使处在相互矛盾的交通环境中的车辆和行人有秩序地通过交叉路口，保障交通的安全畅通。交通信号灯主要包括：指挥信号灯、车道信号灯、人行横道信号灯。“交通标志”，是指用图形符号和文字，配之以特定的颜色，向车辆驾驶人及行人传递特定信息，用以管制、警告及引导交通的安全设施，是管理道路交通的重要设施之一，它在现代交通管理中发挥着重要作用。合理设置道路交通标志，可以有效地组织交通流量，减少交通事故，预防交通拥堵，提高道路的通行能力。交通标志分为主标志和辅助标志。主标志包括：警告标志、禁令标志、指示标志、指路标志、旅游区标志、道路施工安全标志等；辅助标志，是一种与主标志配合使用的特殊标志，附设在主标志的下方，对主标志起辅助说明作用，不能单独使用，可分为表示区域、距离、时间、车辆种类、警告禁令理由等。“交通标线”，是指以规定的线条、箭头、文字、立面标记、突起路标和其他导向装置，施划于路面或其他设施上，用以管制和引导的交通安全设施，它可以和交通标志配合使用，也可以单独使用。交通标线包括：指示标线、禁止标志、警告标线。“交通警察的指挥”，是指由交通警察通过手势、指挥棒进行指挥、引导和疏导交通的行为。交通警察手势信号主要包括：直行信号、直行辅助信号、左转弯信号、左转弯辅助信号、停止信号、停止辅助信号、右转弯信号、减速慢行信号、前车避让后车信号、示意违章车辆靠边停车信号等。车辆和行人遇有交通信号灯、交通标志、交通标线与交通警察指挥不一致时，应当服从交通警察的指挥。车辆、行人的通行和停止，怎么通行和怎么停止，都要以交通警察的指挥为准。

本条第三款是关于交通信号灯、交通标志、交通标线设置的规定。本款是从交通信号灯、交通标志、交通标线设置的技术要求、设置质量以及保证合理使用的角度上所作的规定。本款规定包含三方面的内容：一是交通信号灯、交通标志、交通标线的设置应当符合国家标准。交通信号灯的设置应当按照《道路交通信号灯安装规范》(GB 14886—94)的要求，根据道路宽度、交通流量以及交通安全的考虑，设置交通信号灯。交通信号灯设置的种类应当齐全，安装应当规范，配时应当合理，并符合技术要求。交通标志、交通标线的设置应当按照《道路交通标志和标线》(GB 5768—1999)、《道路交通标线质量要求和检测方法》(GB/T 16311—1996)、《路面标线涂料》(JT/T 280—1995)等规定的要求，设置和施划交通标志和标线，要结合道路线型、交通设施等情况，以确保行车安全和交通畅通为目的，设置不同种类的交通标志，以及施划不同的交通标线，并要做到科学规范、整洁美观、清晰醒目、齐全有效，满足交通管理的实际需要。二是道路交通信号灯、交通标志、交通标线的设置，应当符合道路交通安全、畅通的要求，并根据交通需求及时调整。道路交通信号灯、交通标志、交通标线是提供给车辆驾驶人和行人有关道路的交通信息，用以管理和引导交通的安全设施。因此，交通信号灯、交通标志、交通标线的设置，要以保证车辆和行人安全为目的，结合道路线型、交通设施等情况，总体考虑布局，避免出现内容互相矛盾、重复的现象，并且当交通信号灯、交通标志、交通标线不符合交通需求时，有关部门应当及时予以调整，使车辆驾驶人和行人在交通信号灯、交通标志、交通标线的引导下,能够顺利、快捷地抵达目的地。三是交通信号灯、交通标志、交通标线设置以后,应当随时保持清晰、醒目、准确、完好。只有足够清晰、醒目的交通信号灯、交通标志、交通标线,才能被车辆驾驶人和行人准确地认读,从而指导其交通行为。要保持交通信号灯、交通标志、交通标线的清晰、醒目、准确、完好,应当做到以下几点:(1)交通信号灯、交通标志、交通标线设置的地方应明显突出;(2)交通信号灯要有足够的亮度,交通标志应有适当的安装角度及照明,交通标线则要色彩鲜明、醒目;(3)交通信号灯、交通标志、交通标线的设置应满足一定的视认距离;(4)对交通信号灯、交通标志、交通标线应当定期进行检查,发现交通信号灯、交通标志出现毁损、交通标线模糊不清等情况,应当及时进行清洗、修理、更换和安装。

本条第四款是关于增设、调换、更新道路交通信号的规定。本款规定包含两层意思:一是根据通行需要,应当及时增设、调换、更新道路交通信号。道路交通管理部门应当通过各种方法与手段,及时掌握交通信号灯、交通标志、交通标线设置后的使用效果,若发现设置存在问题或者出现新的情况,要及时进行研究,对于需要增设、调换、更新交通信号灯、交通标志或者重新施划交通标线的,应当及时予以调整,以避免由于交通信号不明,给车辆驾驶人或行人带来交通危险,导致交通事故的发生。二是增设、调换、更换限制性的道路交通信号,应当提前向社会公告,广泛进行宣传。实践中,常常发生由于某地增设、调换或者更新限制性的道路交通信号,如禁止左转或者直行,由于车辆驾驶人不了解情况,违反了交通法规,结果与交通警察发生争议的情形。本款是根据实践中经常出现的问题所作的规定。公安交通管理部门对于需要增设、调换、更新限制性的交通标志、交通标线,应当在该交通信号实施前一段时间内提前向社会发布公告,广泛进行宣传教育,让车辆驾驶人和行人了解和掌握增设、调换、更新的限制性道路交通信号的有关规定,以便于更好地遵守道路交通法律法规,保障道路畅通有序,防止和减少交通事故的发生。

第二十六条　交通信号灯由红灯、绿灯、黄灯组成。红灯表示禁止通行,绿灯表示准许通行,黄灯表示警示。

【释义】　本条是关于交通信号灯的规定。

根据本条规定,交通信号灯由红灯、绿灯、黄灯组成。红灯表示禁止通行。主要包括三种:一是指挥灯信号。红灯亮时,不准车辆、行人通行;车辆须停在停止线以外,行人须在人行横道边等候放行。自行车左转弯不准推车从路口外边绕行;直行不准用右转弯方法绕行。右转弯的车辆和T型路口右边无横道的直行车辆,遇有红灯亮时,在不妨碍放行的车辆和行人通行的情况下,可以通行。二是车道灯信号。一般安装在需要单独指挥的车道上方,只对在该车道行驶的车辆起指挥作用,其他车道的车辆和行人仍按规定信号通行。三是人行横道灯信号。红灯亮时,不准行人进入人行横道。

绿灯表示准许通行。主要包括三种:一是指挥灯信号。绿灯亮时,准许车辆、行人通行。不论机动车还是非机动车,凡是面向绿灯信号的均可直行,也可以左、右转弯。在绿灯亮期间进入路口的车辆应该让已经在路口内的车辆和正在人行横道内的行人优先通行,绿灯亮时,转弯的车辆不准妨碍直行的车辆和被放行的行人通行。二是车道灯信号。绿色箭头灯亮时,准许车辆按箭头所示方向通行。绿色箭头灯是指绿灯中带有左转弯、直行、右转弯导向箭头的交通指挥信号灯。三是人行横道灯信号。绿灯亮时,准许行人通过人行横道;绿灯闪烁时,不准行人进入人行横道,但已进入人行横道的,可以继续通行。

黄灯表示警示。主要有两种:一是黄灯亮时,不准车辆、行人通行,但已越过停止线的车辆和已进入人行横道的行人,可以继续通行;右转弯车辆和T型路口右边无横道的直行车辆,遇有黄灯亮时,在不妨碍放行车辆和行人通行的情况下,可以通行。绿灯之后的黄灯表示禁止超越信号;红灯之后的黄灯表示准备通行。二是黄灯闪烁时,车辆、行人须在确保安全的原则下通行。

第二十七条 铁路与道路平面交叉的道口,应当设置警示灯、警示标志或者安全防护设施。无人看守的铁路道口,应当在距道口一定距离处设置警示标志。

【释义】 本条是关于铁路与道路平面交叉道口应当设置安全防护设施以及无人看守的铁路道口应当设置警示标志的规定。

铁路与道路平面交叉道口的安全,关系到人民生命财产安全、铁路运输安全和国民经济的发展。为了保障铁路和道路的安全畅通,预防和减少铁路与道路平面交叉道口的交通事故,本条规定了两方面的内容:

一是铁路与道路平面交叉的道口,应当设置警示灯、警示标志或者安全防护设施。铁路与道路平面交叉的道口,是为了方便车辆和行人通行,在铁路与道路交叉处铺设的平面交叉。根据国家经委、铁道部、交通部、公安部、农业部、城建部、劳动人事部联合颁布的《铁路道口管理暂行规定》,铁路与道路平面交叉主要分为三种:第一种是道口。道口是指铁路上铺面宽度在2.5米以上,直接与道路贯通的平面交叉,包括“有人看守道口”和“无人看守道口”。第二种是人行过道。人行过道是指铁路上铺面宽度在2.5米以下,直接与道路贯通的平面交叉。第三种是平过道。平过道是指在车站、货场、专用线内,专为内部作业使用,不直接贯通道路的平面交叉。为了保证铁路道口的安全畅通,本条规定铁路与道路平面交叉的道口,应当设置警示灯、警示标志或者安全防护设施。根据《铁路道口管理暂行规定》,在铁路道口设置的安全防护设施主要包括以下几种:第一,在道口处的道路上设置铁路道口标志和护桩。铁路道口标志应设在通向道口、距离道口最外股钢轨不少于20米处的道路右侧，护桩设在道口附近。第二，在人行过道及平过道按需要设置“人行过道”“小心火车”“禁止畜力车、机动车辆通行”等宣传牌及防止车辆通过的路障。第三，有条件的可设置道口信号及自动报警装置等安全防护设施。铁路主管部门在铁路道口设置的安全防护设施，应当按照国家的有关规定设置，并且警示灯、警示标志、安全防护设施应当做到设施齐全，清晰醒目。

二是无人看守的铁路道口，应当在距道口一定距离处设置警示标志。长期以来，铁路道口事故连年增加，人员伤亡惨重，国家财产损失巨大，加强对无人看守道口的管理是十分重要和迫切的。本条规定无人看守的铁路道口，应当在距道口一定距离处设置警示标志。这里所说设置的“警示标志”，是指在距道口最外股钢轨一定距离的道路右侧，设置停车或止步、让行标志。设置警示标志的目的是提醒车辆驾驶人和行人，在通过无人看守的铁路道口时，应当先停车或止步观望，确认两端均无列车开来时再通行，这样，能够防止和减少无人看守道口的交通事故，确保人民生命财产安全和铁路、道路运输畅通。为了加强铁路道口安全管理，防止无人看守道口交通事故，确保人民生命财产安全和铁路运输畅通，铁道部颁布了《铁路无人看守道口监护管理规定》，对铁路无人看守道口实行全面监护，设置专人对通过道口的车辆和行人实施监督和防护，以保障道口安全畅通。

第二十八条　任何单位和个人不得擅自设置、移动、占用、损毁交通信号灯、交通标志、交通标线。

道路两侧及隔离带上种植的树木或者其他植物，设置的广告牌、管线等，应当与交通设施保持必要的距离，不得遮挡路灯、交通信号灯、交通标志，不得妨碍安全视距，不得影响通行。

【释义】 本条是关于不得擅自设置、移动、占用、损毁交通信号以及不得遮挡交通信号的规定。本条共分两款。

本条第一款是关于不得擅自设置、移动、占用、损毁交通信号灯、交通标志、交通标线的规定。交通信号灯、交通标志和交通标线是道路交通系统的重要组成部分,是指引车辆驾驶人和行人通行的信息标志,是保证行车安全,以及公民生命财产安全和国家、集体财产安全,防止和减少交通事故的重要标志。交通信号灯、交通标志、交通标线的完整、醒目、清晰,是所有交通参与者能够遵守交通法律法规的重要保障。实际生活中,经常有些单位为了本单位的生产、经营或者通行方便,有些个人为了自己的方便,擅自设置、移动或者损毁交通信号灯、交通标志,致使发生交通事故,造成人员伤亡和财产损失的严重后果,本款就是针对实践中出现的问题所作出的规定,即任何单位和个人不得擅自设置、移动、占用、损毁交通信号灯、交通标志、交通标线。如果需要设置、更新或者移动交通信号灯、交通标志、交通标线的,应当由有关管理部门按照国家有关规定进行设置、更换、移动。

本条第二款是关于道路两侧及隔离带上种植的树木或者其他植物、设置的广告牌、管线等不得遮挡路灯、交通信号灯、交通标志的规定。利用人工的、天然的绿色乔木、灌木及花、草合理覆盖道路两侧边坡、隔离带以及沿线空地等一切可绿化的道路,使纵横交错的公路披上绿装,对于改善我们的生活环境,恢复生态平衡有着重要的作用。道路本身需要绿色植物的平衡和调节,尤其是道路的标准化、美化建设更离不开绿色植物的衬托,绿色植物能够增加道路建筑的艺术效果,丰富景观,使车辆驾驶人、乘车人和行人得到美的享受。绿色植物还能给人以安详、和平之感,有利于消除车辆驾驶人的旅途疲劳。同时,道路绿化还能巩固路基、保护路面、降低噪声,防治污染,维护公路的良好环境。但是,如果道路两侧及隔离带上种植的树木或者其他植物遮挡了路灯、交通信号灯、交通标志,就会遮挡车辆驾驶人和行人的视线,影响交通安全。因此,本款规定,道路两侧及隔离带上种植的树木或其他植物,应当与交通设施保持必要的距离,不得遮挡路灯、交通信号灯、交通标志,不得妨碍安全视距,不得影响通行。这就要求在道路两侧及隔离带上种植的树木或者其他植物,应当按照道路交通管理的有关规定进行种植,与路灯、交通信号灯、交通标志等交通安全设施保持一定的距离,不能遮挡路灯、交通信号灯、交通标志,不能遮挡车辆驾驶人和行人的视线,不能妨碍车辆驾驶人和行人的安全通行。

随着城乡经济的迅速发展,道路两侧设置了各式各样、琳琅满目的广告牌,同时,由于电力、电信和网络的发展和普及,需要不断安装、更新和改建电力线、电信线、电缆等管线,管线与道路在地上或地下交叉或过于接近,都可能危及道路安全,影响道路的使用质量。一些单位和个人在设置广告牌和架设管线时,只图自己的方便和利益,遮挡了路灯、交通信号灯、交通标志,影响车辆驾驶人和行人的视线,导致交通事故的发生。因此,本款规定,道路两侧设置的广告牌、管线等,应当与交通设施保持必要的距离,不得遮挡路灯、交通信号灯、交通标志,不得妨碍安全视距,不得影响通行。加强对道路两侧的广告牌以及架设管线的管理是十分必要的,广告法规定,在户外设置广告,不得利用交通安全设施、交通标志,不得影响市政公共设施、交通安全设施、交通标志使用。公路法规定,未经主管部门批准,任何单位和个人不得进行下列影响交通设施功能的行为:一是设置影响交通设施功能的广告牌、宣传栏、路标、路牌、标志;二是在交通设施上悬挂、张贴宣传标语、标识、旗帜等物件;三是挖掘交通设施附属的地下管线;四是移动交通设施及其他影响交通设施功能的行为。

第二十九条　道路、停车场和道路配套设施的规划、设计、建设,应当符合道路交通安全、畅通的要求,并根据交通需求及时调

整。

公安机关交通管理部门发现已经投入使用的道路存在交通事故频发路段，或者停车场、道路配套设施存在交通安全严重隐患的，应当及时向当地人民政府报告，并提出防范交通事故、消除隐患的建议，当地人民政府应当及时作出处理决定。

【释义】 本条是关于道路、停车场和道路配套设施的建设应当符合道路交通安全的要求以及道路交通事故频发路段，或者停车场、道路配套设施存在交通安全严重隐患的，必须及时作出处理的规定。本条共分两款。

本条第一款是关于道路、停车场和道路配套设施的规划、设计和建设应当符合道路交通安全的要求。随着经济快速增长，对交通需求量亦急剧增长，而现有的道路交通供给能力滞后，特别是一些城市总体规划和交通规划不完善、路网结构不科学、道路交通设施匮乏、致使城市交通严重堵塞，交通秩序较乱，交通事故不断上升，上述问题不仅使交通运输效益和安全度降低，也加重了环境污染，制约了经济和社会的发展。为了保障道路的安全畅通，实现"平安大道"和"畅通工程"的目标，本款规定了三方面的内容：

第一，道路的规划、设计和建设，应当符合道路交通安全、畅通的要求，并根据交通需求及时调整。由于我国道路尤其是城市道路经常出现交通拥堵、出行难等问题，需要缓解交通堵塞，解决交通畅通问题，在道路的规划、设计和建设时，应当考虑要符合道路交通安全、畅通的要求，完善路网，以满足交通需求，各地方应当根据本地不同的社会经济条件、自然条件和建设条件，进行道路规划。同时，还应当根据交通需求及时调整道路交通规划，要改善现有道路网的交通组织与控制，积极疏导交通流量，以保障安全与畅通。如何进行道路的规划、设计和建设，直接关系到交通的安全与畅通，必须严格按照法律法规的规定通行。根据公路法的规定，公路规划应当根据国民经济和社会发展以及国防建设的需要编制，与城市建设发展规划和其他方式的交通运输发展规划相协调。省道规划应当与国道规划相协调,县道规划应当与省道规划相协调,乡道规划应当与县道规划相协调。国道规划的局部调整由原编制机关决定,国道规划需要作重大修改的,由原编制机关提出修改方案,报国务院批准。省道、县道、乡道公路规划需要修改的,由原编制机关提出修改方案,报原批准机关批准。根据公安部、建设部、国家技术监督局联合颁布的《城市道路交通规划设计规范》规定,城市道路系统规划应满足客、货车流和人流的安全与畅通;应符合人与车交通分行,机动车与非机动车交通分道的要求。城市道路网的形式和布局,应根据土地使用、客货交通源和集散点的分布、交通流量流向,并结合地形、地物、河流走向、铁路布局和原有道路系统,因地制宜地确定。

第二,停车场的规划、设计和建设,应当符合道路交通安全、畅通的要求,并根据交通需求及时调整。解决道路交通问题,应当着眼于治理动态交通和静态交通两个方面,动态交通与静态交通并不是彼此独立的,而是一个问题的两个方面,不能偏废任何一方。目前有些地方还没有将解决静态交通和动态交通摆到同等重要位置,只管车行不管车停的陈旧观念还普遍存在,致使"投资修了路、停车占了路、行车难走路"的现象比比皆是。为了解决停车难问题,加强对停车场的建设和管理,改善道路交通状况,保障交通安全畅通,公安部、建设部、国家技术监督局联合颁布的《停车场建设和管理暂行规定》《停车场规划设计规则(试行)》《城市道路交通规划设施规范》规定,停车场的建设,必须符合城市规划和保障道路交通安全畅通的要求,其规划、设计须遵守停车场规划设计规则。停车场的设计方案,须经城市规划部门审核,并征得公安交通管理部门同意,方可办理施工手续;停车场竣工后,须经公安交通管理部门参加验收合格方可使用。规划和建设居民住宅区,应根据需要配建相应的停车场。公安交通管理部门应当协同城市规划部门制定停车场的规划，并对停车场的建设和管理实行监督。

第三，道路配套设施的规划、设计和建设，应当符合道路交通安全、畅通的要求，并根据交通需求及时调整。道路配套设施包括公路配套设施和城市道路配套设施，主要包括交通指挥信号系统，交通闭路电视监控系统，交通通讯系统，道路交通标志、标线，交通隔离物，交通护栏，导向柱、路面缓冲设施、辅助管线、人行过街设施以及交通指挥岗台、交通岗亭等。道路配套设施是设置在道路上或道路两旁，帮助车辆驾驶人和行人正确使用道路，以保证道路交通的安全和畅通。道路配套设施的规划、设计和建设应当有计划地按照道路技术规范进行，符合道路交通安全、畅通的要求，当道路配套设施规划和设计，出现不合理时，应当及时予以调整。

本条第二款是关于道路交通事故频发路段，或者停车场、道路配套设施存在交通安全严重隐患的，应当及时处理的规定。公安交通管理工作是直接为社会主义现代化建设和人民生活服务的，如果交通事故多，人员伤亡严重，经济损失巨大，势必会影响国家的经济建设和人民群众的生活，影响改革开放和社会稳定。交通事故给无数受伤者和丧生者及其家属带来不幸和痛苦，由此造成的大量财产损失，使人们的劳动成果付诸东流。预防交通事故，保障交通安全，是广大人民群众的强烈愿望，也是公安交通管理部门的职责。本款规定的就是公安交通管理部门的责任和义务，是公安交通管理部门在发现交通隐患后必须采取的措施。根据本款规定，公安交通管理部门对于发现的交通隐患应采取两方面的行动：一是发现已经投入使用的道路存在交通事故频发路段，或者停车场、道路配套设施存在交通安全严重隐患的，必须及时向当地人民政府报告。二是发现已经投入使用的道路存在交通事故频发路段，或者停车场、道路配套设施存在交通安全严重隐患的，应当提出防范事故、消除隐患的建议。公安交通管理部门在发现交通安全隐患后，一个重要职责就是对于应当如何预防和减少事故频发路段的交通事故，以及如何解决和消除停车场和道路配套设施安全存在的交通安全严重隐患提出意见和建议，以便于当地人民政府能够及时纠正，保障道路交通的安全畅通。公安交通管理部门如果发现已经投入使用的道路存在道路交通事故频发路段，或者停车场、道路配套设施存在交通安全严重隐患，不及时向当地人民政府提出报告，或者没有提出防范交通事故、消除隐患的建议，就是一种失职行为。

根据本款规定，公安机关交通管理部门发现已经投入使用的道路存在交通事故频发路段，或者停车场、道路配套设施存在交通安全严重隐患的，向当地人民政府报告，并提出了防范交通事故、消除隐患的建议，当地人民政府应当及时作出处理决定，不能久拖不予以解决。预防和减少交通事故，保障道路安全畅通，对于保障社会主义建设事业的顺利进行，促进社会进步都具有重要的意义。本法总则规定，各级人民政府应当保障道路交通安全管理工作与经济建设和社会发展相适应，应当根据道路交通发展的需要，依据道路交通安全法律、法规和国家有关政策，制定道路交通安全管理规划，并组织实施。根据总则的精神，各级人民政府必须加强宏观控制，正确处理好发展经济与保障道路交通安全的关系，重视道路交通安全建设，对于出现的交通安全隐患应当及时予以解决，以保证国家和人民生命、财产的安全，保障道路交通的安全畅通。

第三十条　道路出现坍塌、坑漕、水毁、隆起等损毁或者交通信号灯、交通标志、交通标线等交通设施损毁、灭失的，道路、交通设施的养护部门或者管理部门应当设置警示标志并及时修复。

公安机关交通管理部门发现前款情形，危及交通安全，尚未设置警示标志的，应当及时采取安全措施，疏导交通，并通知道路、交通设施的养护部门或者管理部门。

【释义】　本条是关于道路、交通设施出现损毁、灭失的，有关主管部门应当及时修复以及公安交通管理部门发现危及交通安全情形时应当及时采取措施,疏导交通的规定。本条共分两款。

本条第一款是关于道路出现损毁或者交通设施损毁、灭失的,有关主管部门应当及时修复的规定。保障道路的使用质量,对提高道路的社会经济效益,是十分重要的,道路应当保持路面平整、交通设施完好,符合国家技术等级标准。但是道路经常会遇有大量坍塌、坑漕、水毁、隆起等损毁,致使交通受阻,无法通行或有通行危险的情况。这些情况发生以后,道路和交通设施的养护部门或者管理部门有哪些职责,本款作了明确规定,包含两方面的内容:

一是道路出现坍塌、坑漕、水毁、隆起等损毁,道路的养护部门或者管理部门应当设置警示标志并及时修复。公路法规定,公路管理机构应当按照国务院交通主管部门规定的技术规范和操作规程对公路进行养护,保证公路经常处于良好的技术状态。因严重自然灾害致使国道、省道交通中断,公路管理机构应当及时修复;公路管理机构难以及时修复时,县级以上地方人民政府应当及时组织当地机关、团体、企业事业单位、城乡居民进行抢修,并可以请求当地驻军支援,尽快恢复交通。公路、公路桥梁及其他构造物发生损坏、承载力不足或出现险情时,公路管理机构应当及时通知当地公安交通管理机关采取减速行驶、单向行驶、限载行驶或封闭绕行的交通措施,还应当尽快落实维修、加固、修复的工程措施。在对公路进行养护或施工作业时,道路的养护部门或者管理部门应当在坍塌、坑漕、水毁、隆起的路段两端设置明显的警示标志,夜间还需设置红灯警示信号。

二是交通信号灯、交通标志、交通标线等交通设施损毁、灭失的,交通设施的养护部门或者管理部门应当设置警示标志并及时修复。交通设施的养护部门或者管理部门应当定期对交通设施进行检查,发现交通信号灯、交通标志、交通标线、交通闭路电视监控系统、交通隔离物、交通护栏、交通岗亭等交通设施出现脱落、损坏、丢失等情形的,应当及时予以修理和恢复,以保证道路的安全畅通。对于设在城市道路上的各类管线的检查井、箱盖或者城市道路附属设施,应当定期进行养护,发现缺损影响交通和安全时,负有管理职责的单位应当及时补缺或者修复。

本条第二款是关于公安交通管理部门发现危及交通安全情形时应当及时采取措施,疏导交通的规定。保障道路的安全畅通,是公安机关交通管理部门的职责。对于道路出现坍塌、坑漕、水毁、隆起等损毁或者交通信号灯、交通标志、交通标线等交通设施损毁、灭失等情形,危及交通安全,尚未设置警示标志的,公安机关交通管理部门应当及时采取安全措施,疏导交通,并通知道路或者交通设施的养护部门或者管理部门设置警示标志,及时修复道路或者道路的交通设施,以保障车辆驾驶人和行人的安全,保障道路的安全畅通。

第三十一条　未经许可,任何单位和个人不得占用道路从事非交通活动。

【释义】　本条是关于未经许可,不得占用道路从事非交通活动的规定。

道路是从事交通活动的基础设施,人们的生产和生活都离不开道路。然而,实践中有些单位和个人为了自己的经济利益和方便,破坏、损坏、非法占用道路及其附属设施的现象相当严重,有的在道路上从事打场、晒粮、放牧、堆物、倾倒废物,有的摆摊设点进行经营活动,有的违章停放车辆等妨碍道路通行,使道路的效能得不到正常的发挥,降低了道路的通行能力和车辆的行驶速度,直接影响道路的安全。针对实践中存在的上述问题,本条规定,未经许可,任何单位和个人不得占用道路从事非交通活动。这里所说的"非交通活动"主要是指在道路上从事打场、晒粮、放牧、堆放物品、倾倒垃圾、摆摊设点、停放车辆、挖沟引水或者进行商品展销、体育活动、福利募捐、义诊义卖、咨询宣传等活动。为了加强对道路的管理，制止和减少在道路上从事非交通活动的行为，公路法和国务院制定的《城市道路管理条例》以及一些省市对不得擅自占用道路，以及需要临时占用道路的审批手续都作了具体明确的限制性规定。公路法规定，任何单位和个人不得在公路上及公路用地范围内摆摊设点、堆放物品、倾倒垃圾、设置障碍、挖沟引水、利用公路边沟排放污物或者进行其他损坏、污染公路和影响公路畅通的活动。需要占用公路的，应当事先征得有关交通主管部门的同意；影响交通安全的，还须征得有关公安机关的同意。《城市道路管理条例》规定，任何单位和个人不准占用道路摆摊设点、停放车辆、设置广告、指路牌、堆物作业、搭棚和集市。因特殊情况需要临时占用城市道路的，须经市政工程行政主管部门和公安交通管理部门批准，方可按照规定占用。经批准临时占用城市道路的，不得损坏城市道路；占用期满后，应当及时清理占用现场，恢复城市道路原状；损坏城市道路的，应当修复或者给予赔偿。城市人民政府应当严格控制占用城市道路作为集贸市场，确需占用城市道路作为集贸市场的，应当经县级以上城市人民政府批准；未经批准，擅自占用城市道路作为集贸市场的，市政工程行政主管部门应当责令限期清退，恢复城市道路功能。《北京市临时占用道路管理办法》规定，下列临时占用道路事项，必须先经市政工程管理部门或公路管理部门批准后，报公安交通管理部门审批：占用车行道、人行道等设置停车场；堆物、作业；设置商业摊点；挖掘道路；其他占用道路事项。对于临时占用城市道路堆物、作业或设置商业摊点的，应先征得当地市容环境卫生管理部门同意后，再按有关规定审批；对于需要在道路上进行体育竞赛、影视拍摄等活动的，应当经市政工程管理部门或公路管理部门批准后，报公安交通管理部门审批许可，活动的组织者应当采取交通安全保障措施，公安机关交通管理部门予以协助。

第三十二条　因工程建设需要占用、挖掘道路，或者跨越、穿越道路架设、增设管线设施，应当事先征得道路主管部门的同意；影响交通安全的，还应当征得公安机关交通管理部门的同意。

施工作业单位应当在经批准的路段和时间内施工作业，并在距离施工作业地点来车方向安全距离处设置明显的安全警示标志，采取防护措施；施工作业完毕，应当迅速清除道路上的障碍物，消除安全隐患，经道路主管部门和公安机关交通管理部门验收合格，符合通行要求后，方可恢复通行。

对未中断交通的施工作业道路，公安机关交通管理部门应当加强交通安全监督检查，维护道路交通秩序。

【释义】　本条是关于工程建设需要占用、挖掘道路应当征得有关主管部门的同意，以及施工时应当设置安全防护措施的规定。本条共分三款。

本条第一款是关于工程建设需要占用、挖掘道路应当征得有关主管部门同意的规定。道路是国民经济的基础设施，是为经济建设服务的，任意占用、挖掘道路直接影响到道路完好性，妨碍道路通行安全，本款对占用、挖掘道路作了限制性的规定，包含两方面的内容：一是因工程建设需要占用、挖掘道路，应当事先征得道路主管部门的同意；影响交通安全的，还应当征得公安机关交通管理部门的同意。公路法和《城市道路管理条例》对占用、挖掘道路的审批程序作了明确具体的规定，如新建、扩建、改建的城市道路交付使用后5年内、大修的城市道路竣工后3年内不得挖掘；因特殊情况需要挖掘的，须经县级以上城市人民政府批准。在大中型公路桥梁和渡口周围200米、公路隧道上方和洞口外100米范围内，以及在公路两侧一定距离内，不得挖砂、采石、取土、倾倒废弃物，不得进行爆破作业及其他危及公路、公路桥梁、公路隧道、公路渡口安全的活动。因抢险、防汛需要修筑堤坝、压缩或者拓宽河床的,应当事先报经省、自治区、直辖市人民政府交通主管部门会同水行政主管部门批准,并采取有效的保护有关公路、公路桥梁、公路隧道、公路渡口安全的措施。二是跨越、穿越道路架设、增设管线设施,应当事先征得道路主管部门的同意;影响交通安全的,还应当征得公安机关交通管理部门的同意。跨越、穿越道路修建桥梁、渡槽或者架设、埋设管线等设施的,以及在道路用地范围内架设、埋设管线、电缆等设施的,在一定程度上可能会占用或者毁坏已经通行的道路,也有可能会影响到交通的安全畅通,因此,在施工前必须征得道路交通主管部门的同意,可能影响交通安全的,还应当征得公安机关交通管理部门的同意。根据《城市道路管理条例》规定,对于埋设在城市道路下的管线发生故障需要紧急抢修的,可以先行破路抢修,并同时通知市政工程行政主管部门和公安交通管理部门,在24小时内按照规定补办批准手续。

本条第二款是关于施工作业单位应当采取防护措施以及施工作业完毕,应当迅速清除道路上的障碍物,恢复通行的规定。随着我国开展大规模投资基础设施建设,道路施工路段管理的矛盾十分突出,加强对施工路段的交通管理,对于减少交通事故和人员伤亡,施工路段道路的安全畅通是十分必要的,因此本款对施工时的道路安全保障作了两个方面的规定:一是施工作业单位应当在经批准的路段和时间内施工作业,并在距离施工作业地点来车方向安全距离处设置明显的安全警示标志,采取防护措施。根据本款和公路法的规定,施工单位应当重视道路施工路段的现场管理工作,在道路上进行施工作业,应当按照道路主管部门和公安交通管理部门批准的时间、地点、范围施工,并在经批准的路段和时间内施工作业,并在距离施工作业地点来车方向安全距离处设置路拦、锥形交通路标、施工警告信号、施工标志、移动性施工标志等明显的安全警示标志和防护措施,夜间须设置闪光黄色灯号和红色定光灯号。施工的安全警示标志必须齐全、规范、清晰、视认性好、设置地点准确、设置牢固,应当能够有效地提示和引导车辆驾驶人和行人通过施工路段或者绕行分流,并根据工程进度及时调整设置地点和内容。《城市道路管理条例》规定,经批准占用或者挖掘城市道路的,应当按照批准的位置、面积、期限占用或者挖掘。需要移动位置、扩大面积、延长时间的,应当提前办理变更审批手续。二是施工作业完毕,应当迅速清除道路上的障碍物,消除安全隐患,经道路主管部门和公安机关交通管理部门验收合格,符合通行要求后,方可恢复通行。公路法规定,公路建设项目和公路修复项目竣工后,应当按照国家有关规定进行验收;未经验收或者验收不合格的,不得交付使用。占用、挖掘公路或者使公路改线的,建设单位应当按照不低于该段公路原有的技术标准予以修复、改建或者给予相应的经济补偿。《城市道路管理条例》规定,经批准挖掘城市道路的,竣工后,应当及时清理现场,通知市政工程行政主管部门检查验收。根据上述规定,施工单位占用、挖掘道路或者使道路改线的,应当按照不低于该路段原有的技术标准予以修复或改建,施工作业完毕后,应当及时进行清理现场,清除在道路上堆放的障碍物,消除不安全的隐患,然后通知道路主管部门和公安交通管理部门予以检查验收,经道路主管部门和公安机关交通管理部门验收合格,符合道路通行要求的,可以恢复通行。

本条第三款是关于未中断交通的施工作业道路,公安交通管理部门应当加强交通安全监督检查的规定。道路的改建、扩建工程,以及在道路上进行占用、挖掘、养护、维修和架设、增设管线设施等作业十分容易造成交通混乱,尤其是未中断交通的施工作业道路更容易引起交通堵塞和发生交通事故,加强对施工路段的管理是非常重要的。本款规定,未中断交通的施工作业道路,公安交通管理部门应当加强安全监督检查,维护道路交通秩序。对于因工程建设需要占用、挖掘道路,或者跨越、穿越道路架设、增设管线设施，施工作业时道路交通未被中断的，公安交通管理部门应当加强对该路段交通安全的监督检查，对于可能造成交通堵塞的，应当及时采取措施，疏导交通，维护道路交通秩序的畅通。

第三十三条　新建、改建、扩建的公共建筑、商业街区、居住区、大(中)型建筑等，应当配建、增建停车场；停车泊位不足的，应当及时改建或者扩建；投入使用的停车场不得擅自停止使用或者改作他用。

在城市道路范围内，在不影响行人、车辆通行的情况下，政府有关部门可以施划停车泊位。

【释义】　本条是关于公共建筑、商业街区、居住区、大中型建筑等应当配建、增建停车场，投入使用的停车场不得改作他用，以及在城市道路范围内可以施划停车泊位的规定。本条共分两款。

本条第一款是关于公共建筑、商业街区、居住区、大中型建筑等应当配建、增建停车场，投入使用的停车场不得改作他用的规定。由于我国经济的迅速增长，机动车保有量也在迅速上升，但是与其配套的停车场在面积及停车位的数量却没有与之相适应。停车场及停车位严重不足，造成大量的机动车占道停放，不仅扰乱了交通秩序，更会造成交通阻塞，导致交通事故的上升，同时，许多车辆驾驶人将机动车放在露天无人看管的场所，易造成车辆的被盗等问题，影响社会治安。停车问题是城市道路交通设施建设的重要问题。因此本款规定，新建、改建、扩建的公共建筑、商业街区、居住区、大(中)型建筑等，应当配建、增建停车场；停车泊位不足的，应当及时改建或者扩建。投入使用的停车场不得擅自停止使用或者改作他用。本款所说的“停车场”是指供各种机动车和非机动车停放的露天或室内场所。停车场分为专用停车场和公共停车场。专用停车场是指主要供本单位车辆停放的场所和私人停车场所；公共停车场是指主要为社会车辆提供服务的停车场所。根据《城市道路交通规划设计规范》《停车场建设和管理暂行规定》《停车场规划设计规则》的规定,新建、改建、扩建的大型旅馆、饭店、商店、体育场(馆)、影(剧)院、展览馆、图书馆、医院、旅游场所、车站、码头、航空港、仓库等公共建筑和商业街(区),必须配建或增建停车场。停车场应与主体工程同时设计、同时施工、同时使用;大型公共建筑工程设计没有停车场规划的,城市规划部门不予批准施工。规划和建设居民住宅区,也应根据需要配建相应的停车场。对于未配建停车场,或者配建的停车场,停车泊位不足的,应当及时改建或者扩建。

本条第二款是关于在城市道路范围内,在不影响行人、车辆通行的情况下,可以施划停车泊位的规定。在过去的几十年里,由于经济不发达,汽车一直被视为奢侈品,未予以发展,在建筑设计施工时,主要考虑的是自行车的停放问题,很少有人考虑到为汽车留下一片空间。随着我国汽车的保有量迅速增加,汽车进入家庭的速度也在不断加快,但是与之相配套的停车场的面积及停车位的数量并没有同步增长,自然而然地就产生了停车难的问题。目前我国城市现有停车场的数量远远不能满足停车的需要,这就需要占用一部分道路来解决停车难的问题,占用道路停车应当根据具体情况具体对待,对于那些交通流量较大的,占道停车严重影响交通的,要绝对禁止占道停车;对于交通流量较小的,占道停车对交通影响程度较小的,政府有关部门可以选择适当的路段,在不影响行人、车辆通行的情况下,在路边施划出一定的停车泊位。但是,在路边施划停车泊位并不是解决停车难的长久之计,对于停车位严重不足的城市和地区,应当增加投资,不断新建、改建和扩建停车场,促进停车场的建设,尽量减少在路边施划停车泊位。对于需要利用街道、公共广场等作为临时停车场地的,应由公安交通管理部门会同城市规划部门统一规划,由公安交通管理部门统一管理。

第三十四条　学校、幼儿园、医院、养老院门前的道路没有行人过街设施的，应当施划人行横道线，设置提示标志。

城市主要道路的人行道，应当按照规划设置盲道。盲道的设置应当符合国家标准。

【释义】　本条是关于学校、幼儿园、医院、养老院门前应当施划人行横道线以及城市主要道路的人行道应当设置盲道的规定。本条共分两款。

本条第一款是关于学校、幼儿园、医院、养老院门前应当施划人行横道线，设置提示标志的规定。

行人在参与道路交通活动中，往往是道路交通事故的受害者，尤其是学龄前儿童、学生、病人和老人，他们更容易受到伤害，保护道路交通活动中的弱者也是为了方便群众，维护交通秩序，提高通行效率，保障交通安全必不可少的。道路交通有关主管部门应当通过各种措施，使行人与机动车、非机动车隔离开来，确保行人的交通安全。由于学龄前儿童和学生无论是心理上还是生理上，都处在尚未成熟时期，对交通安全意识还不能完全理解，且控制自己行为的能力较差，过马路经常容易不看清来往车辆就猛跑，十分危险，因此，在学校、幼儿园门前最好能够设置人行过街天桥或者地下通道，对于没有条件设置行人过街设施的，必须施划人行横道线，并且设置提示标志，提醒司机注意，行驶在幼儿园和学校门前，应当减速慢行，观察是否有学龄前儿童和学生过马路，如果有儿童和学生过马路，应当停车让行，这样，既便于儿童和中小学生通行，也能确保他们的人身安全。医院和养老院经常出入的是病人和老年人，他们由于生病和年老，行动比较迟缓，因此，在医院和养老院门前最好也要设置人行过街天桥或者地下通道，对于没有条件设置行人过街设施的，也必须施划人行横道线，并且设置提示标志，提醒司机减速慢行，遇有病人和老年人过马路的，应当停车让行，以保证病人和老年人的生命和健康安全。

本条第二款是关于城市主要道路的人行道,应当按照规划设置盲道的规定。残疾人保障法规定,国家和社会逐步创造良好的环境,改善残疾人参与社会生活的条件,逐步实行方便残疾人的城市道路和建筑物设计规范,采取无障碍措施。所谓“无障碍设施”是指为了保障残疾人、伤病人、老年人和其他社会成员充分参与社会生活,方便走出家门时能够通行安全、使用便利,在道路、公共建筑、居住建筑和居住区等建设工程中配套的服务设施,它体现了“以人为本”的理念,是物质文明和精神文明的一种体现,是社会进步的重要标志。城市道路中的无障碍设施主要包括:人行道中的盲道、坡道、缘石坡道;人行横道的提示音响及安全岛;人行过街天桥与人行过街地道中的盲道、坡道或升降平台、扶手、标志等。盲道是专为盲人设计建造的无障碍通道,是公共环境中无障碍设施的一种,盲道一般铺设在人流、车流较为稠密的人行街道上,与周围地面有明显的颜色反差,透过其表面凹凸分布刺激盲人触觉,以达到引领盲人通行的作用。由于城市道路的建设和发展,许多大中城市在新建或改建的道路上都增设了盲道,但是实践中盲道在建设、维护和使用上存在一些问题,有的路段的盲道遇有路灯等障碍物时未采取拐弯措施,盲人顺着盲道走极有可能撞到路灯杆上;有的IC卡电话亭紧挨盲道而建,占去了盲道的部分路段;有的小贩摊点也侵占了盲道;而在盲道上停车、临时堆放货物则更是普遍,这样不仅给盲人使用带来困难,更使盲道失去本身的意义。为了保障盲人的通行安全和使用便利,确保盲道的畅通,本款规定,城市主要道路的人行道,应当按照规划设置盲道,盲道的设置应当符合国家标准。国家颁布了《方便残疾人使用的城市道路和建筑物设计规范》和实施细则,各省市也相继作出规定,以确保盲人的通行安全,如《北京市无障碍设施建设管理规定》作出了如下规定:一是凡在本市行政区域内新建、改建和扩建的公共建筑、住宅建筑、居住小区、城市道路、地铁车站、城市铁路车站和主要旅游景区、景点等建设工程，必须配套建设无障碍设施。二是已建成的公共建筑、居住小区、城市道路和主要旅游景区、景点，没有配套建设无障碍设施的，所有权人或者授权经营管理者应当制定建设计划，逐步实施。对已建成的无障碍设施存在缺陷影响正常使用的，所有权人或者授权经营管理者应当及时改建，也就是说对现有的城市道路、公共设施和住宅小区，没有配套建设无障碍设施的，有关部门应当有计划地按照规范进行改造，方便残疾人使用的公共设施，有关部门应当加强管理、保护和维修，保证其完好和使用。三是进行无障碍设施的工程设计，必须遵守《方便残疾人使用的城市道路和建筑物设计规范》《〈方便残疾人使用的城市道路和建筑物设计规范〉实施细则》的规定，即盲道在设计、施工时，应当按照国家设计规范，注意避让供电、电信、交管、邮政、市政设施及树木等。四是一切单位和个人都有义务爱护无障碍设施，严禁损害、侵占无障碍设施，严禁改变无障碍设施的用途，因特殊情况需要临时占用城市道路同时占用无障碍设施的，必须经有关部门依法批准，并且设置警示标志和信号设施。

第四章 道路通行规定

第一节 一 般 规 定

第三十五条 机动车、非机动车实行右侧通行。

【释义】 本条是关于机动车和非机动车通行规则的规定。

对机动车和非机动车的通行规则,根据国际道路交通公约的规定,各国可以根据本国的不同情况作具体的规定。有的国家规定,机动车、非机动车实行左侧通行,如英国。根据本条的规定,我国的机动车、非机动车实行右侧通行的原则,这也是根据我国的实际情况和多年来的习惯做法决定的。规定机动车和非机动车通行的原则,主要是从交通有序、畅通和交通安全的角度考虑的。根据本条规定,机动车和非机动车,在我国境内(香港、澳门、台湾地区除外)道路上行驶的,都应当遵守右侧通行的原则。本条所说的"右侧通行",一般是指在划设机动车道、非机动车道和人行横道的道路上和在没有划设机动车道、非机动车道和人行横道的道路上以及城市的胡同、巷子和农村的乡间道路上行驶的机动车和非机动车靠道路右侧行驶。

第三十六条 根据道路条件和通行需要,道路划分为机动车道、非机动车道和人行道的,机动车、非机动车、行人实行分道通行。没有划分机动车道、非机动车道和人行道的,机动车在道路中间通行,非机动车和行人在道路两侧通行。

【释义】 本条是关于机动车、非机动车和行人在分道道路或不分道道路上通行原则的规定。

根据本条规定,机动车、非机动车和行人应当各行其道。也就是说,机动车、非机动车和行人应当依照本条为其所规定的行车原则通行。这一原则包括以下两层意思:一是在划分为机动车道、非机动车道和人行道的道路上,机动车应当在机动车道内行驶,非机动车应当在非机动车道内行驶,行人应当在人行道内通行,即分道通行。一般情况下,机动车道设在道路的中间,是以划线来加以区分的,通常划有两条或两条以上车道。非机动车道一般是在机动车道的两边;人行道是在非机动车道的两边。有的道路可能仅划有机动车道和非机动车道,在这种情况下,非机动车和行人在同一条道路上通行,行人要在道路的两边通行。二是在没有划分机动车道、非机动车道和人行道的道路上,机动车应当在道路中间通行,非机动车和行人应当在道路两侧通行。也就是说在这种机动车道、非机动车道和人行道不分的情况下,机动车、非机动车和行人在同一条道路上通行。按照我国的习惯做法,非机动车和行人应当靠道路的两边通行,这样对于非机动车和行人来说都是比较安全的。

规定机动车、非机动车和行人分道通行,有利于提高道路通行质量,互不干涉,从而达到提高车辆行驶速度、保证车辆和行人交通安全的目的。

根据本条规定,划分或者不划分机动车道、非机动车道和人行道是各地方有关部门根据当地的实际情况、道路的条件和通行的需要与否来决定的。所谓“道路的条件”,是指道路的宽窄、道路质量的好坏等。“通行的需要”,是指道路所处的位置是否主干道、车辆的流量和人的流量大小等。一般来说,对于大、中城市和县级城市有条件划分机动车、非机动车和人行道的,应当尽量划分,没有条件的应当积极、努力创造条件逐步达到规范化,这也是将来道路交通的发展趋势。

第三十七条 道路划设专用车道的，在专用车道内，只准许规定的车辆通行，其他车辆不得进入专用车道内行驶。

【释义】 本条是关于专用车道的使用规定。

由于我国是一个人口大国，人多车也多，出行、上下班乘坐公交车的人比较多，所以，从我国目前的实际情况看，在城市道路上划设专用车道来保证公共汽车有秩序的正常运行，保障乘坐公共交通工具的多数人出行方便是非常必要的。

根据本条规定，在专用车道内，只准许规定的车辆通行，其他车辆不得进入专用车道内行驶。也就是说，专用车道具有排他性。所谓“专用车道”，是指由公安机关交通管理部门在城市道路上划设的供专用机动车辆通行的车道。如目前在我国有些城市中客流量大的城市道路上划设的公共汽车专用车道。专用车道一般采用颜色醒目的线在城市道路上划设，并且在专用车道的中间写有“公交车道”或“专用车道”等字样。专用车道的划设相对比较稳定，但是将来随着形势的变化和车辆、道路的变化，也很可能会增加或减少一些其他专用车道。这里所说的“规定的车辆”，是指由当地公安机关交通管理部门根据当地的实际情况规定的车辆。各地公安机关交通管理部门可以根据当地的实际情况，规定不同的车辆。“其他车辆不得进入专用车道内行驶”，是指除规定的车辆外，其他任何车辆都不得进入该车道内行驶。根据这一规定，其他车辆在专用车道内借道行驶的行为是不允许的，否则交通警察就会判你违章，并依法给予一定的处罚。但实践中也有些专用车道是有时间限制的，如在道路上标有7—8点和17—18点，这种情况表明，在这两个时间段内不允许其他车辆进入专用车道内行驶；除规定的时间外，其他车辆可以在专用车道内短时间地并线、转弯、入主路等借道通行，但不应影响规定的车辆的行驶。总之，作为驾驶人员既要学懂法律、法规，还要弄清楚交通标志、标线的含义，遵纪守法，依法行驶。

虽然法律没有明确规定在专用车道内行驶的车辆不得在其他车道内行驶，但是，作为在专用车道内行驶的车辆，应当自觉遵守交通法律、法规规定的各行其道原则。只有各种车辆都能各行其道，才能做到交通畅通和交通安全。

对于有些城市没有划设专用车道的，在通行时，各种车辆都应当服从交通警察的现场指挥，没有交通警察现场指挥时，各种车辆也应当服从其他交通信号，文明礼让。

第三十八条　车辆、行人应当按照交通信号通行；遇有交通警察现场指挥时，应当按照交通警察的指挥通行；在没有交通信号的道路上，应当在确保安全、畅通的原则下通行。

【释义】　本条是关于车辆和行人在有交通信号和没有交通信号的道路上，应当如何通行的规定。

本条规定了三层意思：第一层意思是在有交通信号时，车辆和行人应当按照交通信号通行。交通信号广义上包括交通信号灯、交通标志、交通标线和交通警察的指挥。这里所说的“交通信号”是指狭义的交通信号灯、交通标志和交通标线。第二层意思是在有交通信号，同时也有交通警察指挥时，车辆和行人应当按照交通警察的指挥通行。在大、中城市或者在上、下班高峰时既有交通信号，又有交通警察在现场指挥的情况较多见，车辆和行人，既要注意看交通信号，又要注意看警察的指挥。警察的指挥包括手势信号和交通指挥棒信号等。在我国大部分地区警察用手势信号进行指挥的比较普遍，也比较方便。应当注意的是，车辆和行人遇有交通信号灯、交通标志和交通标线与交通警察的指挥不一致时，应当服从交通警察的指挥。第三层意思是在没有交通信号的道路上，车辆和行人应当在确保安全、畅通的原则下通行。没有交通信号，是指没有交通信号灯、交通标志和交通标线。没有交通信号的道路多数是在车辆流量和人流量较少的城市郊区道路和乡、村公路等道路。在这种道路上，由于没有交通信号和交通警察的指挥，车辆通过时，应当注意避让行人，根据自己的判断，在确保安全和畅通的情况下，才可以通行。如果在没有交通信号的道路上有交通警察的指挥，车辆和行人应当服从交通警察的指挥。行人也应当注意来往车辆，不要与车辆抢行，在确保自身安全的情况下通行。同时，车辆和行人都应当做到互相谅解，文明礼让，这样对自己对他人都是有利而无害，这也是文明社会，文明市民应当具备的条件。这里所说的"车辆"，包括机动车和非机动车。

第三十九条　公安机关交通管理部门根据道路和交通流量的具体情况，可以对机动车、非机动车、行人采取疏导、限制通行、禁止通行等措施。遇有大型群众性活动、大范围施工等情况，需要采取限制交通的措施，或者作出与公众的道路交通活动直接有关的决定，应当提前向社会公告。

【释义】　本条是关于公安机关交通管理部门采取限制通行、禁止通行等限制交通的措施或者决定时，应当提前向社会公告的规定。

本条规定包括两方面的内容：一是公安机关交通管理部门在管理交通活动中，根据当地的道路情况和交通流量的情况，有权对机动车、非机动车、行人采取限制通行、禁止通行等交通措施。这也是法律赋予公安机关交通管理部门的职责和权力。但是，公安机关交通管理部门不能随意作出这种限制通行或禁止通行的规定，应当根据实际情况和实际需要作出。本条所说的"限制通行"，是指根据不同的情况，规定不同的车辆或者行人可以通行。"禁止通行"，是指各种车辆和行人都不允许通行。禁止通行的措施一般是用于有大型活动或重要会议以及道路或交通中断的情况下采用,如道路施工、城市建设等。实践中,公安机关交通管理部门对某个路段采取限制通行或禁止通行的措施时,一般会在限制或禁止通行的地方设立限制通行或禁止通行的告示牌。有时也采取由交通警察现场指挥疏导交通的做法。限制通行和禁止通行的交通措施通常多数是由公安机关交通管理部门根据道路和交通流量的具体情况所采取的临时性的措施,一旦道路通行情况有所改善,公安机关交通管理部门就会及时撤销限制通行或禁止通行的措施,恢复正常的交通秩序。二是公安机关交通管理部门在采取限制交通的措施,或者作出与公众的道路交通活动直接有关的决定时,应当提前向社会公告。根据本条规定,公安机关交通管理部门在下列两种情况下,应当提前向社会公告:(一)公安机关交通管理部门采取限制交通的措施。公安机关交通管理部门在下列情况下可以采取限制交通的措施:1. 遇有大型群众性活动,如大型庆祝活动、游园活动、节假日的大型庙会、游行、集会活动、大型体育比赛(如奥运会、亚运会、世界杯赛、世界锦标赛、马拉松赛以及国际、国内的一些大型体育比赛)等大型群众性活动;2. 大范围施工,如城市改造,道路的修缮、施工以及桥梁施工等涉及需要限制道路交通活动等情况。这里所说的"限制交通"的措施一般是指限制通行和禁止通行的措施。有的是临时性的或者说是短时间的,如遇有大型群众性活动,当活动结束时,限制措施也就撤销了。有的限制措施可能时间相对长一些,如遇到某个地方需要大范围的施工,不管是修路也好,建筑工程也好,都不是几天或一个、两个月就能完成的,在这期间,有的道路是限制通行,有的可能在相当一段时间内中断交通。(二)公安机关交通管理部门作出与公众的道路交通活动直接有关的决定。"与公众的道路交通活动直接有关的决定",是指除采取限制交通的措施外的其他决定。如有关主管部门要调整和规划城市道路,将原来的机动车道改为步行街、将双向行驶的车道改为单行车道或改变单行车道的方向等与公众交通活动直接有关的活动。本条所说的"提前向社会公告",是指在作出决定前,广泛向社会公告。公告的形式可以是通过广播通知、网上宣传、张贴广告或在限制交通的具体地点竖牌广告等形式。至于提前几天公告,法律没有作具体的规定,有关部门应当根据实际情况作出具体的规定,让出行的车辆和行人早有准备。

交通活动是一个社会性问题,涉及千家万户乃至每一个人的出行活动以及安全问题。实践中曾出现过这种情况,有关部门对于采取限制交通、禁止交通的措施或作出的决定没有提前公告,大家没有思想准备,给车辆和行人造成了不必要的麻烦,有的被交通警察判为违章,驾驶人员对此心理很不平衡,容易引起社会矛盾。为使今后这种类似情况不再发生,避免给公民的出行造成不必要的麻烦,同时,也有利于道路交通的畅通和管理,本条规定公安机关交通管理部门在采取限制交通措施,或者作出与公众的道路交通活动直接有关的决定时,应当提前向社会公告。

第四十条　遇有自然灾害、恶劣气象条件或者重大交通事故等严重影响交通安全的情形,采取其他措施难以保证交通安全时,公安机关交通管理部门可以实行交通管制。

【释义】 本条是关于遇有自然灾害、恶劣气象条件等严重影响机动车安全行驶的情况下,公安机关交通管理部门有权实行交通管制的规定。

在遇有自然灾害、恶劣气象条件等严重影响机动车安全行驶的情况下,公安机关交通管理部门可以在一定区域内实行交通管制的措施。这样规定主要是从交通安全的角度考虑,减少和避免交通事故的发生,保障公民的人身安全,保障国家、集体和个人的财产不遭受损失。1988 年《中华人民共和国道路交通管理条例》对此没有规定,实践中遇到这种类似情况,如沙尘天气、冰雹、雨、雪天气以及大雾等低能见度气象条件时，对于高速公路的管理，应由交通部门还是由公安交通管理部门决定实行交通管制和在哪些情况下应当实行交通管制没有明确规定，为了保证多数人的安全，交通警察只能根据上级的命令采取紧急处置措施。现在法律对此作了明确的规定，将实行交通管制的权力交给了公安机关交通管理部门，并列出了需要实行交通管制的条件，进一步表明国家对交通安全和人民的生命、财产安全的重视。

根据本条规定，公安机关交通管理部门在发生下列情形，严重影响交通安全的情况下有权实行交通管制的措施：1. 遇有自然灾害，如洪涝灾害、地震灾害、山体滑坡等自然灾害；2. 遇到恶劣气象条件，如遇有冰雹、暴雨、大雪、大雾能见度低等恶劣气象条件；3. 发生重大交通事故，如车辆追尾、车辆相撞致使多人伤亡等重大交通事故。对于遇到上述严重影响机动车安全行驶的情况，公安机关交通管理部门有权实行交通管制。本条所说的“交通管制”，一般来讲是指封闭道路或者在一定时间内禁止双向、多向、单向道路通行以及违反日常通行方向、规则等禁止通行、限制通行措施。

这种交通管制措施，是公安机关交通管理部门在特殊情况下不得已才采用的一种方法。也就是说，必须是遇到了本条所规定的已经严重影响了交通安全的情形，并且采取其他措施无法消除影响安全的因素，为保证车辆和人员交通安全的情况下采取的一种措施。这里的“其他措施”一般是指由交通警察现场指挥、疏通、引导交通或使用人工消除障碍等措施。

第四十一条　有关道路通行的其他具体规定，由国务院规定。

【释义】　本条是关于除本节规定以外的有关道路通行的其他具体规定，授权由国务院作出规定的规定。

本节是关于道路通行的一般规定，也是道路通行的一些原则性规定，共有六个条文。机动车司机、非机动车司机和行人，只要看到本节规定的上述条文的内容，就能知道自己应当按照什么原则在道路上通行。如机动车在道路上通行时，在有交通信号并有交通警察现场指挥和没有交通警察现场指挥时，分别应当遵循什么原则通行等。但道路通行还有一些更具体的规则，由于本法不可能一一规定，所以，本条规定，有关道路通行的其他具体规定，由国务院规定。这里所说的“有关道路通行的其他具体规定”，是指除本章规定以外的有关道路通行的其他具体规定，如机动车在转弯、掉头、并线、倒车、上坡、下坡时应遵守的交通规则以及各种车辆在道路上如何分道行驶、在道路上行驶的最高时速、机动车在什么情况下使用转向灯、远光灯、示宽灯、防雾灯、近光灯等。“由国务院规定”，是指国务院可以根据实际情况，就机动车、非机动车和行人在道路上通行时应遵守的规则作出更加具体的规定，如道路通行规则或实施条例等。对于通行规则来讲，全国必须统一，任何地方都不能再另行规定。否则，各地执法标准不统一，会造成交通的混乱。这里规定的“由国务院规定”，是一种法律授权，任何地方、单位都不能作这样的规定。

第二节　机动车通行规定

第四十二条　机动车上道路行驶，不得超过限速标志标明的最高时速。在没有限速标志的路段，应当保持安全车速。

夜间行驶或者在容易发生危险的路段行驶，以及遇有沙尘、冰雹、雨、雪、雾、结冰等气象条件时，应当降低行驶速度。

【释义】　本条是关于机动车行驶速度的规定，本条共分两款。

为了保证机动车能够安全、有序地在道路上行驶，规定机动车的安全行驶速度是必要的。尤其机动车在夜间行驶或者在容易发生危险的路段行驶，以及遇有沙尘、冰雹、雨、雪、雾、结冰等气象条件时行驶，很容易发生交通事故，造成人员和财产的重大损失，规定行驶速度尤为重要。这在世界各国也是一个通例。

本条第一款是关于机动车在道路上的行驶速度的规定。对于机动车的行驶速度各国都是根据自己本国道路等不同情况来决定的。如高速公路、一般公路、城市道路等不同的道路可以规定不同的行驶速度。同时，由于各种车辆的性能不同，作用也不同，所以，还可以根据不同的车辆规定不同的行驶速度，如小型客车、大型客车、货运汽车、摩托车、拖拉机等。关于机动车的行驶速度，我国基本上是采取限制机动车的最高行驶速度的做法。根据本款规定，机动车上道路行驶，不得超过限速标志标明的最高时速。在没有限速标志的路段，应当保持安全车速。本款所说的“限速标志标明的最高时速”，是指由各级公安机关交通管理部门或者交通行政主管部门规定在高速公路、公路以及城市道路右侧设置的限速标志牌规定的最高时速。关于在不同道路机动车行驶的具体最高时速，本条对此没作具体规定。本法公布实施后，公安机关交通管理部门和交通行政主管部门可根据实际情况和多年的实践经验作具体的规定。如可具体规定高速公路的最高时速标准、公路和城市道路以及其他道路上的最高时速标准等。对于有限速标志牌的道路，机动车应当在标志牌规定的速度内行驶，不得超过所规定的最高时速标准。本款所说的“应当保持安全车速”，是指根据不同车型、车速，后面的车辆与前面的车辆之间应当保持一个相对安全的行车距离和行车速度，在遇有紧急情况时，可以应付处置而又不至于发生交通事故。前后车辆保持安全车速，有利于及时处理一些紧急情况。

第二款是关于机动车在夜间行驶或者在容易发生危险的路段以及遇到恶劣天气时行驶，应当降低行驶速度的规定。根据本条规定，机动车在下列情况下，应当降低行驶速度：1. 夜间行驶。实践中，有关部门虽然没有明确规定车辆在夜间行驶的速度，由于夜晚的光线与白天的光线有很大差别，视距缩短，视物不如白天清楚，所以，驾驶人员在夜间行驶时，应当注意降低行驶速度。2. 容易发生危险的路段行驶。这里所说的“容易发生危险的路段”，是指由于道路不平或有急转弯、视线不好的街区或没有红绿灯的路口等容易发生或发生过交通事故的路段，已经引起公安机关交通管理部门的重视的路段。实践中，这种路段，一般竖有公安机关交通管理部门制作的“危险路段请慢行”或“事故多发地段”等警示牌。驾驶人员在行驶过程中看到这种警示，应当自觉减速慢行，尽量减少事故的发生。3. 遇有沙尘、冰雹、下雨、下雪、有雾等气象条件或地面有结冰现象时行驶。对于遇到沙尘暴天气、冰雹、下雨、下雪天、大雾天气以及路面结冰时，往往会出现视线不好、路面打滑、能见度很低等不利于行驶的条件，对于出行的驾驶人员，遇到上述情况，必须注意降低行驶速度，保持安全的车距和车速，不要急刹车，不要抢行，不要随意并线和穿插车队，文明礼让，以保证车辆安全行驶。本款规定的“应当降低行驶速度”，应当理解为，车速必须降低到规定的最高时速以下或者正常行驶速度以下，并根据行驶的时间、路段、天气以及路上车辆的多少等条件选择安全行驶速度。

第四十三条　同车道行驶的机动车，后车应当与前车保持足以采取紧急制动措施的安全距离。有下列情形之一的，不得超车：

（一）前车正在左转弯、掉头、超车的；

（二）与对面来车有会车可能的；

（三）前车为执行紧急任务的警车、消防车、救护车、工程救险车的；

（四）行经铁路道口、交叉路口、窄桥、弯道、陡坡、隧道、人行横道、市区交通流量大的路段等没有超车条件的。

【释义】　本条是关于同车道行驶的机动车,后车与前车应保持的安全距离以及在哪些情况下不得超车的规定。

本条包含两层意思:第一层意思是在同一车道内行驶的机动车,后车与前车应当保持一定的安全距离。这样规定是出于交通安全的目的考虑的。在同一车道内行驶的机动车,后车与前车应当保持足以采取紧急制动措施的安全距离。一旦前面车辆出现了紧急情况,如塞车、撞车或者急刹车等紧急情况,作为后面的车辆能来得及采取减速、变更车道、紧急刹车、停车等措施,以避免事故的发生。本条所说的“保持足以采取紧急制动措施的安全距离”,是指同车道行驶的车辆,后车与前车之间,必须根据行驶速度和路面情况,保持在紧急情况下,随时可以采取紧急制动停车的距离,不至于与前车发生碰撞或摩擦。车辆与车辆之间的安全距离,在有的路段有明显的保持车距的牌子,如保持车距二百米等。对于没有明显保持车距标志的,一般来讲,驾驶人员应根据自己车辆的行驶速度、天气和路面情况来判断与前面车辆应当保持的安全距离等。

第二层意思是规定了在哪些情况下后面的车辆不得超车。根据本条规定,具有下列四种情况之一的,后面的车辆不得超车:

1. 前车正在实施左转弯或者掉头或者超越前车行为时,后面的车辆不得实施超越前车的行为。这里所说的“前车”是指与后车在同一条道路上行驶的前面的车辆。因为左转弯、超车使用的都是靠左边的第一条或者第二条车道,掉头使用的是最左边的第一条车道,在前车实施左转弯、掉头、超车行为时,后面的车辆如果实施超车行为,必然会与前车相碰撞,所以,禁止后面的车辆超越前面正在实施左转弯或者掉头或者超车的车辆。

2. 与对面来车有会车可能时,后面的车辆不得实施超越前车的行为。这里的“与对面来车有会车可能”,是指在超越同方向的另一车辆时与对面来车有会车可能的,即所谓“三点会车”的情况,非常容易造成车辆迎面相撞的惨剧发生。因此,遇到这种情况不可以强行超车。

3. 前车为执行紧急任务的警车、消防车、救护车、工程救险车的,后面的车辆不得超越。本法第五十三条规定:"警车、消防车、救护车、工程救险车执行紧急任务时,可以使用警报器、标志灯具;在确保安全的前提下,不受行驶路线、行驶方向、行驶速度和信号灯的限制,其他车辆和行人应当让行。"第十五条第二款规定:"警车、消防车、救护车、工程救险车应当严格按照规定的用途和条件使用。"根据上述两条规定,可以看出,警车、消防车、救护车、工程救险车属于法律规定的特殊车辆,有其特殊的用途,所以,上述四种车辆在执行紧急任务时,具有道路优先通行权。这里所说的"执行紧急任务",是指公安机关出动警车执行警务、勘察现场、抓捕嫌疑犯、罪犯等任务;消防部门出动消防车执行救火等消防任务;医疗、卫生机构出动的救护车执行紧急救治伤、病人员等任务。"工程救险车"是各种救险车的总称,是防汛、水利、电力、矿山、城建、交通、铁路等部门用于抢修公用设施、抢救人民生命财产的应急专用车辆和现场指挥车辆。如出现自来水管道漏水、煤气泄露、电缆、电网损坏、道路坍塌、水毁等紧急险情时,自来水公司、煤气公司、电力公司、防汛、城市建设、交通、铁路等部门,都可以出动工程救险车执行紧急抢险任务。

执行警务、执行消防任务、执行救护任务、执行救险任务都是涉及公共安全和人民生命安全的大事,所以,为了保证特种车辆执行紧急任务时顺利通行,机动车、非机动车和行人遇到警车、消防车、救护车、工程救险车正在执行紧急任务时,都应当主动让行。

根据公安部的有关规定,上述四种特殊车辆,应当按照规定安装、使用警报器、标志灯具,喷涂标志图案。一般来说,这些特殊车辆在道路上行驶时,很容易识别。其他车辆在道路通行时,遇有这些车辆正在执行紧急任务时,不得超越。但有些车辆如工程救险车的种类比较多，标志、图案还不统一，本法通过后公安部门会根据情况作出具体规定。

4. 机动车行经铁路道口、交叉路口、窄桥、弯道、陡坡、隧道、人行横道、市区交通流量大的路段等没有超车条件的。本项所列的八种情况，都属于危险或容易出现危险不具备超车条件的地段，法律明确规定在这些路段禁止超车是非常有必要的。

第四十四条　机动车通过交叉路口，应当按照交通信号灯、交通标志、交通标线或者交通警察的指挥通过；通过没有交通信号灯、交通标志、交通标线或者交通警察指挥的交叉路口时，应当减速慢行，并让行人和优先通行的车辆先行。

【释义】 本条是关于车辆在通过交叉路口时应当如何通行的规定。

本法第三十八条对车辆和行人在有交通信号和没有交通信号的道路上，应当如何通行作了规定。这是对一般通行主体的原则性规定，即车辆和行人，在道路上通行时应当遵循的原则。而本条则是对机动车在通过交叉路口时应当如何通行所作的规定。与本条相比，除了通行主体与通行路段不同外，本条还增加了让行人和优先通行的车辆先行的主要原则。这一原则体现了保护弱者、文明礼让的精神，也是从大局出发，维护整体的交通和安全畅通。

本条包含两方面内容：一是机动车在通过交叉路口时，有交通信号灯、交通标志、交通标线的，按照交通信号灯、交通标志、交通标线的规定通行。如果有交通警察现场指挥交通的，应当按照交通警察的现场指挥通行。这里所说的“交叉路口”，是指道路上的“十”型路口、“T”型路口、“X”型路口等有两条以上交叉的道路路口。关于交通信号灯、交通标志、交通标线的具体规定，各种符号表示什么意思，作为机动车的驾驶人员都应当熟练掌握。但是，这些交通信号标志也不是永远不变的。由于目前这些交通信号标志还不健全，要与国际交通信号的标志接轨，还需不断增加新的标志，驾驶人员应当不断学习、掌握新规定，以避免违反交通规则的情况发生。

二是机动车在通过既没有交通信号灯、交通标志、交通标线的交叉路口，也没有交通警察现场指挥的交叉路口时，机动车驾驶员首先应当减速慢行，如果遇有行人通过交叉路口，应当先让行人通过。遇有优先通行的车辆，应当让优先通行的车辆先行。这一规定，对于机动车驾驶员来讲，应当形成一种自觉的行为，只有这样，我们的交通才能有序而不乱。这里所说的“优先通行的车辆”，是指本法规定的执行紧急任务的警车、消防车、救护车、工程救险车。

第四十五条　机动车遇有前方车辆停车排队等候或者缓慢行驶时，不得借道超车或者占用对面车道，不得穿插等候的车辆。

在车道减少的路段、路口，或者在没有交通信号灯、交通标志、交通标线或者交通警察指挥的交叉路口遇到停车排队等候或者缓慢行驶时，机动车应当依次交替通行。

【释义】　本条是关于机动车遇有前方车辆停车排队等候或者缓慢行驶时应当如何通行的规定。

我国是一个人口大国，人口多，车辆多。实践中，常常会遇到机动车通过窄路或修路等情况，无论是否有交通标志或交通警察的指挥，都会出现交通拥堵等现象，造成这种现象的原因是多方面的，如公民的交通安全意识和守法意识不强，行为的文明程度还不够高，有的是由于道路设计不合理，有些行为法律规范得也不够，执法机关执法不严等原因。其具体行为表现为：行人和非机动车驾驶人与机动车抢行；机动车驾驶人为了自己能早先通行，置他人的利益于不顾，不按秩序排队，生挤硬钻，甚至会出现一些很不道德、不文明的行为等。这样既影响了大家的通行，又可能引起一些不该发生的矛盾。为解决我国多年来交通中存在的实际问题，公安机关交通管理部门和一些驾驶人员迫切希望增加这一规定。本条共分两款。

第一款是关于机动车遇有前方车辆停车排队等候或者缓慢行驶时应当遵守的规定,也是禁止性的规定。根据本款规定,机动车在道路上行驶时,遇到交通拥堵等情况,需要排队等候通行或者缓慢行驶时,机动车应各行其道,按规矩排队等候或者跟随车流通行,不得借道超车,不得占用对面车道,不得在其他等候的车辆中间穿插通行。由于在机动车停车排队等候或者缓慢行驶时,车与车之间的距离很小,不具备超车的条件,在这种情况下,如果有的车辆借道超车或者占用对面车道通行,或者见缝插针在其他车辆中间穿插通行,使本来按规矩排队等候或者跟随车流通行很快就可以解决的交通堵塞问题,更加严重,排队的时间更长,聚集的车辆更多,交通秩序更加混乱。

第二款是关于机动车在车道减少的路段、路口等情况下遇有停车排队等候或者缓慢行驶时应当如何通行的规定。第一款是对机动车的禁止性规定。本款则是对机动车应当如何通行的规定。根据本款规定,机动车遇有以下三种情况之一,需要停车排队等候通行或者缓慢行驶时,应当依次交替通行:1. 机动车在车道减少的路段或者车道减少的路口,如只有一条车道同时又不是单行道或者道路狭窄的路段或者路口;2. 在没有交通信号灯、交通标志、交通标线的交叉路口;3. 在没有交通警察指挥的交叉路口。所谓“交替通行”,是指两个或两个以上不同方向的车辆依次轮流通行。

作为机动车驾驶人,应当遵纪守法,文明行驶。遇到上述规定的情况时,应当具有高度的自觉性和责任心,遵守职业道德。这样做不仅有利于他人,也有利于自己。

第四十六条　机动车通过铁路道口时,应当按照交通信号或

者管理人员的指挥通行；没有交通信号或者管理人员的，应当减速或者停车，在确认安全后通过。

【释义】 本条是关于机动车通过铁路道口时应当遵守的规定。

本条规定对于机动车驾驶员和机动车上的乘坐人员来说，都具有重要的意义。实践中，机动车在铁路道口发生交通事故，造成人员伤亡、财产损失的情况并不少见。由于火车属于高速交通、运输工具，与其他机动车不同。其他机动车之间发生碰撞，有的可能只是剐蹭或者造成轻伤害或者财产的轻微损失，造成惨重后果的还是少数。而机动车一旦与火车发生碰撞，其后果是不堪设想的。所以，本条规定，对于保护国家财产、人民的生命和财产安全是非常必要的。

本条规定有两层意思：第一层意思是机动车通过铁路道口时，有交通信号的，应当按照交通信号通行。但是，如果有管理人员在现场指挥，应当按照管理人员的指挥通行。这里所说的“交通信号”，既包括铁路道口的交通信号灯、音响信号，也包括铁路道口使用的栏杆。一般情况下，当道口栏杆放下（或栏门关闭）、红灯亮、音响器发出报警信号时，机动车应当停在停止线以外；没有停止线的，应当停在距离最外股铁轨五米以外，不准通过。遇有道口信号两个红灯交替闪烁或红灯亮时，不准通过。当栏杆收起（或栏门打开），白灯亮时或红灯和白灯同时熄灭时，才可以通过。如果有管理人员现场指挥，应当服从管理人员的指挥。这里的“管理人员”，不是指公安交通警察，而是铁路交通管理人员。

第二层意思是，机动车通过铁路道口，在没有交通信号或者没有管理人员现场指挥时，应当减速慢行，同时注意观望火车道两边有无火车通过，听听周围有没有火车鸣笛声，或者停车观望，在确认无火车经过，保证绝对安全的情况下才可以通过。作为机动车驾驶员，为了您和他人的安全，应当特别注意这个问题，不要以为车上没有别人，就不顾一切地往前抢，抢一分是一分的想法要不得，一旦出了事故，将会遗恨终生。

第四十七条　机动车行经人行横道时，应当减速行驶；遇行人正在通过人行横道，应当停车让行。

机动车行经没有交通信号的道路时，遇行人横过道路，应当避让。

【释义】 本条是关于机动车行经人行横道，应当减速行驶和避让行人的规定。本条共分两款。

第一款是关于机动车行经人行横道时，应当遵守的规定。根据本款规定，只要机动车行经有交通信号或者没有交通信号的人行横道，都应当减速行驶。因为人行横道是专供行人通过的道路，行人行经人行横道时如果有机动车通行，会有一定的危险。同时，机动车是快速交通、运输工具，与行人相比，机动车具有较高的危险性，行人往往是处于被动状态。所以，为了保护弱者，体现人性化，法律规定，机动车行经人行横道时，应当减速慢行。这样规定，对于机动车来说，如果遇到紧急情况，驾驶人员能来得及反应和及时处理。这里所说的"减速行驶"，是指机动车在原来行驶速度的基础上减速慢行。本款规定还有一层意思，即机动车行经人行横道时，如果遇到有行人正在通过人行横道，应当停车让行人先行。这一规定，体现了文明礼让和以人为本的精神。

应当指出的是，本款规定的"人行横道"既包括没有交通信号的人行横道，也包括有交通信号的人行横道。当机动车行经没有交通信号灯的人行横道，如果有交通警察指挥通行的，应当按照交通警察的指挥通行；在有交通信号灯或交通警察指挥的人行横道，机动车和行人应当按照交通信号灯的指示或交通警察的指挥通行。当交通信号灯或交通警察允许机动车通行时，行人应当停止通行。当交通信号灯或交通警察允许行人通行时，机动车应当停止行驶。如果机动车在通过人行横道过程中突遇有行人通过人行横道,机动车应立即停车让行人先行。也就是说,只要有行人在通过人行横道,机动车必须停车让行,保证行人的安全。可是,实践中往往有的行人,在人行横道的红灯亮时,看没有机动车通过,就抢行通过,这是违反交通规则的行为。尽管如此,机动车也应当让行人先行后再通过。法律这样规定,主要是想尽量减少机动车给行人造成伤亡。并不是说行人就可以不遵守交通规定,随意横穿道路。如果由于行人违反交通规则,发生了交通事故,行人也是要负一定责任的。所以说,虽然法律这样规定,但作为行人来说,应当自觉遵守交通规则,提高自己的守法意识,逐步养成遵纪守法的好习惯。

第二款是关于机动车行经没有交通信号的道路,遇行人横过道路时应当遵守的规定。根据本款规定,机动车行经没有交通信号的道路,遇到有行人横过道路时,应当注意避让行人。这里所说的"没有交通信号的道路",是指没有交通信号灯、交通标志和交通标线的道路、胡同、巷子、弄堂、停车场、广场、小区等机动车可以通行的地方。这里所说的"应当避让",是指避开行人和让行人先行两种意思。也就是说,可以避开行人通行,实在无法避开的,只有停车让行人先行。如何避让行人,是由驾驶人员根据自己的驾驶经验来判断的。这种判断应当是以机动车不与行人发生碰撞或者摩擦为标准的。在这种道路上行驶的机动车,应当保持相对较低的行驶速度,尤其是在胡同、巷子、弄堂、停车场、广场、小区等道路上行驶的机动车行驶速度一定要慢,许多有经验的驾驶员认为一般不得超过每小时二十公里。

总之,机动车、非机动车和行人,都应当遵守交通法律、法规的规定,维护自己的安全和他人的安全,发扬风格,互谅互让,这样就可以避免纠纷发生。

第四十八条 机动车载物应当符合核定的载质量，严禁超载；载物的长、宽、高不得违反装载要求，不得遗洒、飘散载运物。

机动车运载超限的不可解体的物品，影响交通安全的，应当按照公安机关交通管理部门指定的时间、路线、速度行驶，悬挂明显标志。在公路上运载超限的不可解体的物品，并应当依照公路法的规定执行。

机动车载运爆炸物品、易燃易爆化学物品以及剧毒、放射性等危险物品，应当经公安机关批准后，按指定的时间、路线、速度行驶，悬挂警示标志并采取必要的安全措施。

【释义】 本条是关于机动车载物应当遵守哪些要求的规定。本条共分三款。

本条第一款是关于机动车装载货物应当遵守的一般规定。根据本款的规定，机动车装载货物应当遵守以下三个方面的基本规定：第一，载物应当符合核定的载质量，严禁超载。机动车行驶证上都标有该车辆核定的载质量，“载质量”是根据车辆的性能核定的该车辆装载货物的最大重量。机动车载物必须严格按照载质量的要求，超过核定的机动车载质量装载货物，会影响车辆的刹车性能，同时还会造成车辆不平衡，拐弯时容易发生翻车等事故，危及人身安全。目前，货运超载的问题较普遍，已经成为交通运输安全的严重隐患，由于超载发生交通事故造成车毁人亡的事件屡见不鲜，政府部门三令五申严禁超载，但这个问题始终未得到很好的解决。造成超载的原因很多：一方面，有的企业和从事运输的人员，不顾国家的法律法规，置人的生命安全于不顾，一味地追求经济利益，大大超过核定的载质量装载货物，多拉快跑；另一方面，目前我国的道路交通管理尚存在问题，有些关系还未理顺，道路上设卡行使处罚权的部门较多，同一辆车就同一超载事实接受二次处罚的情况时有发生，对于有些超载车辆在接受处罚后继续行驶，途经的检查点还会对其进行处罚，这种重复处罚在某种程度上也造成了企业为弥补罚款的损失，进一步加大超载，恶性循环形成严重的安全隐患。解决超载问题，首先每个公民和企业要提高守法意识，安全意识，自觉地遵守国家的法律法规；其次，政府部门也要提高管理水平，规范执法行为。为了公共安全这一共同利益，坚决杜绝超载现象。第二，载物的长、宽、高要符合装载要求。为了确保运输人员和在道路上的其他人员的安全，根据车辆的不同种类，载物的长、宽、高要求也有所不同，这里只作了原则性规定，对此有关部门都有相应的规定，机动车载物时不得违反这些有关装载的具体要求。第三，车辆装载不得遗洒、飘散载运物。机动车载物时应将物品平稳、均衡地码放，并将其捆扎牢固，以防止车辆开启后将物品颠簸坠落，对来往行人、车辆和环境造成损害；对于容易散落、飞扬、流漏的物品，装载时应封闭严紧，如不慎造成遗漏，应及时清除，维护公共卫生，做到文明运输。

本条第二款是关于机动车运载超限不可解体的物品应当遵守的特殊规定。所谓“不可解体的物品”，是指长、宽、高超过了装载要求的规定，而本身又不能被分解、分别运输的物品。所谓“超限”，根据交通部《超限运输车辆行驶公路管理规定》的规定，是指在公路上行驶的有下列情形之一的运输车辆：1. 车货总高度从地面算起 4 米以上（集装箱车货总高度从地面算起 4.2 米以上）；2. 车货总长 18 米以上；3. 车货总宽度 2.5 米以上；4. 单车、半挂列车、全挂列车车货总质量 40000 千克以上，集装箱半挂列车车货总质量 46000 千克以上；5. 车辆轴载质量在下列规定值以上：单轴（每侧单轮胎）载质量 6000 千克；单轴（每双侧胎）载质量 10000 千克；双联轴（每侧单轮胎）载质量 10000 千克；双联轴（每侧各一单轮胎、轮胎）载质量 14000 千克；双联轴（每侧双轮胎）载质量 18000 千克；三联轴（每侧单轮胎）载质量 12000 千克；三联轴（每侧双轮胎）载质量 22000 千克。根据本款的规定，装载超限的不可解体的物品，影响交通安全的，应当按照公安机关交通管理部门按指定的时间、路线、速度行驶，悬挂明显标志。运输超限不可解体的物品，因其超长、超高或超重，体积较大，在运输过程中不仅会影响道路上正常行驶的其他车辆的安全，还有可能造成交通混乱，特别是在车多人多的繁忙道路上行驶或者在繁忙的时间段内行驶，会给道路交通带来很大压力，因此需要由公安机关道路管理部门来统一协调，统一调度，按指定的时间、路线、速度行驶，悬挂明显标志以警告周围的车辆。同时，本款还规定，“在公路上运载超限的不可解体的物品，并应当依照公路法的规定执行”。这是因为，运载不可解体的超限物体，不仅会影响交通安全，而且由于物体体积大，超重等原因还有可能对道路、桥梁本身造成损坏，所经的道路、桥梁本身是否有如此大的承载能力，是否需要在事先采取加固防护等措施也是一个问题。因此，规定这些车辆依照公安机关交通管理部门指定的时间、路线、速度行驶，悬挂明显标志的同时，规定这些车辆在公路上行驶时还应当按照公路法的规定执行是十分必要的。公路法第五十条规定：“超过公路、公路桥梁、公路隧道或者汽车渡船的限载、限高、限宽、限长标准的车辆，不得在有限定标准的公路、公路桥梁上或者公路隧道内行驶，不得使用汽车渡船。超过公路或者公路桥梁限载标准确需行驶的，必须经县以上地方人民政府交通主管部门批准，并按要求采取有效的防护措施；影响交通安全的，还应当经同级公安机关批准；运载不可解体的超限物品的，应当按照指定的时间、路线、时速行驶，并悬挂明显的标志。运输单位不能按照前款规定采取防护措施的，由交通主管部门帮助其采取防护措施，所需费用由运输单位承担。”本款规定的“公路”包括了公路桥梁、公路隧道。

本条第三款是关于机动车装载爆炸物品、易燃易爆化学物品以及剧毒、放射性等危险物品应当遵守的特殊规定。危险物品具有社会所需要的特殊功能，管理得好，利用得好，就会有利于社会，为人类造福，否则就会酿成事故甚至是灾祸，危及国家和人民群众生命财产安全。为了严格爆炸物品、易燃易爆化学物品以及剧毒、放射性等危险物品的管理，防止事故的发生，保障社会主义建设和人民群众的生命、财产安全，本款对危险物品的运输作了特别规定。根据规定装载爆炸物品、易燃易爆化学物品以及剧毒、放射性等危险物品应当经公安机关批准后，按指定的时间、路线、速度行驶，悬挂警示标志并采取必要的安全措施。这里的“爆炸物品”主要是指民用爆炸物品。根据1984年国务院颁布的《民用爆炸物品管理条例》的规定，“民用爆炸物品”包括爆破器材、黑火药、烟火剂、民用信号弹和烟花爆竹以及公安部认为需要管理的其他爆炸物品。其中，爆破器材，包括各类炸药、雷管、导火索、非电导爆系统、起爆药和爆破剂。这里的“易燃易爆化学物品”、“剧毒”物品在2002年1月26日国务院颁布的《危险化学品安全管理条例》中统称为“危险化学品”，包括爆炸品、压缩气体和液化气体、易燃液体、易燃固体、自燃物品和遇湿易燃物品、氧化剂和有机过氧化物、有毒品和腐蚀品等。根据《危险化学品安全管理条例》和《民用爆炸物品管理条例》的规定，国家对危险物品的购买及运输实行许可证制度。爆炸物品的生产者要申领爆炸物品安全生产许可证，使用者要申领爆炸物品购买证，运输者要申领爆炸物品运输证，经销黑火药、烟火剂的供应点，要领取爆炸物品销售许可证。根据《民用爆炸物品管理条例》第二十二条、第三十九条的规定，运输爆破器材，由收货单位凭物资主管部门签证盖章的爆破器材供销合同，写明运输爆破器材的品名、数量和起运及运达地点，向所在地县、市公安局申请领取爆炸物品运输证，方准运输。县级以下厂矿企业和农村基层生产单位以及科研、文艺、医疗等单位购买爆破器材，需要运输的，应当在申请领取爆炸物品购买证的同时，申请领取爆炸物品运输证，凭证办理运输。运输黑火药、烟火剂和民用信号弹，由购买单位向所在地县、市公安局申请领取爆炸物品运输证，方准运输。货物到达目的地后，购买单位应当在运输证上签注物品的到达情况，将运输证交回原发证公安机关。根据《危险化学品安全管理条例》的规定，公安部门负责危险化学品的公共安全管理，负责发放剧毒化学品购买凭证和准购证，负责审查核发剧毒化学品公路运输通行证，对危险化学品道路运输安全实施监督。交通部门负责危险化学品公路、水路运输单位及其运输工具的安全管理，对危险化学品水路运输安全实施监督，负责危险化学品公路、水路运输单位、驾驶人员、船员、装卸人员和押运人员的资质认定。国家对危险化学品生产企业、危险化学品经营销售实行许可制度，对危险化学品的运输实行资质认定制度，未经资质认定，不得运输危险化学品。并规定，危险化学品运输企业，应当对其驾驶人员、船员、装卸管理人员、押运人员进行有关安全知识培训；驾驶员、船员、装卸管理人员、押运人员必须掌握危险化学品运输的安全知识，并经所在地设区的市级人民政府交通部门考核合格，取得上岗资格证，方可上岗作业。化学危险品的装卸作业必须在装卸管理人员的现场指挥下进行。运输危险化学品的驾驶人员、船员、装卸管理人员、押运人员必须了解所运载的危险化学品的性质、危害特性、包装容器的使用特性和发生意外时的应急措施。运输危险化学品，必须配备必要的应急处理器材和防护用品。通过公路运输危险化学品的，托运人只能委托有危险化学品运输资质的运输企业承运。通过公路运输剧毒化学品的，托运人应当向目的地的县级人民政府公安部门申请办理剧毒化学品公路运输通行证。办理剧毒化学品公路运输通行证，托运人应当向公安部门提交有关危险化学品的品名、数量、运输始发地和目的地、运输路线、运输单位、驾驶人员、押运人员、经营单位和购买单位资质情况的材料。运输本款规定的危险物品，必须采取必要的安全防护措施。所谓“必要的”，一是要依照有关法律、法规、规章的规定和国家标准的要求采取安全防护措施；二是要按照危险物品的不同特性，采取安全防护措施。如根据《危险化学品管理条例》的规定，运输危险化学品的槽罐以及其他容器必须封口严密,能够承受正常运输条件下产生的内部压力和外部压力,保证危险化学品在运输中不因温度、湿度或者压力的变化而发生任何渗漏。通过公路运输危险化学品,必须配备押运人员,并随时处于押运人员的监管之下,不得超装、超载,不得进入危险化学品运输车辆禁止通行的区域,确需进入禁止通行区域的,应当事先向当地公安部门报告,由公安部门为其指定行车时间和路线,运输车辆必须遵守公安部门规定的行车时间和路线。运输危险化学品途中需要停车住宿遇有无法正常运输的情况时,应当向当地公安部门报告。又如,根据《民用爆炸物品管理条例》的规定,在市内短途运输爆破器材时,可以免办运输证,但必须事先通知市公安局,并严格遵守下列规定:1. 运载车、船必须符合国家有关运输规则的安全要求。2. 货物包装应牢固、严密。性质相抵触的爆破器材不准混装在同一车厢、船舱内。装载爆破器材的车厢、船舱内,不准同时载运旅客和其他易燃易爆物品。3. 爆破器材应当在远离城市中心区和人烟稠密地区的车站、码头装卸。装卸爆破器材的车站、码头由当地公安机关会同铁路、交通部门协商确定。4. 装卸爆破器材,应当尽量在白天进行,要有专人负责组织和指导安全操作。装卸人员必须懂得装卸爆破器材安全常识,不懂安全常识的人必须事先经过教育。装卸现场应当设置警戒岗哨,禁止无关人员进入。5. 在公路上运输爆破器材时,车辆必须限速行驶,前后车辆应当保持避免引起殉爆的距离。经过人烟稠密的城镇,必须事先通知当地公安机关,按公安机关指定的路线时间通行。6. 运输爆破器材在途中停歇时,要远离建筑设施和人烟稠密的地方,并有专人负责看管,严禁在爆破器材附近吸烟和用火。上述这些措施都属于本款规定的"必要的安全措施"。

第四十九条　机动车载人不得超过核定的人数,客运机动车

不得违反规定载货。

【释义】 本条是关于机动车载人必须符合核定的人数以及客运车辆不得违反规定载货的规定。

本条有两层意思:第一,机动车载人不得超过核定的人数。这里的“机动车”既包括客运机动车辆,也包括货运机动车辆。机动车行驶证上都标有该辆机动车核定的载人数量,如果超出这个数量,机动车就会负荷过重,造成车身不稳,拐弯时失去平衡发生翻车事故。在遇到前方有紧急情况出现时,也会影响刹车的效果。我国地广人多,交通运输任务繁重,但也不能因为一时需要而不顾自己和他人的安全。因此,本条重申这一内容,并将其上升为人人都应自觉遵守的法律是十分必要的。第二,客运机动车不得违反规定载货。这里讲的是“客运机动车”。顾名思义,客运机动车主要是用来运载乘客的,但有些客运车辆,特别是大型客运车辆和长途客运车辆都装有载货的行李架,这时载货应严格按照有关规定,所载货物的宽度和长度不得超出行李架,并应将货物在行李架上固定好,以免旅途中由于车辆颠簸或是因紧急刹车行李落下砸伤车内人员。有些客运机动车在车的顶部也设有行李架,不同的客车,其载货的高度也不尽相同,客运机动车载货时应严格遵守这些规定。

第五十条 禁止货运机动车载客。

货运机动车需要附载作业人员的,应当设置保护作业人员的安全措施。

【释义】 本条是关于禁止货运机动车载人的规定。本条共分两款。

第一款是关于禁止货运机动车辆载客的规定。主要是禁止货运机动车辆人、货混装。货运机动车没有载人所必需的安全设施,特别是在装载的货物高度超过车厢栏板时仍在货物上坐人,十分危险，货车在拐弯、急刹车时，很容易将上面的人员甩出车外，造成人员伤亡，因此本款明确规定禁止货运机动车载客是十分必要的。

第二款是关于货运机动车需要附载作业人员时，应当采取安全措施的规定。本款规定是从实际出发，对货运机动车载人所作的一个特别规定。考虑到有些货运机动车在载货的同时需要附载作业人员，如货物的押运人员、装卸人员等，本款规定货运机动车可以附载作业人员，但必须采取安全措施。如给作业人员设置固定的座位，应有防范货物、物品掉落、倒塌等措施。另外，需要特别注意的是，货运机动车如有需要，只能附载必要的作业人员，其他人员一律不许搭乘货运机动车，更不准从事客运。

第五十一条　机动车行驶时，驾驶人、乘坐人员应当按规定使用安全带，摩托车驾驶人及乘坐人员应当按规定戴安全头盔。

【释义】　本条是关于机动车驾驶人、乘坐人员应当按规定使用安全带以及摩托车驾驶人、乘坐人员应当按规定戴安全头盔的规定。

机动车驾驶人、乘坐人员使用安全带，摩托车驾驶人及乘坐人员佩戴安全头盔是交通安全的一项基本要求。机动车在行驶过程中，特别是在高速行驶过程中，遇有紧急情况刹车，或与来往的其他车辆、行人发生碰撞，使用安全带、安全头盔可以减轻对车上人员造成的伤害，甚至可以保全当事人的性命。这一基本要求应该说很容易做到，但事实上，实践中行车不系安全带，驾驶摩托车不戴安全头盔的现象还很严重，为了保证驾驶人和乘坐人员的人身安全，在本法中明确规定机动车在行驶时，驾驶人、乘坐人员应当按规定使用安全带，摩托车驾驶人及乘员应当按规定佩戴安全头盔是十分必要的，应引起所有驾驶员和乘坐人员的高度重视。

第五十二条　机动车在道路上发生故障，需要停车排除故障

时，驾驶人应当立即开启危险报警闪光灯，将机动车移至不妨碍交通的地方停放；难以移动的，应当持续开启危险报警闪光灯，并在来车方向设置警告标志等措施扩大示警距离，必要时迅速报警。

【释义】 本条是关于机动车在道路上发生故障，应当采取哪些措施的规定。

机动车在上道路行驶前，驾驶员应对车辆进行检查，如刹车是否有效，油箱的油位是多少，汽车转向灯、喇叭等影响正常行车的关键部位是否能够正常工作。但汽车在行驶过程中出现故障的事情是经常发生的，一旦发生故障怎么办，本条从保障驾驶员及其他车辆人员的人身安全，保障道路畅通有序的角度对在道路上发生事故的机动车应采取哪些措施作了规定。本条有三层意思：第一，机动车在道路上发生故障，需要停车排除故障时，驾驶人应当立即开启危险报警闪光灯，将机动车移至不妨碍交通的地方停放。根据本法第一百一十九条第一项规定，道路是指公路、城市道路和虽在单位管辖范围但允许社会机动车通行的地方，包括广场、公共停车场等用于公众通行的场所。而这里的“道路”是指除高速公路以外的其他道路。对发生在高速公路上的故障车辆应采取哪些措施，本法第六十八条另有规定。这里的“发生故障”是指机动车由于自身的某种原因无法继续在道路上正常行驶，如常见的蓄电池没电无法启动、线圈烧毁、爆胎等。在这种情况下，驾驶员应立即开启车辆危险报警闪光灯，给来往的其他车辆以警示，并将车辆移至不妨碍交通的地方停放。这里“不妨碍交通的地方”需要驾驶人员根据事故车辆当时所处的周围的具体环境来判断。如在城市快速路上，可将事故车辆就近移至紧急停车带或者辅路的非机动车道内；在其他道路上，可将事故车辆就近移至非机动车道内或者人行道上。总之要以保障其他车辆、行人的安全，保障交通畅通为原则，之后再采取排除故障的措施。对于自己无法排除的故障，可请求援助。如请求汽车俱乐部、保险公司或者机动车维修单位予以救援，或者拨打交通报警电话，或与其他救援公司联系，争取在最短的时间内排除故障。第二，对于难以移动的事故车辆，应当持续开启危险报警闪光灯，并在来车方向设置警告标志等措施扩大示警距离。在有些情况下，无法将故障车辆移至不妨碍交通的地方，如故障发生在车少人稀的路段，找不到可以帮助移车的人，或是车辆较重无法移动等，在这种情况下，驾驶员应当持续开启危险报警闪光灯。所谓"持续开启"，就是让危险报警闪光灯一直闪烁至事故排除。同时，还应在来车方向设置警告标志等措施扩大示警距离。车辆上道路行驶，应随车携带警告标志、灭火器等，一旦发生故障可以采取紧急措施。本法只对在高速公路上发生事故的车辆规定警告标志应当设置在故障车来车方向 150 米以外，这里对"示警距离"究竟多少米合适，未作具体规定，需要驾驶员根据当时的天气状况、故障车辆所处的路段的交通情况、路面情况、时间等多方面因素来综合判断，要给过往的其他车辆以足够的示警和采取有效措施的距离。示警距离过短，待其他车辆发现警告标志时已来不及采取措施，特别是晚上，车辆的速度一般较快，驾驶员千万不要认为这时车少人稀而放松警惕而不设警告标志。一般情况下，如是在夜间发生事故，事故车辆除应按上述规定持续开启危险报警灯，并在来车方向设置警告标志外，还应开启示宽灯和尾灯以保证自身和过往车辆的安全。第三，必要时迅速报警。如故障车辆处于繁华地带，严重堵塞交通、无法排除故障需要将车辆移走等情况下，应迅速报警。

第五十三条　警车、消防车、救护车、工程救险车执行紧急任务时，可以使用警报器、标志灯具；在确保安全的前提下，不受行驶路线、行驶方向、行驶速度和信号灯的限制，其他车辆和行人应当让行。

警车、消防车、救护车、工程救险车非执行紧急任务时，不得使

用警报器、标志灯具，不享有前款规定的道路优先通行权。

【释义】 本条是关于警车等特种车辆使用警报器、标志灯具的规定以及在执行紧急任务时通行的特殊规定。本条共分两款。

为保证警车、消防车、救护车、工程救险车执行紧急任务，本条规定了上述车辆在执行紧急任务时享有一定的道路优先通行权。本条第一款是关于警车、消防车、救护车、工程救险车使用警报器、标志灯具的规定以及在执行紧急任务时所享有的道路优先通行权。本款有三层意思：第一，本款规定的道路优先通行权只适用于警车、消防车、救护车、工程救险车。这里要弄清楚一个概念，不是所有公安机关的车辆都是警车。同样，也不是所有的公安消防机构、医疗卫生机构、有关的工程建设单位的车辆都属于本款规定的消防车、救护车、工程救险车。根据本法第十五条的规定，警车、消防车、救护车、工程救险车应当按照规定喷涂标志图案，安装警报器、标志灯具。公安部《警车管理规定》中对警车的范围、图案、警灯、警报器的使用作了明确的规定：警车是指公安机关、国家安全机关、监狱、劳动教养管理机关和人民法院、人民检察院用于执行紧急职务的机动车辆。警车包括公安机关用于侦查、警卫、治安、交通管理的巡逻车、勘察车、护卫车、囚车以及执行其他职务的车辆；国家安全机关用于执行侦查和其他特殊任务的车辆；监狱、劳动教养机关用于押解罪犯、运送劳教人员的囚车或者专用车和追缉逃犯的车辆；人民法院用于押解人犯的囚车、刑场指挥车和法医勘察车；人民检察院用于侦查刑事犯罪案件的现场勘察车和押解人犯的囚车。并对警车的车型、图案、颜色、字样都作了具体的规定。根据公安部《公安消防队消防器材装备管理规定》的规定，消防车辆是一种消防器材装备，是公安消防队进行灭火战斗的重要武器。救护车、工程救险车是医疗卫生机构、有关的工程建设单位用于抢救危重病人、进行工程事故抢险并按照本法第十五条的规定，喷涂标志图案，安装警报器、标志灯具的特种车辆。第二，这些特种车辆必须是在执行紧急任务时方可使用警报器、标志灯具。何为“执行紧急任务”，有关部门在对警车、消防车、救护车、工程救险车的使用管理中都应作出具体的规定。如根据消防法的有关规定，消防车辆在执行火灾扑救任务或者执行其他灾害、事故的抢险救援任务时即为执行紧急任务；又如公安部《警车管理规定》第十五条规定：“警车在执行下列任务时可以使用警灯、警报器：（一）赶赴刑事案件、治安案件、交通事故及其他突发事件现场；（二）追捕在逃的违法犯罪分子；（三）追缉交通肇事逃逸人员和车辆；（四）押解人犯或赶赴现场；（五）执行警卫、警戒和治安、交通巡逻等任务。”第三，在确保安全的前提下，这些特种车辆不受行驶路线、行驶方向、行驶速度和信号灯的限制，其他车辆行人应当让行。消防法第三十五条规定：“消防车、消防艇前往执行火灾扑救任务或者执行其他灾害、事故的抢险救援任务时，不受行驶速度、行驶路线、行驶方向和指挥信号的限制，其他车辆、船舶以及行人必须让行，不得穿插超越。交通管理指挥人员应当保证消防车、消防艇迅速通行。”为了保证警车、消防车、救护车、工程救险车执行紧急任务，本法重申了这些规定。应当注意的是，行驶本款规定的道路优先通行权，必须是在确保安全的前提下，这既是一个条件，也是一个要求，警车、消防车、救护车、工程救险车执行紧急任务需要逆向行驶、超速行驶、闯红灯、在禁行区行驶时，要提前开启警报器和警示灯具，警示来往车辆和行人，注意他们的安全。本款同时还规定，其他车辆行人遇有警车、消防车、救护车、工程救险车执行紧急任务时，应当让行。

本条第二款是关于前款所列特种车辆，在非执行紧急任务时不得使用警报器、标志灯具，不享有前款所列的道路优先通行权的规定。目前有的特种车辆只要上道路行驶就开启警报器、标志灯具，不按规定的路线行驶，超速行驶，根本不是执行紧急公务，有的甚至是挪用特种车辆从事其他的工作，搞特权。这种状况不仅严重地影响了正常的交通秩序，也损害了有关部门的形象，老百姓对此意见极大。为了规范警报器、标志灯具的使用，防止前款规定的道路优先权的滥用，本款进一步明确规定非执行紧急任务时，不得使用警报器、标志灯具，不享有前款规定的道路优先通行权。这是以法律的形式对其行为作出的禁止性规定，如有违反，一经查证属实，也要依照本法的有关规定进行处罚。根据本法第一百一十五条的规定，交通警察在非执行紧急任务时使用警报器、标志灯具的，对行为人要给予行政处分。

第五十四条　道路养护车辆、工程作业车进行作业时，在不影响过往车辆通行的前提下，其行驶路线和方向不受交通标志、标线限制，过往车辆和人员应当注意避让。

洒水车、清扫车等机动车应当按照安全作业标准作业；在不影响其他车辆通行的情况下，可以不受车辆分道行驶的限制，但是不得逆向行驶。

【释义】　本条是关于道路养护车辆、工程作业车、洒水车、清扫车等机动车进行作业时在通行方面所享有的权利的规定。

为了给道路养护车辆、工程作业车、洒水车、清扫车等机动车进行作业提供必要的条件，本条根据这些车辆执行任务的需要，在通行方面规定了不同程度的权利。本条共分两款。

第一款是关于道路养护车辆、工程作业车进行作业时在通行方面所享有的权利。这里的道路既包括城市道路也包括公路。为保证道路的正常使用和提高道路质量，需要对道路进行经常性的保养、维修，道路的养护维修单位应当按照道路养护维修的技术规范和操作规程定期对道路进行养护、维修，保证道路经常处于良好的技术状态。为给道路养护车辆、工程作业车辆提供必要的作业条件，本款规定了道路养护车辆、工程作业车辆进行服务业时在通行方面的权利。这有两层意思：第一，道路养护车辆、工程作业车辆在作业时享有以下权利:(一)不受其行驶路线和行驶方向的限制;(二)不受交通标志、标线的限制。公路法第三十九条第二款规定:“公路养护车辆进行作业时,在不影响过往车辆通行的前提下,其行驶路线和方向不受公路标志、标线限制;过往车辆对公路养护人员和车辆应当注意避让。”《城市道路管理条例》第二十五条规定:“城市道路养护、维修的专用车辆应当使用统一标志;执行任务时,在保证交通安全畅通的情况下,不受行驶路线和行驶方向的限制。”本款规定与公路法、《城市道路管理条例》的规定是一致的。这里的“道路养护车辆”是指除洒水车、清扫车以外的其他道路养护车辆,如铲雪车辆等。“工程作业车辆”主要是指道路养护工程施工的作业车辆,如挖掘机、摊铺机、轧路机等。第二,这些车辆作业时,在不影响过往车辆通行的前提下享有上述权利,其他过往车辆和人员应当注意避让。如果道路养护车辆施工,影响其他车辆、行人通行时,应当在施工路段两端设置明显的施工标志、安全标志。需要其他车辆绕行时,需要在绕行路口设置标志;不能绕行的,必须修建临时道路,保障其他车辆和行人通行。

本条第二款是关于洒水车、清扫车在道路上流动作业时在通行方面所享有的权利。本款有两层意思:第一,洒水车、清扫车在道路上流动作业,应当按照安全作业标准作业。对道路进行清扫,给道路洒水是日常的道路养护工作,负责城市道路及其相关设施和公共场所清扫、清洗保洁工作的环境卫生专业作业单位在上道路作业时,应当遵守本行业制定的安全作业标准。如《北京市道路和公共场所环境卫生管理若干规定》规定,每日清扫作业在6:30时(冬季在7:30时)前完成,应当实行夜间清扫,白天保洁;主要道路、重点地区、人行过街桥和公共场所的保洁工作应当从6:30至21:30时,一般道路、街巷、胡同的保洁工作从6:30至19:00时;城市道路清扫保洁作业应当避开交通高峰时段。作业车辆不得违章调头,造成交通阻塞等。第二,在不影响其他车辆通行的情况下,可以不受车辆分道行驶的限制,但不得逆向行驶。由于清扫、洒水是对整个道路的保养,规定清扫车、洒水车不受分道行驶的限制是从作业的需要出发。这里的“分道”是指同一方向的几条车道,清扫车、洒水车可以在快车道、小型车道、公交车道等不同的车道内行驶。但有的道路中间没有隔离护栏,这时,清扫车、洒水车应当注意不得驶向逆行车道。

第五十五条 高速公路、大中城市中心城区内的道路,禁止拖拉机通行。其他禁止拖拉机通行的道路,由省、自治区、直辖市人民政府根据当地实际情况规定。

在允许拖拉机通行的道路上,拖拉机可以从事货运,但是不得用于载人。

【释义】 本条是关于拖拉机禁行道路及拖拉机不得用于载人的规定。本条共分两款。

第一款是关于拖拉机禁行道路的规定。本款包含两方面内容:第一,明确规定高速公路、大中城市中心城区内的道路,禁止拖拉机通行。高速公路与大中城市中心区内的道路是两种不同的公共道路。我国的实际情况是,作为主要供城市公共交通使用的城市道路一般属于建设行政主管部门主管;城市道路以外的公共道路,也就是我们通常所说的“公路”属于交通主管部门主管。而“公路”又有行政等级和技术等级的分类,公路的行政等级按其在公路网中的地位,分为国道、省道、县道和乡道四级;按技术等级分为高速公路、一级公路、二级公路、三级公路和四级公路五个等级。本款规定的“高速公路、大中城市中心城区内的道路”主要是依据公路、城市道路工程技术标准来确定。比如根据《公路工程技术标准》的规定,高速公路为专供汽车分向、分车道行驶并全部控制出入的干线公路。并对高速公路的路肩宽度、中间带宽度、应急停车带的设置间距和宽度、路基的高度和宽度、路面结构、沿线的交通安全设施、交通管理设施、防护设施、服务设施等一系列技术标准作了明确的规定。规定高速公路、大中城市中心区内的道路禁止拖拉机通行主要是出于安全和环保的考虑,高速公路是全封闭的,汽车在高速公路上分道高速行驶,拖拉机设计时速较低,又不具备其他安全保障设施,如在高速公路上行驶显然对自身安全和其他车辆人员的安全构成严重威胁。大中城市中心区内的道路,顾名思义是位于大中城市中心地带,人口相对密集,拖拉机在此行驶会给大中城市造成空气污染和噪音污染,不利于人们正常的工作、生活。第二,在规定禁止拖拉机在高速公路及大中城市中心区道路上行驶的同时,本款还规定拖拉机的其他禁行道路,由各省、自治区、直辖市人民政府根据当地的实际情况规定。随着农村经济的日益发展,农民的运输工具也在不断更新,拖拉机基本上是在田间地头使用。目前各地地方性法规都规定禁止拖拉机在高速公路和大中城市中心区内的道路上行驶。由于各地经济发展不平衡,在经济比较发达的地区,乡村公路与等级公路几乎没有什么差别,农民用于生产运输的工具也已由原来的畜力车、拖拉机变成了汽车,拖拉机的使用在农民日常生产、生活中所发挥的作用越来越小,根据我国目前的实际情况,法律只明确规定了高速公路、大中城市中心区内的道路禁止拖拉机通行,其他禁止拖拉机通行的道路,本款赋予了各省、自治区、直辖市人民政府根据本地区的实际情况自行规定的权力。

第二款是关于在允许拖拉机通行的道路上,禁止拖拉机载人的规定。考虑到在我国广大农村,农民运输小宗的农业生产资料、农副产品和生活资料有的还需要以拖拉机为运输工具,规定拖拉机只能在田间从事农业生产,禁止上任何道路行驶不现实。因此本条对拖拉机上道路行驶只作了限制性规定,而不是一律禁止。但考虑到拖拉机本身没有任何安全保障措施,行驶过程中也不够平稳,遇到障碍物颠簸起伏较大,有的甚至会造成翻车。实践中有些农民开着拖拉机运货，顺便带上需要进城办事的其他村民，虽然是好心帮助别人，给别人提供一个方便，结果却发生交通事故，造成人员伤亡，这种事件屡见不鲜。为保障广大农民的生命财产安全和交通安全，本款规定了在允许拖拉机通行的道路上只允许拖拉机运货，禁止拖拉机载人是十分必要的。

第五十六条　机动车应当在规定地点停放。禁止在人行道上停放机动车；但是，依照本法第三十三条规定施划的停车泊位除外。

在道路上临时停车的，不得妨碍其他车辆和行人通行。

【释义】　本条是关于机动车停放应遵守的有关规定。

目前我国家庭机动车保有量迅速提高，机动车给人们的出行带来方便，使人们的生活质量得到提高，同时也给交通带来了压力，这种压力不仅是道路建设、道路畅通方面的，机动车停车难问题也越来越严重。小区内没有固定停车位，虽然交了停车费，但仍然没有地方停车；开车去采购很方便，但没有地方停车，或者要将车停在很远的地方，反而不如打车去方便了；学校附近在上、下学高峰时间内到处停的都是车，其他车辆甚至行人都无法通过。这种现象的出现与机动车辆高速增长而停车场地及设施严重不足有很大关系，但有些情况是由于不顾社会公德乱停车等人为因素造成的。本法在第三十三条明确规定："新建、改建、扩建的公共建筑、商业街区、居住区、大（中）型建筑等，应当配建、增建停车场；停车泊位不足的，应当及时改建或者扩建；投入使用的停车场不得擅自停止使用或者改作他用。在城市道路范围内，在不影响行人、车辆通行的情况下，政府有关部门可以施划停车泊位。"与此同时，在本条对机动车停放作出了规定。共分两款。

第一款是关于机动车停放的规定。这包括两层意思：第一，机动车应当在规定地点停放。这里的"规定地点"包括停车场，也包括临时停车泊位。目前在大型的商场、饭店、体育场、电影院、展览馆、车站、航空港等公共建筑和商业街区,居民住宅区都设有停车场,还有利用街道、公共广场施划的临时停车场地,驾驶员应自觉遵守停车规定,将车辆停入这些地点停放。第二,禁止在人行道上停放机动车;但是,依照本法第三十三条规定施划的停车泊位除外。人行道,顾名思义,是用于行人行走的道路,机动车在此停放会给行人通行带来不便,因此,本法规定禁止在人行道上停放机动车。但是,考虑到目前的实际情况,机动车辆数量猛增,而停车场建设一时又很难跟上,本法第三十三条第二款也作了变通性的规定,"在城市道路范围内,在不影响行人、车辆通行的情况下,政府有关部门可以施划停车泊位"。因此,本条在规定禁止在人行道上停放机动车的同时,规定依照本法第三十三条规定施划的停车泊位除外。

第二款是关于临时停车的规定。根据规定,在道路上临时停车的,不得妨碍其他车辆、行人的通行。应该注意的是,这里的"临时停车",是指驾驶员不离开驾驶室,将车停下等人,有人需要上、下车,车辆短暂停留或随时都可将车辆开走等情况。在这种情况下的暂时停车,虽然没有划停车线,只要不是在禁止停车的区域内就可以临时停车,但不得妨碍其他车辆和行人通行。这里的"其他车辆"包括其他机动车辆和非机动车辆。停车秩序是城市管理和社会秩序的一个重要组成部分,每一个驾驶员都要提高"车有其位""停车入位""有偿停车"的意识,改变随意乱停车的坏习惯,提高守法意识,从而为改善交通整体环境和我们个人的生活环境作出努力。

第三节　非机动车通行规定

第五十七条　驾驶非机动车在道路上行驶应当遵守有关交通

安全的规定。非机动车应当在非机动车道内行驶；在没有非机动车道的道路上，应当靠车行道的右侧行驶。

【释义】 本条是关于驾驶非机动车在道路上行驶应当遵守的一般规定。

混合交通是我国道路交通的一大特点，也是道路交通管理的一大难点。在混合交通道路上事故发生比率占有相当的比重。我国幅员辽阔，人口众多，虽然近年来机动车辆保有量大大增加，但自行车仍是人们日常出行经常使用的交通工具，据统计我国平均每2人就有一辆自行车，是名副其实的自行车生产和使用的大国。此外，其他非机动车和农村的畜力车也占有相当的比重。机动车与非机动车同在道路上行驶，给我国的交通管理带来诸多困难，行车道、路口、交通信号灯的设置以及交通事故的处理原则等都要考虑这一因素。目前非机动车驾驶员自觉遵守交通法规的意识淡薄，抢道、抢行，不示意就强行猛拐等不文明驾驶的情况比较突出，对非机动车辆的管理是交通管理的一个重要方面。因此，道路交通安全法将非机动车纳入管理范畴，并在本章将非机动车通行规定作为专门一节加以规定是十分必要的。

本条对非机动车通行只作了原则性一般规定，有两个意思：第一，驾驶非机动车在道路上行驶应当遵守有关规定。根据本法第一百一十九条第四项的规定，非机动车是指以人力或者畜力驱动，上道路行驶的交通工具，以及虽有动力装置驱动但设计最高时速、空车质量、外形尺寸符合有关国家标准的残疾人机动轮椅车、电动自行车等交通工具。这里的“有关交通安全的规定”，是指国务院根据本法所做的实施细则，各省、自治区、直辖市根据各自道路交通的特点所做的实施办法等。驾驶非机动车在道路上行驶应当遵守的规定很多，如驾驶自行车、三轮车不准双手离把攀扶其他车辆或持物；不准拖带其他车辆或者被其他车辆拖带；不得牵手或者扶身并行；不准追逐或曲折竞驶；通过陡坡、人行横道、横穿四条以上机动车道或者中途车闸失灵时，应当下车推行；转弯、超车时，不得妨碍被超车辆或其他车辆、行人的正常行驶；非机动车载物不得对自身和他人构成危险，或者妨碍其他非机动车和行人的通行等，这些在具体的交通法规中都有规定，应当遵守。第二，非机动车应当在非机动车道内行驶，在没有非机动车道的道路上，应当靠车行道的右侧行驶。目前在城市的主要道路上都设有非机动车道，机动车与非机动车实行分道行驶，以保证非机动车驾驶员的安全。有些道路本身过于狭窄，没有条件单独划出非机动车道，这时，非机动车驾驶员万不可凭着非机动车辆体积小、灵活的特点，为抢一分一秒的时间在机动车辆中穿行，这样最容易造成交通事故，也容易造成交通堵塞，原本想尽快到达目的地的愿望也未能实现。所以，在这种情况下非机动车辆应当遵守右侧通行的基本通行原则，靠车行道的右侧，有秩序地行驶，这样既可以保障交通畅通，又可以减少交通事故的发生。

第五十八条　残疾人机动轮椅车、电动自行车在非机动车道内行驶时，最高时速不得超过十五公里。

【释义】　本条是关于残疾人机动轮椅车、电动自行车在非机动车道内行驶最高时速的限制规定。

按照本法第一百一十九条的规定，残疾人机动轮椅车、电动自行车虽然都属于非机动车辆，但与一般的非机动车辆不同的是，它们都使用动力驱动，而且质量、体积都大于一般的非机动车辆。以残疾人机动轮椅车为例，按照国家技术监督局 1991 年发布的机动轮椅车国家标准的规定，机动轮椅车最大设计时速不超过 35 公里，对空车质量未作限定。根据有关部门对国内目前生产、销售和在用的机动轮椅车情况调查统计，机动轮椅车的最低空车质量为 104 公斤，最高为 160 公斤。试想质量这么大的非机动车在非机动车道内行驶，如果没有最高时速的限制，势必对其他非机动车辆的安全行驶构成威胁。同时考虑到残疾人本身存在生理缺陷，如果驾车时速过快，遇有紧急情况需要迅速作出反应时也会多有不便，很容易对个人的人身安全造成损害。为了保护残疾人本人、电动自行车驾驶人和其他非机动车驾驶人、行人的安全，本法对残疾人机动轮椅车、电动自行车在非机动车道内行驶最高时速作出限制性规定是完全必要的。根据本条的规定，残疾人机动轮椅车、电动自行车在非机动车道内行驶，最高时速不得超过 15 公里。之所以将最高时速规定为 15 公里，主要是考虑到我国划分的非机动车道是供非机动车和行人通行的，而且在非机动车道内自行车、行人较多，自行车的正常行驶速度是每小时 10 公里。如果将残疾人机动轮椅车、电动自行车在非机动车道内行驶的最高时速规定过高，容易与行人、其他非机动车发生交通事故，不利于保护残疾人、自行车驾驶人和行人的安全。应当注意的是，这里只对残疾人机动轮椅车、电动自行车在非机动车道内行驶的最高时速作了限定，至于在其他道路上，如不分机动车、非机动车道的混合车道、乡间小路等行驶时，本条未作最高时速的限制。

第五十九条　非机动车应当在规定地点停放。未设停放地点的，非机动车停放不得妨碍其他车辆和行人通行。

【释义】　本条是关于非机动车辆停放应当遵守的规定。

本条包括两个意思。第一，在设有非机动车停放地点的地方，非机动车应当在规定地点停放。各地都根据自己的管理规定设置非机动车停车点进行管理，如北京市就出台有《北京市非机动车停车管理办法》，其中规定，车站、医院、商场、展览馆、影剧院、体育场和其他大中型公共建筑的非机动车停车场的规划和建设，应按国家和北京市的有关规定执行，落实专人管理或者委托存车服务机构管理；居民小区应当设置非机动车停车场，委托物业管理单位实施管理，未实行物业管理单位的居民小区，由居民委员会组织实施管理，相关单位应当予以协助。同时还规定，非机动车公共停车场不足的地区，在不影响交通的情况下，可以按照国家和北京市的有关规定，经有关部门批准在道路范围内划定一定的区域作为非机动车道路公共停车场，并设置相应的标志。可见，政府是下了相当大的力量来解决非机动车的停车管理问题，目前在许多购物、餐饮、娱乐等场所周围都设有非机动车停车处，一般都有专人负责看管，非机动车驾驶人应自觉地将非机动车停放在此，这样既能保证非机动车的安全，又能保持周围环境的整洁，避免影响其他车辆、行人的通行。第二，在没有设置停放地点的地方，非机动车停放不得妨碍其他车辆、行人通行。目前在有些场所，特别是农贸市场、大超市附近，非机动车乱停乱放，造成交通堵塞的情况比较严重，因此本条对非机动车的停放作出规范非常必要。文明行车、文明停车是驾驶员个人修养、素质的表现，也是社会文明进步的象征，我国非机动车驾驶人员众多，如果都能自觉遵守交通法，在停放非机动车时考虑到其他车辆和行人的通行方便，不仅会使自己周围的环境得到美化，使交通保持畅通，还会极大地促进全社会的文明、进步与发展。

第六十条　驾驭畜力车，应当使用驯服的牲畜；驾驭畜力车横过道路时，驾驭人应当下车牵引牲畜；驾驭人离开车辆时，应当拴系牲畜。

【释义】　本条是关于驾驭畜力车应当遵守的规定。

畜力车是以牲畜为动力的交通工具，尽管这些年来，随着我国农村经济的迅速发展，许多农民购买了小型货运机动车从事农业生产资料、生活资料、农副产品的运输，但由于我国幅员广阔，各地差异很大，这种差异既有经济上的，也有地理上的，这就造成了农村在使用机动车辆从事运输上还存在很大差异，发展不平衡。在有些乡村，畜力车的使用依然存在，由于畜力车有其自身的特点，因此本条规定驾驶畜力车除要遵守驾驶其他非机动车在道路上行驶的一般规定外,还要遵守本条的特别规定。本条规定包括三个意思:第一,驾驭畜力车,应当使用驯服的牲畜。大部分畜力车是以马、牛、驴、骡作为动力的,这些牲畜必须经过驯化才可使用,否则,不仅会对其他车辆、行人的安全构成威胁,也会给驾驶者本人造成伤害。因此本条首先对畜力车所使用的牲畜作出规定是十分必要的。第二,驾驭畜力车横过道路时,驾驭人应当下车牵引牲畜。牲畜在横过道路时,有可能受到过往车辆的影响,如汽车一阵鸣笛就有可能造成牲畜的惊恐,为防止意外,驾驶人应当下车牵引牲畜迅速通过道路。第三,驾驭人离开车辆时,应当拴系牲畜。畜力车是牲畜作为动力,这些牲畜虽然经过驯化,但在无人驾驭时也应将其拴好,以免牲畜自由走动伤及他人。

第四节 行人和乘车人通行规定

第六十一条 行人应当在人行道内行走,没有人行道的靠路边行走。

【释义】 本条是关于行人应当在人行道内行走,没有人行道的靠路边行走的规定。

道路是用来进行交通运行的,安全畅通是保障道路正常运行的基本要求。而这一要求的具体落实就是通过制定交通规则使道路交通的参与者各行其道。道路的规划设定有机动车道、非机动车道和人行道。其中人行道就是专供行人通行的道路。本条规定的就是关于行人如何参与道路交通方面的内容。

本条的规定包括两层含义。第一,行人应当在人行道内行走。这一规定就是要求行人在道路旁行走、穿越道路等情况下,必须按照本法的规定在道路划定的人行道上行走。目前我国的道路在人行道方面的设置主要包括道路两旁的人行道、过街人行横道、地下通道和过街天桥等过街设施。我国是人口众多的国家,行人又是道路交通的主要参与者。如何规范好行人在道路上行走是关系到保障道路交通安全畅通的至关重要的大问题。实践中往往就是因为行人不能自觉遵守交通规则,任意横穿道路酿成了交通事故而造成的道路堵塞、交通不畅的情况时有发生。给行人本身和事故双方以及道路交通管理等部门都带来经济和各方面的损失。本法规定的行人应当在人行道内行走,一方面是为了保障道路畅通和交通有序,使道路交通的参与者各行其道;另一方面也是为了保障行人在道路上行走的安全。国家在道路的规划上专门设定有供行人行走的人行道,就是为了让行人在道路上安全地行走而不受侵害。如果机动车违章驶入人行道,给行人造成损害时,就应当承担赔偿后果。但如果行人不遵守交通规则,任意穿越道路或违反规定在机动车道内任意串行,行人也要部分承担由此引起的交通事故而酿成的损害后果。因此,从这个意义上讲,国家在道路上设定的各种专行道路,也是为了给处理各种交通事故时,划定严格法律责任的界限。道路交通的各个参与者都应当自觉遵守交通规则,各行其道、安全行驶。所以,行人作为道路交通的主要参与者中的弱者,就更应当自觉遵守交通规则,在人行道内行走,不能视生命为儿戏。

本条规定的第二层含义是,没有人行道的靠路边行走。所谓"没有人行道",是指除了那些设有人行道和人行过街设施的道路以外的没有设定人行专用道和专供行人过街设施的道路的情况。一般情况下,国家在一些交通主要干道的道路上和视交通流量的具体情况,设定人行专用道,目的是为了使交通有序。行人在人行道内行走没有问题。但有些道路则属于远离交通枢干道路狭窄或交通流量稀少的路段,国家没有设定专供行人行走的人行道。在这种情况下,道路交通的各个参与者仍须本着交通安全的原则行驶。这时的道路两侧是行人避开机动车最安全的地带。因此,本条规定在没有人行道时,行人靠路边行走,这也是保护行人的安全和实行人车分流的最佳方案。

第六十二条 行人通过路口或者横过道路,应当走人行横道或者过街设施;通过有交通信号灯的人行横道,应当按照交通信号灯指示通行;通过没有交通信号灯、人行横道的路口,或者在没有过街设施的路段横过道路,应当在确认安全后通过。

【释义】 本条是关于行人通过路口或者横过道路时应当走人行横道或者过街设施、通过有信号灯的人行横道路口应当按照交通信号灯指示通行以及通过没有交通信号灯、人行横道的路口或者在没有过街设施的路段横过道路时,应当在确认安全后通过的规定。

本条主要是关于行人在通过路口和横过道路时应当遵守的有关规则,包括三个方面的内容。

第一,行人通过路口或者横过道路,应当走人行横道或者过街设施。这一规定可以说是对行人参与道路通行的一般要求,也可以说是一项基本原则。这里的“路口”一般是指十字路口或者交叉路口等。路口是各种机动车、非机动车和行人交汇串插的地带,交通流量大且交通状况比较复杂,容易造成交通堵塞和交通不畅。因此,历来是交通疏导和整治的重点地区。为了保证路口的交通秩序,一般在路口都设置交通信号灯用以指示机动车、非机动车和行人的通行秩序,并且专门设有供行人通过路口的人行横道。行人在通过路口时,应当按照交通信号灯的指示走人行横道。所谓“横过道路”是指行人为了从道路的一边走到对面而横穿道路的情况。为了使道路交通安全通畅,道路通行的参与者应当各行其道。在道路上设有供行人专门通过的人行横道和过街天桥、地下通道等过街设施是为了尽量减少行人与车辆直接相遇而利用空间和地下而划定或者建造的,行人在通过路口或横过马路时,应当尽量走这些人行横道或过街设施。

第二,行人在通过有交通信号灯的人行横道,应当按照交通信号灯指示通行。如果说上述第一点是规定行人通过道路时应当遵守的基本原则,即行人通过路口或者横过道路时,应当走人行横道,那么,本条的第二点就是这一原则中又一具体化规定。由于人行横道是划设在道路表面,与过街设施利用空间和地下避开车辆的情况不同,行人通过道路上的人行横道时与车辆的相遇不可避免,因此,这种情况就要求必须设有交通信号灯来指示车辆与行人的通行秩序。所以,行人在道路表面横过道路时就必须走人行横道,同时还要按照交通信号灯的指示通过,而按照交通信号灯指示通过的一般要求则是:红灯是禁止通行的信号;绿灯是可以通行的信号;而黄灯则是红灯与绿灯交换时的警示信号,表示已经在人行横道内的行人应当快速通过,还没进入人行横道的人则不应再进入。过街设施是利用空间和地下建造的,行人通过时不与车辆直接相遇,因此过街设施一般不设交通信号灯。

第三,行人在通过没有交通信号灯、人行横道的路口,或者在没有过街设施的路段横过道路时,应当在确认安全后通过。由于道路漫长,情况不同,因此除了在交通流量大、交通枢纽或者道路通行状况较复杂的地段设定人行横道和交通信号灯外,不可能在各个路段都设有人行横道和交通信号灯。这就要求行人在这些没有人行横道和交通信号灯或者没有过街设施的路段通过时,应当在确认安全后再行通过。所谓"确认安全",是指行人靠自己的主观判断来确认道路的安全情况。主要是指在通过道路时,要认真观察道路上车辆行驶的情况,判断道路上行驶的车辆的行驶速度与自己的距离是否允许自己有足够的时间通过。实践中,行人通过道路时,不认真观察道路的交通情况,强行猛跑或者不顾车辆多、交通情况复杂而擅自强行通过所造成的道路交通事故屡见不鲜。所以作为交通参与者中处于弱者地位的行人,特别是在通过没有交通信号灯、人行横道或者没有过街设施的道路时，更要具有自我安全保护意识，在确认安全后再行通过。在有条件的情况下，国家有关部门会尽量划设、提供可供行人通行的人行横道和过街设施，以在确保交通有序的前提下，给行人以特别的保护。而在那些没有人行横道、交通信号灯或者过街设施的路段，行人在通过路口或横穿马路时的人身安全则主要靠自己来加以保护。行人要在参与道路通行时时刻加强安全防范意识，特别是在通过上述路口或者路段时，要确认安全后再行通过。

第六十三条 行人不得跨越、倚坐道路隔离设施，不得扒车、强行拦车或者实施妨碍道路交通安全的其他行为。

【释义】 本条是关于行人不得跨越、倚坐道路隔离设施和不得扒车、强行拦车或者实施妨碍道路交通安全的其他行为的规定。

本条是对行人作为道路交通参与者在参与道路交通时的禁止性规定。道路中的隔离墩、隔离栅栏、隔离绿化带、高速公路两旁的隔离墙等隔离设施主要是为了交通安全而设置的。在有的交通枢纽地段，交通流量大，行人与车辆交汇多，专供车辆高速行驶的高速公路上车辆行驶速度快，因行人横过道路而造成的道路交通事故多发的路口、路段，设置相应的隔离设施是非常必要的。有的甚至是在总结多年血的教训才设置隔离设施的，主要目的是为了确保交通安全，特别是为了保护行人的人身安全。“行人不得跨越、倚坐道路隔离设施”是指行人不得跨越、倚坐那些为了交通安全、规范各种车辆行驶的专门用于间隔道路的各种道路隔离设施。“行人不得跨越”是指行人不得从这些隔离设施上跨过或者穿越而通过道路。发生在京通高速公路上因行人跨越隔离墙并强行横过高速路所酿成的触目惊心的“空中飞人”事故，至今还令人记忆犹新。“不得倚坐”是指行人不得倚靠或者坐在这些隔离设施上休息或者从事其他的活动。“不得扒车、强行拦车”是指行人不得扒在车辆侧帮或者拦截车辆。在一些交通不便的地区，由于车辆等交通工具较少，在车辆乘坐满员的情况下，一些人还扒在车辆外边的两侧，搭车而行。这样做是非常危险的。还有些人不顾来往快速行驶的车辆站在道路中间，而强行拦截过往的车辆要求搭车，这也是容易造成交通事故的危险动作。“实施妨碍道路交通安全的其他行为”是指除了上述列举的行人在道路上的禁止性行为以外的其他妨碍道路交通安全的行为，如擅自在道路上设置路障，在道路上追跑嬉戏妨碍车辆通行等。由于实践中还有哪些属于妨碍道路交通安全应当被禁止的行为，情况比较复杂，从行为的方式和种类上讲也比较繁多，要想在法律中一一列举清楚很难做到。因此这里用“实施妨碍道路交通安全的其他行为”的规定，进行了概括性的规定。具体在实践中哪些行为应当视为具有妨碍道路交通安全的危害性而应当被禁止，可由国务院有关部门作具体解释。

第六十四条　学龄前儿童以及不能辨认或者不能控制自己行为的精神疾病患者、智力障碍者在道路上通行，应当由其监护人、监护人委托的人或者对其负有管理、保护职责的人带领。

盲人在道路上通行，应当使用盲杖或者采取其他导盲手段，车辆应当避让盲人。

【释义】　本条是关于学龄前儿童以及精神疾病患者、智力障碍者在道路上通行，应当由其监护人、监护人委托的人或者对其负有管理、保护职责的人带领和盲人应当使用盲杖或者采取其他导盲手段以及车辆应当避让盲人的规定。本条共分两款。

为了确保道路交通畅通和保护行人的生命安全，对于行人中特殊的人群，主要是一些弱势群体，如学龄前儿童以及不能辨认或者控制自己行为的精神疾病患者、智力障碍者和盲人需要从法律上予以特殊的保护规定。本条所规定的就是这方面的内容。所谓“学龄前儿童”是指尚未达到学龄的儿童。在我国一般确定为六岁以下。“不能辨认或者控制自己行为的精神疾病患者”是指因患有精神疾病,包括间歇性精神病而不能辨认或者控制自己行为的患者。“智力障碍者”是指由于某种原因,如先天或后天患了某种疾病而造成智力不发达或者发生智力障碍的人。“盲人”是指双眼失明的人。由于学龄前儿童、不能辨认或者控制自己行为的精神疾病患者、智力障碍者和盲人的行为能力受到一定的限制,不能完全辨认或者控制自己的行为。这些人在道路上行走,如果没有一定的帮助,其生命安全和道路交通的安全都将受到一定的影响,甚至有可能造成一定的危害后果。

第一款是关于“学龄前儿童以及不能辨认或者控制自己行为的精神疾病患者、智力障碍者在道路上通行,应当由其监护人、监护人委托的人或者对其负有管理、保护职责的人带领”的规定。如前所述,学龄前儿童、不能辨认或者控制自己行为的精神疾病患者、智力障碍者由于其自身的原因,其行为能力受到一定的限制,如学龄前儿童由于本身年龄小、顽皮好动,判断能力有限和其行为本身还具有不稳定性;精神疾病患者除了不能辨认自己的行为外,其本身还有随时发病和不能控制自己行为的危险;智力障碍者则不能正确判断自己的行为,也不能正确表达自己的意图。因此,如果让他们自己在道路上行走非常危险,其生命安全也将受到影响。所以规定这些人在道路上行走时必须由其监护人、监护人委托的人或者对其负有管理、保护职责的人带领。这里的“监护人”是指与上述人员一起生活并对其负有监护责任的亲属以及在法律上负有监护责任的人员;“监护人委托的人”是指受监护人委托临时照顾的人;“对其负有管理、保护职责的人”是指在职责规定上负有对上述人员管理、保护义务的人员,如托儿所教师、精神病医院的护理人员等。

本条第二款是关于盲人在道路上通行,应当使用盲杖或者采取其他导盲手段,车辆应当避让盲人的规定。盲人由于其双眼失明，本身走路就已经有一定困难，如果无导盲手段独自在道路行走就更加危险，因此必须加以特别的保护。这里的“使用盲杖”是指盲人由于无法通过眼睛观察路况，而靠手中的杖杆来探测引路。有的盲人在一定的区域范围内，可以不用盲杖就可行走，这是因为可以凭借平时对生活区域行走的熟悉程度和经验。但是，盲人通过道路时就应当使用盲杖，一方面是为了行走时的便利和安全，另一方面也是为了让机动车驾驶人员能够辨认和采取相应的避让措施。这样规定本身也是为了交通安全和盲人自身的生命安全。所谓“采取其他导盲手段”是指除了使用盲杖以外的其他导盲手段，如现实生活中还有导盲犬、电子导盲器等。随着科技的不断发展，还会有许多先进的导盲手段被发明出来，这里的规定的主要意思是，无论采取何种导盲手段和方法，盲人在道路上通行都必须采取或使用一定的导盲方法而不能徒手或在没有任何辅助的条件下在道路上通行。另外，国家为了给予残疾人以特殊的保护，方便他们的出行，在许多道路两侧建有导盲道，在路口和人行横道旁建有带声音提示的信号灯等，都是为了方便盲人等有残疾的人员在道路上通行。所谓“车辆应当避让盲人”是指在盲人通过路口、人行横道或者在道路旁行走时，各种车辆应当注意避让。这一规定是对盲人的特殊保护规定。因为盲人受自身条件的影响，在行走中主要靠盲杖和自己的听觉来判断，其避让车辆和行走的敏捷程度都比一般人要迟钝，因此需要车辆驾驶人员对他们进行安全避让。

第六十五条　行人通过铁路道口时，应当按照交通信号或者管理人员的指挥通行；没有交通信号和管理人员的，应当在确认无火车驶临后，迅速通过。

【释义】　本条是关于行人通过铁路道口时应当按照交通信号或者管理人员的指挥通行以及没有交通信号和管理人员的，应当在确认无火车驶临后迅速通过的规定。

本条的规定包括两方面的含义。首先,行人通过铁路道口时应当按照交通信号或者管理人员指挥通行。铁路是专供火车行驶的,铁路道口是指为了使各种车辆和行人穿越铁路修建的道路与铁路相交的交叉口。为了保证火车的优先行驶通过和行驶的安全,国家在道路与铁路交会的地方尽可能地建设立体通行设施,如立交桥、地下通道等。但地面道路与铁路相遇的铁路道口仍然大量存在。因此,为了解决好火车与各种车辆和行人通行的矛盾,规范铁路道口的交通秩序,一般在铁路道口都设置交通信号灯、阻拦装置和配备管理人员进行铁路道口的交通指挥管理。行人在通过铁路道口时,应当按照交通信号和管理人员的指挥通行。一般情况下,当有火车驶临铁路道口时,信号灯出现红灯以提示过往车辆和行人,管理人员放下阻拦装置禁止各种车辆和行人通过铁路道口。等火车安全驶过后再放行。实践中,有些过往行人不能自觉遵守铁路道口的交通信号灯的指示和管理人员的指挥,当信号灯为红灯或者管理人员已经放下阻拦装置时,仍强行通过,有的甚至钻越阻拦装置而强行通过,这些行为都是非常危险的。不仅给火车的安全行驶和铁路道口的管理造成危害,甚至给自己的生命安全也造成一定的威胁。

其次,在没有交通信号和管理人员时,行人应当在确认无火车驶临后,迅速通过。由于我国铁路线绵延漫长且并非封闭式的,没有设置交通信号指示和人工指挥的铁路道口还大量存在。因此,根据这种情况,就要求行人在穿越铁路道口时要特别注意过往列车。由于火车运行速度较快且停车速度较慢,在驶临铁路道口时各种车辆和行人都必须自觉和安全避让,使火车优先安全通过。在这种情况下,行人在通过铁路道口时,应当仔细观察,在确认没有火车驶临的情况下才能通过。特别是在铁路弯道或上下坡道更应当注意观察,避免发生不测。另外,行人在通过铁路道口时应当迅速通过,而不要在铁路道口一带滞留或从事其他危险活动。

第六十六条　乘车人不得携带易燃易爆等危险物品,不得向车外抛洒物品,不得有影响驾驶人安全驾驶的行为。

【释义】 本条是关于乘车人在乘车时应当遵守的规定。

乘车代步出行是人们在日常生活中经常发生的。这里所说的乘车人所乘坐的车辆,是指各种按规定能够运载乘客的机动车辆,包括小轿车(公车、私家车、出租车)、公共交通车辆(市区、长途)和客货两用机动车辆等。乘车人在乘车时,如果不能自觉遵守有关规定,也会给交通安全带来危害。因此,有必要对乘车人在乘车时的一些行为作出规范。

本条从三个方面规定了乘车人在乘车时应当注意的事项。第一项内容是"不得携带易燃易爆等危险物品乘车"。其中,"易燃易爆等危险物品"是指具有燃烧、爆炸、腐蚀、毒害、放射性等性质,如果携带、保管不当,能引起燃烧、爆炸、毒害等后果,并可导致人身伤亡、国家和人民群众的财产受到损毁的物品。具体地说,"易燃易爆等危险物品"包括:1."易燃物品":(1)易燃固体:如硫磺;(2)易燃液体:如汽油、煤油、松节油、油漆等;(3)易燃气体:如液化石油气;(4)自燃物品:如黄磷、油纸、油布及其制品;(5)遇水燃烧物品:如金属钠、铝粉;(6)氧化剂和有机过氧化物,等等。2."易爆物品"主要包括:民用爆炸物品、兵器工业的火药、炸药、弹药、火工产品、核能物资等。这里所说的民用爆炸物品,主要分为三类:(1)爆破器材,包括各类炸药;雷管、导火索;导爆索;非纯导爆系统;起爆药;岩石、混凝土爆破剂。(2)黑火药、烟火剂、民用信号弹和烟花爆竹。(3)公安部门认为需要管理的其他爆炸物品。除了易燃易爆物品以外的,其他具有危害公共安全特性的危险物品主要是指具有放射性、腐蚀性等危险物品。如前所述,易燃易爆等危险物品具有易燃、易爆特性且能对国家财产和人民群众的生命安全造成危害后果，国家有关部门对这些易燃易爆等危险物品从生产、日常管理、运输等方面都有严格的管理规定，实行严格的管制措施。目的就是为确保在利用这些物品的自身价值外，还要确保安全。因此，国家有关部门一般要求旅客在搭乘各种运输交通工具时，如飞机、火车、轮船等都严禁携带易燃易爆等危险物品。道路上的交通工具，如各种轿车、公交车等，也是公共交通的参与者，特别是公交车，往往乘客较多，交通安全和乘客的生命安全是基本要求。不允许在交通运行中存在任何威胁公共交通秩序和人民群众生命安全的隐患。因此，禁止携带易燃易爆等危险物品乘车是非常必要的。

本条规定的第二项内容是“不得向车外抛洒物品”。这一规定的基本含义是乘客（包括驾驶人员、公交车的司售人员）在乘车时不得在车内向车外抛洒物品。乘客在乘车时，随意向车外抛洒物品，除了这一行为与我们所倡导的自觉遵守社会公共道德的社会主义风尚格格不入外，也是一种危害交通安全的不文明行为。因为道路是各种车辆行驶的公共场所，交通秩序需要大家来维护和遵守。道路平整、清洁是道路交通安全的基本保障，乘客向车外随意抛洒物品，不仅是一种不文明的行为，而且会给两侧的行驶的车辆造成突如其来的不良影响。如突然造成扰乱两侧车辆驾驶人员对路况的正常判断和车辆的正常行驶速度，给后面的车辆带来连锁反应；乘客向车外抛洒的物品，如酒瓶、砖头等会影响平坦的道路的整洁和卫生，同时也增加了许多影响车辆行驶的障碍物，这些都极容易导致发生交通事故。因此，规定乘客不得向车外抛洒物品是从维护道路交通安全和公共利益的角度考虑的。

本条规定的第三项内容是“不得有影响驾驶人安全驾驶的行为”。本项规定的具体要求是任何乘车的人，在车辆正在行驶的过程中，不得有影响驾驶人安全驾驶的行为。驾驶人员在驾驶车辆时，除了自己应当做到精神高度集中的同时，还要有一个良好的驾驶环境。这是保证车辆正常行驶和车辆的行驶安全所需要的两个重要因素。虽然说驾驶人员应当具备努力排除各种干扰安全驾驶影响的能力,但为驾驶人员创造良好的驾驶环境,是每个乘车人的一项很重要的义务。因为车辆的安全不仅仅只是驾驶人员个人的事,而是关系到所有乘车人自身的安全。所以,乘车人更不能从事影响驾驶人安全驾驶的行为。一般来说,在驾驶人员附近打闹,向驾驶人大呼小叫,与驾驶人进行影响其情绪的激烈交谈,甚至与驾驶人动手开玩笑等,这些行为都可能影响驾驶人的正常驾驶,从而影响整个车辆的安全行驶,继而影响到所有乘车人生命安全。所以从这个角度讲,只要影响了驾驶人安全驾驶的行为,乘车人都不得从事。

总之,本条规定的内容主要是乘车人在乘坐车辆时应当遵守的规定,是为了维护交通安全和车辆行驶的安全以及乘客的安全,大家应当自觉地遵守。

第五节　高速公路的特别规定

第六十七条　行人、非机动车、拖拉机、轮式专用机械车、铰接式客车、全挂拖斗车以及其他设计最高时速低于七十公里的机动车,不得进入高速公路。高速公路限速标志标明的最高时速不得超过一百二十公里。

【释义】　本条是关于行人、非机动车以及一些限定的机动车不得驶入高速公路的规定。

本条规定的行人、非机动车、拖拉机、轮式专用机械车、铰接式客车、全挂拖斗车以及其他设计最高时速低于七十公里的机动车不得驶入高速公路,是对于进入高速公路的人员、车辆的限制规定。所谓高速公路,简单地讲是指为了提高车辆的行驶效率和交通的便利而建设的专供车辆高速行驶的道路。公安部颁发的《高速公路交通管理办法》规定，“高速公路，是指经国家公路主管部门验收认定，符合高速公路工程技术标准，并设置完善的交通安全设施、管理设施和服务设施，专供机动车高速行驶的公路”。一般来说，高速公路的建设是一个国家以及一个城市交通发达的程度和管理水平是否现代化的一个重要标志。现代化追求的一个重要目标就是效率的提高。高速公路这种高效率的交通道路，随着交通不断发展的客观需要，应运而生。高速公路是专门为高速行驶的机动车设置的公路，行人和非机动车禁止进入、驶入高速公路。这样规定主要是为了保证高速公路的疏通和行人、非机动车的安全。除行人、非机动车外，也并不是所有的机动车辆都可以任意驶入高速公路。不具备高速行驶速度的车辆由于其行驶速度受到限制，驶入高速公路后与具有高速行驶速度的车辆混合行驶，会造成新的车辆堵塞等问题，会影响具有高速行驶速度的车辆的高速行驶，就失去了建设高速公路的意义，同时，也会影响高速公路的交通安全。本款所列举的机动车，主要是由于设计时速都低于七十公里，也就是说不具有高速行驶的能力，或者在高速路上行驶会给其自身或者其他车辆造成危险的车辆。由于这些车辆不具备在高速路上行驶的安全条件，因此也就都不具有驶入高速公路的资格，都属于被排除在禁止驶入高速公路的车辆之列。

本条规定的“非机动车”是指以人力或者畜力驱动，上道路行驶的交通工具，以及虽有动力装置驱动但设计最高时速、空车质量、外形尺寸符合有关国家标准的残疾人机动轮椅车、电动自行车等交通工具。“拖拉机”是指一种靠动力车头拖挂车身的农用车辆。“轮式专用机械车”是指各种专用机械车辆，如压路机、推土机、铲土机、搅拌机和各种吊车等专用车辆。“铰接式客车”是指由于车身较长，车体分为两部分，而连接前后车体是靠铰接方式（挂钩式）的客车。“全挂拖斗车”在制动时，后车容易侧向移动，行驶中挂车摆幅较大，影响其他车辆安全，因此规定属于禁止驶入高速公路的车辆之例是必要的。这里的"设计时速"是指车辆的设计生产时,在最初设计时所赋予的最高行驶速度。由于上述车辆的设计时速都不具备驶入高速公路的条件,因此也就不具备驶入高速公路的资格。

本条还规定了高速公路限速标志标明的最高时速不得超过一百二十公里。前面讲到,高速公路是具备高速行驶功能的一种特殊的道路,也是为具备高速行驶的车辆提供的。但凡事都有个限度,如果任凭机动车在高速公路上无限制地高速行驶,对于道路交通安全保障和机动车本身的安全来说都是百害而无一利。特别是在高速公路上车速太快,十分危险,一旦出现紧急情况,往往难以控制,极易发生恶性事故。因此,在尽可能保障机动车高速行驶和发挥高速公路的最大效益的同时,还必须对机动车的最高时速作出约束性规定。本条规定的高速公路限速标志标明的最高时速不得超过一百二十公里,是根据我国目前多数车辆的性能和各种安全系数来制定的。这一规定正是考虑了既保障机动车的安全行驶,同时也注意发挥高速公路的最大效益。

第六十八条　机动车在高速公路上发生故障时,应当依照本法第五十二条的有关规定办理;但是,警告标志应当设置在故障车来车方向一百五十米以外,车上人员应当迅速转移到右侧路肩上或者应急车道内,并且迅速报警。

机动车在高速公路上发生故障或者交通事故,无法正常行驶的,应当由救援车、清障车拖曳、牵引。

【释义】　本条是关于机动车在高速公路上发生故障或事故时如何处置的规定。共分两款。

本条第一款是关于机动车在高速公路上发生故障时,如何设置警告标志,车上人员应当迅速转移以及迅速报警的规定。"机动车在高速公路上发生故障"是指行驶在高速公路上的机动车,由于车辆自身的原因,如汽油耗尽、车轮松动、制动系统失控等不能使车辆再继续正常行驶,或给正常行驶带来不安全因素的情况。一般来说,保持车辆良好状态,是每个驾驶人员时刻都要做到的重要一点。只有车辆随时保持良好状态,才能谈得上车辆的安全行驶。特别是在发动车辆开始驾驶前,就应当对车辆的各个方面做认真细致的检查。尽可能检查出车辆自身存在的不安全因素和发生故障的苗头。在驶入高速公路前做认真检查尤其重要,因为一旦在高速公路上发生故障都是一件非常麻烦和不安全的事。根据本款规定,“机动车在高速公路上发生故障时,应当依照本法第五十二条的有关规定办理”。本法第五十二条规定:“机动车在道路上发生故障,需要停车排除故障时,驾驶人应当立即开启危险报警闪光灯,将机动车移至不妨碍交通的地方停放;难以移动的,应当持续开启危险报警闪光灯,并在来车方向设置警告标志等措施扩大示警距离,必要时迅速报警。”这里规定是指机动车在一般道路上发生故障时应当如何处置的方法。但机动车在高速公路上发生故障时,除了要按照上述规定办理以外,本款还根据高速公路的特点做了特别的规定,就是“警告标志应当设置在故障车来车方向一百五十米以外,车上人员应当迅速转移到右侧路肩上或者应急车道内,并且迅速报警”。由于高速公路上,车辆行驶速度快,制动停车需要一定的距离。特别是在能见度较低的天气条件下,驾驶人对前方车辆的状况和处置能力受到一定影响。因此,规定在故障车辆来车方向一百五十米以外设置警告标志就是为了给后面高速行驶的车辆一个安全处置情况的距离和较充裕时间。“车上人员应当迅速转移到右侧路肩上或者应急车道内,并且迅速报警”,是指车上所有人员,包括驾驶人和乘客应当迅速下车并转移到高速公路两侧的路肩上或者应急车道内。这里的路肩就是高速公路右侧的道路以外的部分。应急车道就是在高速公路上设置的专供车辆为了应付紧急情况而需要紧急停车划有标志的地带。这样规定是为了车上人员的安全和高速公路的交通安全,避免因车上人员停滞在高速公路中间地带而给自身带来危险和妨碍其他车辆的正常行驶。另外还必须做到的就是在做完上述事情的同时,应当立即采取一切方法迅速报警。高速公路上的交通状况,关系到交通安全和人员的安全,也是公安交通管理部门为了便于疏导交通、确保交通安全所必须随时需要掌握的。故障车一旦迅速报警,公安交通管理部门就会立即采取果断处置措施进行处理,以免发生交通堵塞或交通事故。因此,车辆在高速公路上发生故障时迅速报警是非常重要的。

本条第二款是关于“机动车在高速公路上发生故障或者交通事故,无法正常行驶的,应当由救援车、清障车拖曳、牵引”的规定。这一规定要求对故障车不能正常行驶的,应当由救援车、清障车来进行拖曳和牵引,而不能任意由其他车辆拖曳和牵引。因为在高速公路上由其他非专用拖曳、牵引车辆来拖曳和牵引故障车辆是非常危险的,而救援车和清障车一般都是用于拖曳、牵引车辆的专用车辆,也是公安交通管理部门处置车辆所装备的专用车辆。一般在接到故障车的报警后,公安交通管理部门会迅速派出救援车或清障车到达现场进行处置。

第六十九条　任何单位、个人不得在高速公路上拦截检查行驶的车辆,公安机关的人民警察依法执行紧急公务除外。

【释义】　本条是关于不得在高速公路上拦截检查行驶的车辆的规定。本条关于“任何单位、个人不得在高速公路上拦截检查行驶的车辆”的规定,包括两层含义。第一,高速公路是专供车辆高速行驶的道路,保证畅通无阻才能使高速公路发挥其高效能作用。任何车辆的无故停滞,都会影响高速公路的顺畅,并影响其他车辆的正常高速行驶,还会造成意想不到的严重后果。如果在高速公路上随意拦截正在高速行驶的过往车辆,同样也会给高速公路的畅通造成影响甚至带来严重的后果。实践中，有的车辆在高速公路上发生故障后，不是按本法的有关规定采取紧急处置措施和采取立即报警的方法，而是拦截过往的车辆求援；还有的在高速公路上拦截车辆要求搭乘等，这些行为都是非常危险的。因此，必须绝对禁止任何单位、个人在高速公路上拦截行驶的车辆。第二，高速公路是国家投资建设的公共道路设施，是由国家和当地政府进行统一管理的，需要进行收费或检查的，都在适当的地点设置了收费站和检查站。任何单位、个人不得在其他任何地段设置关卡，用以拦截正在行驶的车辆进行检查。实践中，由于高速公路穿越某个地方，当地的一些法制观念不强的人甚至有些部门无视国法，打起了高速公路的主意，想借以生财。在没有经过国家有关管理部门或者当地政府的同意批准，擅自设立关卡，任意拦截正在高速行驶的过往车辆进行检查并收取费用。这种行为不仅严重影响了高速公路的安全畅通，也给国家对高速公路的统一管理造成了严重的破坏。

对于不得在高速公路上拦截检查车辆的问题，本条作了“公安机关的人民警察依法执行紧急公务除外”规定。这一除外条款，是为了保证公安机关的人民警察在执行紧急公务时，不受本条的关于任何单位、个人不得在高速公路上拦截检查车辆的规定的限制。公安机关的人民警察由于担负着维护社会治安、打击违法犯罪活动的职责，在履行职责，特别是在执行特殊的紧急公务时，如拦截、追捕犯罪分子嫌疑人、逃犯等以及其他公务，需要在各个交通要道设置关卡进行检查、盘查，其中包括高速公路。因此，赋予公安机关的人民警察在高速公路上可以拦截车辆进行检查的权力，是非常必要的。但即使是公安机关的人民警察，在非执行紧急公务时，也不得随意在高速公路上拦截检查行驶的车辆。应当注意的是，本条的该规定仅限于公安机关的人民警察，其他部门都没有这一职权。

第五章 交通事故处理

第七十条 在道路上发生交通事故,车辆驾驶人应当立即停车,保护现场;造成人身伤亡的,车辆驾驶人应当立即抢救受伤人员,并迅速报告执勤的交通警察或者公安机关交通管理部门。因抢救受伤人员变动现场的,应当标明位置。乘车人、过往车辆驾驶人、过往行人应当予以协助。

在道路上发生交通事故,未造成人身伤亡,当事人对事实及成因无争议的,可以即行撤离现场,恢复交通,自行协商处理损害赔偿事宜;不即行撤离现场的,应当迅速报告执勤的交通警察或者公安机关交通管理部门。

在道路上发生交通事故,仅造成轻微财产损失,并且基本事实清楚的,当事人应当先撤离现场再进行协商处理。

【释义】 本条是关于发生交通事故后,当事人如何处置和处理的规定。

发生交通事故后,当事人必须采取紧急处置措施。处置措施是否得当关系到交通事故受伤人员的生命安全与健康,关系到保障交通畅通和交通秩序,同时,也对公安机关交通管理部门及时、正确处理交通事故有着重要的影响。基于上述考虑,本条对发生交通事故后,当事人应当如何处置和处理作了明确、具体的规定,同时也规定了在发生交通事故后,乘车人、过往车辆驾驶人、过往行人的义务。

本条共分三款。

本条第一款是关于发生交通事故后,应当采取保护现场、抢救伤员和报警等紧急处置措施的规定。

根据本款的规定,在道路上发生交通事故,车辆驾驶人必须采取以下紧急处置措施:

一是立即停车。当发生交通事故时,机动车驾驶人应当首先采取制动措施停车,以避免交通事故损害的进一步扩大,也有利于交通事故的处理和现场证据的固定。

二是保护现场。当发生交通事故时,要注意保护好现场,以便查明造成交通事故的原因和分清双方的责任。现场的范围通常是指机动车采取制动措施时的地域至停车的地域,以及受害人行进、终止的位置。在实践中,保护现场最重要的方式就是不移动发生交通事故的车辆以及相关物品。除了抢救伤员不得已移动肇事车辆外,应尽量保持交通事故现场与交通事故有关物品的原貌。对于发生交通事故,未造成人员伤亡,当事人对事实及成因无争议的,应当按本条第二款、第三款的规定处理,即行撤离现场或者立即报告交通警察或者公安机关交通管理部门。

三是立即抢救伤员。机动车驾驶人如果发现是受害人受伤,则采取应急措施,如立即止血,防止流血过多,同时,要及时拦截过往车辆,将受伤人员送往医院。在紧急情况下,交通事故车辆也可以直接将伤员送往医院,但注意保护好现场和有关证据。

四是及时报案。交通事故发生后,机动车驾驶人应当及时报案,如自己通过电话报案或者亲自前往报案,以及请其他人及时向主管部门报案。报案时要注意讲清交通事故发生的时间、地点、车辆型号、号牌、伤亡程度和损失情况等,以便于主管部门及时处理。

本条第二款是关于发生交通事故,未造成人身伤亡,当事人应当如何处置的规定。

及时、快速处理交通事故的重要目的之一是要保证道路的畅通。根据过去处理交通事故的主要做法,无论是轻微的事故,还是重特大事故,双方当事人都不得即行撤离现场,而是要保护现场,固定证据,等待交通警察前来处理。这种处理模式严重制约了交通事故处理的效率,妨害了机动车的通行和秩序,应当予以相应的改革。这次制定道路交通安全法的过程中,根据广大交通警察和机动车驾驶人的意见,并参照国外的先进做法,在本法中作出相应的规定。

本款规定了发生交通事故,未造成人身伤亡的两种处置方式。1. 可以即行撤离现场,自行协商处理赔偿事宜。即行撤离现场需要满足以下两个条件:一是发生交通事故未造成人员伤亡。这是可以即行撤离现场的前提条件,如果造成了相应的人身伤亡,机动车驾驶人应当保护现场,立即抢救受伤人员,并迅速报告执勤的交通警察或者公安机关交通管理部门。二是当事人对事实无争议,即行撤离现场,自行解决赔偿问题。在这种情况下,不再经过公安机关交通管理部门处理。2. 不撤离现场,由交通警察或者公安机关交通管理部门进行处理。如果双方当事人对交通事故的基本事实存在争议,或者认为应当由交通警察或者公安机关交通管理部门处理为宜,则可不撤离现场,迅速报告执勤的交通警察或者公安机关交通管理部门。这样规定主要目的是尽快恢复交通,尽量减少交通事故车辆在道路上的停留而造成交通拥堵。

本条第三款是关于发生交通事故,仅造成轻微财产损失,应当先行撤离现场的规定。

近年来,在处理交通事故过程中,为了快速处理交通事故,提高工作效率,一些地方的公安机关交通管理部门也进行了积极的探索,如近年来一些地区推行的交通事故自行快速处理的办法,其目的是尽快恢复道路交通,缓解警力紧张矛盾,提高办案的质量,防止造成交通拥堵,不能因轻微的道路交通事故造成整个路段的瘫痪。

根据本款的规定,在道路上发生交通事故,仅造成轻微财产损失,并且基本事实清楚的,当事人应当先撤离现场再进行协商。从上述规定可以看出,处理交通事故应当先撤离现场有严格的条件限制:一是仅造成轻微财产损失。造成人员伤亡或者造成的财产损失较大,则不能适用本款的规定,应当分别情况按照前两款的规定处理。二是基本事实清楚。这类交通事故的成因和基本事实比较清楚,责任明确,不存在争议,被双方当事人所认可,如违章掉头的;违章会车的;违章超车的,等等。如果违章情况比较复杂,双方当事人存在争议,则需要及时报案,等待公安机关交通管理部门及其交通警察来处理。

在实践中,还要注意有的人为逃避法律的制裁,连重大伤亡事故也"自行解决",这种做法显然不利于严肃道路交通法规。而我们规定的"自行解决"是有条件的,是当事人对自己合法权益的处分,是以减轻公安机关的压力,提高工作效益,减少当事人的损失为前提,是方便群众与严格管理原则的重要体现。

第七十一条　车辆发生交通事故后逃逸的,事故现场目击人员和其他知情人员应当向公安机关交通管理部门或者交通警察举报。举报属实的,公安机关交通管理部门应当给予奖励。

【释义】　本条是关于相关人员举报交通事故逃逸情况的义务及获得奖励的规定。

近几年来,随着市场经济的日趋繁荣,机动车辆、驾驶人员的数量猛增,道路交通运输业发展十分迅速,随之而来的交通负效应,即道路交通事故也在增加,交通肇事逃逸案件呈上升趋势,给国家、集体和人民生命财产造成不可弥补的损失,给受害人及其家属的身心也带来了终生无法治愈的创伤,此类案件已成为影响社会稳定的一个因素。实践中,交通肇事逃逸的案件对社会造成了严重的危害,除对于违章肇事者不能绳之以法外,还带来了一系列的社会问题,如事故伤亡人员的抢救和医疗费用的负担,这是处理交通肇事逃逸案件最难解决的问题。现行的刑法专门针对交通肇事后逃逸的行为规定了较重的处罚。为了使交通肇事者不能逃避法律的制裁，需要社会方方面面的支持，如事故现场目击人员和其他知情人员应当向公安机关交通管理部门或者交通警察举报，帮助公安机关及时将违法犯罪行为人绳之以法。因此，这次制定道路交通安全法对事故相关人员的举报义务作出了明确的规定。

根据本条的规定，车辆发生交通事故后逃逸的，事故现场目击人员和其他知情人员应当及时向公安机关交通管理部门或者交通警察举报。这里的“事故现场目击人员”，主要是指交通事故发生时，事故现场过往的行人、附近的居民、过往的车辆上的驾驶人或者其他乘客等。“其他知情人员”，主要是指知悉事故发生情况的人员，包括事后得知相关情况的人员，如汽车修理厂的工人等。这里规定的举报主要包括以下情形：1. 事故现场目击人员向公安机关交通管理部门或者交通警察提供逃逸者的特征、逃逸方向以及事故发生的相关情况；2. 知情人员向公安机关交通管理部门或者交通警察报告肇事车辆、肇事人的去向以及相关情况。为了提倡全社会来关注此事，本条还规定，对于举报属实的，公安机关交通管理部门应当给予适当的奖励，包括相应的物质奖励及精神奖励。

第七十二条　公安机关交通管理部门接到交通事故报警后，应当立即派交通警察赶赴现场，先组织抢救受伤人员，并采取措施，尽快恢复交通。

交通警察应当对交通事故现场进行勘验、检查，收集证据；因收集证据的需要，可以扣留事故车辆，但是应当妥善保管，以备核查。

对当事人的生理、精神状况等专业性较强的检验，公安机关交通管理部门应当委托专门机构进行鉴定。鉴定结论应当由鉴定人签名。

【释义】　本条是关于公安机关交通部门处理交通事故现场

的规定。

本条共分三款。

本条第一款是关于公安机关交通管理部门及其交通警察对于交通事故应当如何采取处置措施的规定。

根据本款的规定,公安机关交通管理部门接到交通事故报警后,应当立即派交通警察赶赴现场,即出警。在执行中要注意两点:一是接到报案后,应当做好报案登记工作,详细记录下事故发生的时间、地点、伤亡情况、报案人的姓名、单位、联系方式等,以便进一步核实,防止报假案影响公安机关的正常工作。二是确定事故发生后,立即组织警力及时出警,要求迅速、及时。在实践中,往往是由交通指挥中心确定案发地点后,调派距离现场最近的警察前往处理,如果属于重、特大交通事故,则需要及时派遣技术人员等有关人员前往现场。公安机关交通管理部门及其交通警察到达现场后,核心任务是快速处理现场。如果没有发生人员伤亡,则采取措施,将事故车辆移至路边,尽快疏导交通。在执行中要注意方式方法,依法办理,防止矛盾激化。如果事故造成人员伤亡,要先组织抢救受伤人员,包括拦截过往车辆将受伤人员及时送往医疗机构抢救。同时还要采取措施,尽快恢复交通,主要是将事故车辆移至路边或者拖离现场。在执行该规定时,要注意相关证据的收集工作,包括现场取证、询问证人和有关当事人等。

本条第二款是关于现场收集证据的规定。

现场证据的收集工作是处理交通事故、分清当事人责任的基础,涉及当事人的合法权益,关系对案件的公正处理和公安机关的形象。因此,有必要对现场证据的收集予以统一的规范。在处理道路交通事故过程中,首先要保护现场,并组织抢救受伤人员,注意标出事故车辆的位置,受伤人员的位置,并提取相关的证据,如采取制动措施留下的痕迹等,尽可能地注意收集所有有关的证据材料。这里所说的“勘验、检查”,是指公安机关交通管理部门及其交通警察对于与交通事故有关的现场、车辆、物品、人身、尸体所进行的调查取证工作。勘验、检查的主要内容包括:现场勘验,尸体检验,物证检验等。现场勘验,是指交通警察对事故现场及其他留下的物品、痕迹的场所进行的专门调查。这是发现违章,分清责任,获得原始证据的重要途径,是能否及时、准确处理道路交通事故的重要环节。尸体检查,主要包括尸表检查、尸体解剖检查、取样、化验等。尸体检验必须及时进行,防止尸体腐烂,痕迹变化或者消失。物证检验,是指对事故现场取得的具有证明意义的物品或者痕迹进行检查、验证。其中最重要的物证之一是事故车辆,在许多情况下,从车辆的制动系统以及碰撞的痕迹可以查出事故的起因。

根据本款的规定,因收集证据的需要,可以扣留事故车辆。对事故车辆的勘验、检查是查明事故起因的最重要的取证方法,其真实性、可靠性较大。因此,根据收集证据的需要,公安机关交通管理部门扣留事故车辆是必要的。考虑到扣留事故车辆产生的纠纷较多,还出现了严重侵害当事人合法权益的现象,特别是长期扣留不予发还,如使用事故车辆等,甚至导致车辆毁损严重。本款专门规定对扣留的事故车辆,应当“妥善保管”。

本条第三款是关于对当事人生理、精神状况等专门性问题进行鉴定的规定。

这里所说的鉴定,是指公安机关交通管理部门委托专门机构,就案件当事人的生理、精神状况等进行鉴别和判断的一种专业性较强的检验。鉴定对查明事实真相,分清责任,确定当事人的生理、精神状况具有重要作用。鉴定结论是证据的一种,鉴定结论是否科学准确,直接关系到能否正确认定案件事实。尤其是复杂、疑难的交通事故案件中,涉及当事人的生理、精神状况,对其所作的鉴定将起到其他证据无法替代的作用。在一些交通事故案件中,当事人的生理、精神状况直接影响到事故起因的认定和责任的分担。为了保证事故处理的公正、公平、公开,公安机关交通管理部门应当委托专门机构进行鉴定。鉴定结论应当由鉴定人签名,以保证鉴定的证据效力和真实性。

第七十三条 公安机关交通管理部门应当根据交通事故现场勘验、检查、调查情况和有关的检验、鉴定结论,及时制作交通事故认定书,作为处理交通事故的证据。交通事故认定书应当载明交通事故的基本事实、成因和当事人的责任,并送达当事人。

【释义】 本条是关于公安机关交通管理部门对交通事故的证据进行综合分析、认定制作交通事故认定书的规定。

本条规定了两方面内容:

第一方面是公安机关交通管理部门应当依据取得的各种证据制作交通事故认定书。

交通事故认定书是公安机关通过对现场的勘察、技术分析和有关的检验、鉴定结论,分析查明交通事故的基本事实、成因和当事人的责任,所出具的法律文书。其依据是现场勘验、检查、调查情况和有关的检验、鉴定结论,以及相关证据,目的是通过对上述材料的分析、判断,查明交通事故的基本事实、成因,为交通事故的最终处理、分清当事人造成交通事故后果的责任大小,以及人民法院处理交通事故损害赔偿案件、确定当事人的民事责任提供依据。也就是说,交通事故认定书只是证据的一种,双方当事人都可以作为支持自己主张的证据。但不得因不服公安机关交通管理部门出具的交通事故认定书的认定,而向人民法院提起行政诉讼。在实践工作中,交通事故认定书的形成能否做到客观、公正、真实,是判断公安机关交通管理部门及其交通警察办案水平、职业道德的重要标准。因此,交通事故认定书的基本要求是:一要客观真实。在充分调查基础上,尊重事故发生的事实,不歪曲、不遗漏、不夸大。其前提是对现场勘验、检查工作的高度重视,在工作中细致、认真,不放过任何疑点。并积极走访过往行人及相关知情人员，取得案件的第一手材料。二要注意科学技术的运用。交通事故的认定往往要涉及科学技术的运用，特别是有关的鉴定、检查，必须注意采取最先进的技术手段，来辅助我们的调查工作，做好事故成因的分析。三要注意法律法规的运用，在所查明的基本事实的基础上，要结合道路交通法律、法规，分析事故的成因和当事人的责任，做到有理有据，依法作出。

第二方面是交通事故认定书的内容应当包括交通事故的基本事实、成因和当事人的责任，并送达当事人。

“基本事实”是指交通事故主要的基本情况，包括车辆在交通事故时的行驶状况；机动车驾驶人是否遵守道路交通安全法律、法规；车辆的损毁状况；人员伤亡状况以及相关财产的损失等。“成因”是指交通事故是因何种主要原因造成的，包括当事人行为与交通事故的因果关系和第三者的原因以及客观原因等。“当事人的责任”是指当事人对造成交通事故责任大小的承担，即事故的发生由哪一方当事人的责任造成的，或者双方各自对该事故承担多大责任。根据本条的规定，分析查明交通事故的基本事实、成因和当事人的责任，应当根据事故现场勘验、检查、调查情况和有关的检验、鉴定结论进行。这就要求公安机关交通管理部门在确定交通事故的基本事实、成因和当事人的责任时，一方面要对已取得的证据的真实性作进一步确认，另一方面要将各种证据进行综合分析，以得出正确的结论。交通事故的基本事实和成因是判定当事人责任的重要依据，甚至直接指明当事人的责任，公安机关交通管理部门在进行此项工作时，必须根据本条规定进行，以事实为根据，以证据为根据，不主观臆断，不偏听偏信，以便对交通事故的基本事实、成因和当事人的责任的分析符合客观实际情况。

根据本条的规定，公安机关交通管理部门制作交通事故认定书后，应当及时送达双方当事人，以便当事人及时知悉交通事故的基本事实、成因以及当事人的责任，来决定自己的下一步行为，如请求公安机关进行调解或者向人民法院提起诉讼。

第七十四条　对交通事故损害赔偿的争议，当事人可以请求公安机关交通管理部门调解，也可以直接向人民法院提起民事诉讼。

经公安机关交通管理部门调解，当事人未达成协议或者调解书生效后不履行的，当事人可以向人民法院提起民事诉讼。

【释义】　本条是关于交通事故损害赔偿的争议如何解决的规定。

本条共分两款。

根据本条的规定，对道路交通事故损害赔偿的争议，有以下两种解决方式：

一、请求公安机关交通管理部门调解

在处理道路交通事故损害赔偿过程中，调解具有重要的作用。1991年国务院颁布的《道路交通事故处理办法》规定，公安机关处理交通事故，应当在查明交通事故原因、认定交通事故责任、确定交通事故造成的损失情况后，召集当事人和有关人员对损害赔偿进行调解。并对调解的期限及协议的执行等作出了相应的规定。根据这一规定，长期以来，公安机关交通管理部门做了大量的交通事故调解工作，形成了一种制度化、经常化和专门化的纠纷调解机制，在解决交通事故损害赔偿纠纷中具有方便快捷、成本低、效率高的优点，因而有着广泛的可适用性。首先，当事人之所以愿意接受调解，是因为这种解决方式能够较快地解决争议，有利于当事人尽快摆脱交通事故造成的纠纷，恢复正常的工作和生活。公安机关交通管理部门及其工作人员，依据事实和法律，为双方当事人提供解决意见，分析纠纷的症结所在，提出可供讨论的解决方案，并为他们之间开展谈判进行协调和疏通，以及时解决争议，免去了他们的诉讼之累。其次，在公安机关交通管理部门的帮助和协调下，当事人能够更好地了解交通事故的原因和双方的责任大小,并据此对事故的处理作出较明确的预期。这种预期有助于当事人把握彼此让步的边界,找出解决方案,从而以和解方式了结纠纷,有利于矛盾、争议的解决,也有利于社会的稳定。长期的实践也证明,这种制度的设立,方便人民群众,也减轻了人民法院的压力。但这种调解不是交通事故双方当事人争议解决的必经程序,是否请求调解由当事人自己决定,而不是公安机关交通管理部门依职权的行为。这里所说的"调解",是指在处理道路交通事故过程中,公安机关交通管理部门依据当事人的申请,对当事人之间有争议道路交通事故损害赔偿进行协商,以促成争议的解决。在调解过程中应当注意以下几点:(1)应当在查清事实,分清是非责任的情况下进行调解。如果没有做好这些工作,可能会造成对一方当事人权益的损害。(2)调解必须双方自愿。调解必须基于当事人双方的自愿,如果只是一方当事人的请求,则缺乏调解的基础。考虑到为了全面落实调解自愿原则,保护当事人的合法权益,在实践中,公安机关交通管理部门在向当事人送达事故认定书时,应当告知当事人所享有的请求调解的权利。(3)调解必须坚持合法性原则,调解协议的内容不得违反法律规定。在实践中,把握合法性原则应注意两点:一是调解协议的内容不得违反法律、行政法规的规定;二是调解协议的内容不得损害国家、社会公共利益和他人的合法权益。

二、向人民法院提起民事诉讼

当事人向人民法院提起民事诉讼分为两种情形:一是直接向人民法院提起民事诉讼;二是经公安机关交通管理部门调解未达成协议或者调解书生效后任何一方不履行的,向人民法院提起民事诉讼。直接向人民法院提起民事诉讼,是指不经公安机关交通管理部门调解,向人民法院提出诉讼请求,要求人民法院对交通事故的损害赔偿问题作出判决。根据这一规定,解决交通事故损害赔偿争议,公安机关交通管理部门的调解不是必经程序。当事人有权在请公安机关交通管理部门调解和向人民法院提起诉讼两种方式中进行选择。经公安机关交通管理部门调解未达成协议或者调解书生效后一方不履行的,向人民法院提起民事诉讼,是指当事人已首先选择了公安机关交通管理部门先行调解,经调解,当事人不同意调解结果的,可再进行民事诉讼。这一规定说明,公安机关交通管理部门对于交通事故损害赔偿争议的调解并不具有法定的约束力、强制力,这种调解并不影响诉讼的提起。在实践中需要注意以下几点:一是注意案件的管辖范围。根据民事诉讼法的规定,当事人应当向侵权行为地或者被告住所地人民法院提起民事诉讼。这里的侵权行为地是指道路交通事故发生地。公民的住所地是指公民的户籍所在地,法人的住所地是指法人的主要营业地或者主要办事机构所在地。如果公民的住所地与经常居住地不一致的,由经常居住地人民法院管辖。公民的经常居住地是指公民离开住所地至起诉时已连续居住一年以上的地方。但公民住院就医的地方除外。二是注意诉讼时效。根据民法通则的规定,向人民法院请求保护民事权利的诉讼时效期间为两年,法律另有规定的除外。如果身体受到伤害要求赔偿的诉讼时效期间为一年。诉讼时效期间从知道或者应当知道权利被侵害时起计算。三是注意向人民法院提供相应的证据材料,如交通事故认定书、证人证言、物证、书证等。

第七十五条　医疗机构对交通事故中的受伤人员应当及时抢救,不得因抢救费用未及时支付而拖延救治。肇事车辆参加机动车第三者责任强制保险的,由保险公司在责任限额范围内支付抢救费用;抢救费用超过责任限额的,未参加机动车第三者责任强制保险或者肇事后逃逸的,由道路交通事故社会救助基金先行垫付部分或者全部抢救费用,道路交通事故社会救助基金管理机构有

权向交通事故责任人追偿。

【释义】 本条是关于对交通事故受伤人员应当及时抢救以及抢救费用的规定。

对交通事故中的受伤人员必须及时抢救,这是基于人道主义的原则的要求,也是公安机关交通管理部门和有关医疗机构的职责。但在处理交通事故的实践中,交通事故受伤人员的抢救费用如何解决的问题,长期困扰着公安机关交通管理部门及其交通警察。抢救受伤人员任务必然由医院等医疗单位承担,而医院等医疗单位属于经营性单位,是提供有偿服务的单位,其承担了救治任务,必然要求有人承担医疗费用。由于实行首诊负责制,医院对病人不能拒诊。因此医院也难免要面临“救死扶伤”和“无人埋单”的两难选择,前者是实行人道主义,后者则关系到医院的经济效益。交通事故的受伤人员的情况非常复杂,受经济条件的制约或者其他原因,有的肇事者不能承担巨额的抢救费用,甚至一走了之,最后不得不由医院等医疗单位来承担这些费用。从欠费的情况看主要有两种:一种是确实无力偿还;另一种是有意不交。最后,导致有的医疗单位不愿接受抢救交通事故受伤人员的救治任务。致使受伤人员得不到及时救治的现象时有发生,影响了交通事故的处理,也违反了人道主义原则,在社会上造成很不好的影响。针对实践中存在的上述问题,本法作出了明确规定。

本条规定有两层意思:

一是对于交通事故的受伤人员医疗机构必须及时抢救。为了保护交通事故受伤人员的生命与健康,减少交通事故损失,及时抢救受伤人员非常重要。对于医疗机构而言,抢救病人,救死扶伤,发扬人道主义精神是其根本职责,不能因抢救费用的问题而延误救治。也就是说,对于交通事故中的受伤人员,医疗机构应当先进行抢救,不得因抢救费用未落实而不予抢救或者中断抢救。这是本法对医疗机构的义务性规定,医疗机构必须遵守,也是处理交通事故中受伤人员首要和重要的原则。

二是规定了抢救费用的承担。本条规定了承担抢救费用的两种方式:

1. 保险公司在责任限额范围内支付抢救费用。

根据本条的规定,肇事车辆已参加机动车第三者责任强制保险的,由保险公司支付抢救费用,这是机动车第三者责任强制保险的应有之义,也是该项制度存续的基础。在交通事故中,如果肇事车辆已经参加机动车第三者责任强制保险,则应当由保险公司支付抢救费用。在保险理赔实践中,保险公司支付抢救费用是以责任限额为准。因此,根据本条规定,肇事车辆已参加机动车第三者责任强制保险的,由保险公司在责任限额范围内支付抢救费用。这里的"责任限额",即保险公司就机动车第三者责任强制保险所应当承担的最高赔偿限额。

2. 先由道路交通事故社会救助基金先行垫付部分或者全部抢救费用,再向交通事故责任人追偿。

实践中,处理交通事故时,经常发生对事故受伤人员的抢救费用超过责任限额,或者有的机动车未参加机动车第三者责任强制保险,甚至肇事后逃逸,导致抢救费用无法解决的情形。为了及时抢救受伤人员,解除医疗机构的后顾之忧,减少社会矛盾,对于这些情形,根据本条的规定,由道路交通事故社会救助基金先行垫付部分或者全部抢救费用。这里的"先行垫付部分或者全部抢救费用"主要是指道路交通事故社会救助基金对已参加第三者责任强制保险的,如抢救费用超过责任限额,则先行垫付超过限额的部分;未参加机动车第三者责任强制保险或者肇事后逃逸的,先行垫付全部抢救费用。在垫付抢救费用后,道路交通事故社会救助基金管理机构有权向交通事故责任人追偿。

实践中,道路交通事故社会救助基金管理机构的追偿权应以其实际支出的抢救费用为限。如果肇事者将抢救费用等相关费用都支付给了受害人,则该基金管理机构有权要求受害人返还其所支付的抢救费用。另外,在道路交通事故社会救助基金管理机构行使追偿权的过程中,受害人及其亲属也有义务为其提供相应的帮助,如提供相应的票据、证明等。

第七十六条[①] **机动车发生交通事故造成人身伤亡、财产损失的,由保险公司在机动车第三者责任强制保险责任限额范围内予以赔偿。超过责任限额的部分,按照下列方式承担赔偿责任:**

(一)机动车之间发生交通事故的,由有过错的一方承担责任;双方都有过错的,按照各自过错的比例分担责任;

(二)机动车与非机动车驾驶人、行人之间发生交通事故的,由机动车一方承担责任;但是,有证据证明非机动车驾驶人、行人违反道路交通安全法律、法规,机动车驾驶人已经采取必要处置措施的,减轻机动车一方的责任。

交通事故的损失是由非机动车驾驶人、行人故意造成的,机动车一方不承担责任。

【释义】 本条是关于机动车发生交通事故造成人身伤亡、财

---

① 2007年12月29日《全国人民代表大会常务委员会关于修改〈中华人民共和国道路交通安全法〉的决定》将第七十六条修改为:“机动车发生交通事故造成人身伤亡、财产损失的,由保险公司在机动车第三者责任强制保险责任限额范围内予以赔偿;不足的部分,按照下列规定承担赔偿责任:

“(一)机动车之间发生交通事故的,由有过错的一方承担赔偿责任;双方都有过错的,按照各自过错的比例分担责任。

“(二)机动车与非机动车驾驶人、行人之间发生交通事故,非机动车驾驶人、行人没有过错的,由机动车一方承担赔偿责任;有证据证明非机动车驾驶人、行人有过错的,根据过错程度适当减轻机动车一方的赔偿责任;机动车一方没有过错的,承担不超过百分之十的赔偿责任。

“交通事故的损失是由非机动车驾驶人、行人故意碰撞机动车造成的,机动车一方不承担赔偿责任。”

产损失的赔偿责任如何承担的规定。

本条共分两款。

本条第一款是关于机动车发生交通事故造成人身伤亡、财产损失的，如何进行赔偿和如何确定民事责任的规定。

根据本款的规定，机动车发生交通事故造成人身伤亡、财产损失的，首先由保险公司在机动车第三者责任强制保险投保金额的范围内予以赔偿。这里的“人身伤亡”，是指机动车发生交通事故所造成的事故现场他人的身体受到伤害或人的生命终止。“财产损失”，是指由于交通事故所造成的第三人的物质损失，包括车辆修理费用、抢救费用、人身伤亡善后处理费用等。“责任限额”，又称保险合同的保险金额，是指保险合同当事人确定并在保险单上载明的保险人于保险事故发生时应当赔偿或者给付保险金的最高限额。根据本条的规定，对于机动车发生交通事故，造成人员伤亡、财产损失的，首先由保险公司在肇事机动车投保的第三者责任强制保险的责任限额范围内进行理赔。这样理赔有利于交通事故的赔偿工作迅捷、明确；有利于保证交通事故受害人及时得到救助；有利于保护机动车驾驶人的合法权益。同时，这也符合国际通用的理赔原则。考虑到保险金额有一定的限度，可能会出现交通事故造成的实际损失大于保险金额的情况，为了保护公民的合法财产权利，本条明确规定了对于交通事故中的人身伤亡、财产损失超过责任限额部分的补充性处理原则。也就是说，对交通事故中的人身伤亡、财产损失，首先由保险公司从其第三者责任保险的责任限额范围内赔偿，当责任限额不足以赔偿实际财产损失时，则应按照本条的规定解决赔偿责任问题。

对于超过投保金额的部分，本条根据交通事故的不同情况，规定了两种原则：

（一）机动车之间发生交通事故的，由有过错的一方承担责任；双方都有过错的，按照各自过错的比例分担责任。

这是民法过错责任原则在处理交通事故中的重要体现。我国民法通则第一百零六条第二款规定:“公民、法人由于过错侵害国家的、集体的财产,侵害他人财产、人身的,应当承担民事责任”。机动车之间发生交通事故,适用过错责任原则,主要是考虑机动车驾驶人之间属于平等的主体,不存在强弱的区别,并负有相同的义务。也符合世界各国处理这类事故的惯例以及我国目前处理交通事故的实践。其中“有过错”主要是指机动车驾驶人出于故意或者过失违反道路交通安全法律、法规或者驾驶错误等,这种过错是造成交通事故的原因。有过错的一方对于交通事故的形成具有不可推卸的责任,即行为人的过错与损害结果的发生具有直接的因果关系,因而必须承担民事责任。对于双方都有过错的,按照“各自过错的比例分担责任”,也就是按照过错的大小来确定责任的轻重,根据责任的轻重来确定对损失承担的比例。在交通事故所造成的人身伤亡、财产损失赔偿中实行过错责任原则,有利于保护社会主义公共财产和公民的合法权益,也有利于教育公民遵纪守法,预防和减少交通事故损害的发生。

(二)机动车与非机动车驾驶人、行人之间发生交通事故的,由机动车一方承担民事责任。但是,有证据证明非机动车驾驶人、行人违反交通安全法律、法规,机动车驾驶人已经采取必要处置措施的,减轻机动车一方的责任。

这一规定包含两方面内容。一是对于机动车与非机动车驾驶人、行人之间发生交通事故的,法律规定由机动车一方承担民事责任。这是我国民法通则规定的处理高度危险作业发生事故所采用的原则。我国民法通则第一百二十三条规定:“从事高空、高压、易燃、易爆、剧毒、放射性、高速运输工具等对周围环境有高度危险的作业造成他人损害的,应当承担民事责任;如果能够证明损害是由受害人故意造成的,不承担民事责任。”在处理交通事故中应当遵循这一原则。二是对上述处理机动车与非机动车驾驶人、行人发生交通事故的处理原则作了例外性规定,即如果有证据证明非机动车驾驶人、行人违反道路交通安全法律、法规,机动车驾驶人已经采取了必要处置措施的,减轻机动车一方的民事责任。这样规定,是在实行严格责任原则的前提下,本着公平、公正的民法原则精神,有条件地减轻机动车一方的责任。这样处理考虑了交通事故发生的具体实际情况。有利于问题的解决,同时也有利于警戒公民不得违反道路交通安全法律、法规。这里的"有证据证明",是指通过过往行人证言、交通事故现场勘验材料以及交通事故认定书等证据材料予以证明。"非机动车驾驶人、行人违反道路交通安全法律、法规",是指非机动车驾驶人、行人违反本法及相关法律、法规所规定的道路基本通行规则,如在交通信号灯为红灯时通过道路、在高速公路上驾驶非机动车、行走等。"采取必要处置措施"是指机动车驾驶人为避免交通事故的发生所采取的必要的、合理的制动措施,如紧急刹车等。当机动车与非机动车、行人发生交通事故,如果有证据能够证明非机动车驾驶人、行人违反道路交通安全法律、法规,并且自己采取了避免交通事故发生的紧急制动措施的,应当减轻机动车驾驶人的赔偿责任。

本条第二款是关于非机动车驾驶人、行人故意造成交通事故如何处理的规定。

在处理交通事故的实践中,存在一种比较特殊的情况,即非机动车驾驶人、行人故意造成的交通事故,如自杀性交通事故等。在这种情况下,由机动车一方承担民事责任显然是不合理和不公平的。民法通则在关于高度危险作业的民事责任中,也规定对于能够证明损害是由受害人故意造成的,从事高度危险作业的一方不承担民事责任。本条关于对非机动车驾驶人、行人故意造成的交通事故的,机动车一方不承担民事责任的规定,与民法通则的上述规定的精神是完全一致的。

第七十七条　车辆在道路以外通行时发生的事故，公安机关交通管理部门接到报案的，参照本法有关规定办理。

【释义】 本条是关于车辆在道路以外通行时发生的事故，公安机关交通管理部门如何处理的规定。

在实践中，机动车、非机动车造成的事故，并不都发生在法定的"道路"上。过去，对于非"道路"上发生的事故的处理，根据有关规定，当事人可就非"道路"上发生的与车辆、行人有关的事故引起的损害赔偿纠纷向人民法院提起民事诉讼，符合民事诉讼法第一百零八条规定的起诉条件的，人民法院应当受理。在处理车辆非"道路"发生的事故中，公安机关的主要职责是"配合有关单位处理"。这样规定，主要存在以下问题：1. 对于车辆在非"道路"上发生的事故，缺乏明确的处理机关，不利于事故现场的处理和问题的及时解决。2. 影响了公安机关交通管理部门职能的发挥。3. 难以有效地收集证据，并对事故现场、事故成因作出准确的判断，即使进行诉讼，人民法院在审判中也面临许多困难，不利于对当事人合法权利的保护。鉴于上述考虑，本条明确规定了对于车辆在道路以外通行时发生的事故，公安机关交通管理部门接到报案的，具有处理职责，并且规定了处理的法律依据。

根据本条的规定，车辆在道路以外通行时发生的事故，公安机关交通管理部门接到报案的，参照本法有关规定办理。这里所说的"车辆在道路以外通行时发生的事故"，是指在公路、城市道路、单位管辖范围允许社会机动车通行的道路，包括广场、公共停车场等用于公众通行的场所之外的地方，机动车、非机动车因通行发生的人身伤亡或者财产损失，如在农田作业、居民小区、工厂等地发生的事故。"参照本法的有关规定"，是指车辆在道路以外通行时发生的事故，应当参照本法处理交通事故等相关规定处理，如公安机关交通管理部门接到报警后，应当立即派交通警察赶赴现场，先组织抢救受伤人员，并采取措施，尽快恢复交通秩序；交通警察应当对事故现场进行勘验、检查,收集证据;因收集证据的需要,可以扣留事故车辆,但应妥善保管,以备核查;委托专门机构对当事人的生理、精神状况等专业性较强的检验;根据事故现场勘验、检查、调查情况和有关的检验、鉴定结论,制作交通事故认定书。交通事故认定书应当载明交通事故的基本事实、成因和当事人的责任,并送达当事人;接受当事人的请求,对当事人之间关于交通事故损害赔偿的争议进行调解,等等。

第六章 执法监督

第七十八条 公安机关交通管理部门应当加强对交通警察的管理，提高交通警察的素质和管理道路交通的水平。

公安机关交通管理部门应当对交通警察进行法制和交通安全管理业务培训、考核。交通警察经考核不合格的，不得上岗执行职务。

【释义】 本条是关于公安机关交通管理部门应当严格管理交通警察以及加强交通警察队伍建设的措施规定。共分两款。

第一款是关于公安机关交通管理部门应当对交通警察严格管理并提高其素质和管理水平的规定。根据本法总则的规定，各级公安机关交通管理部门负责道路交通安全管理工作，对于维护道路交通秩序，保障道路交通安全，保护人民群众的生命财产安全，负有重要的责任。公安机关交通管理部门只有加强交通警察的队伍建设，提高交通警察队伍自身的素质并提高管理水平，才能适应现代社会道路交通安全管理工作的需要，才能正确履行职责，完成使命。建立一支廉洁、公正、文明、高效的交通警察队伍，应当做好以下几个方面的工作：一、政治素质过硬，牢固树立为人民服务的意识，在工作中严格遵循方便群众的原则，公正、文明执法；二、业务素质过硬，熟悉交通安全管理法律、法规及相关的法律规定，熟悉交通安全管理业务，依法管理交通安全工作，及时、高效地疏导交通，处理交通事故；三、身体素质过硬，许多交通警察是战斗在城市、乡村道路安全管理的第一线，没有好的身体素质难以胜任艰苦而重要的工作；四、保障有力，就是要配备先进的管理设施和设备，要形成一套科学的管理体制,要借鉴发达国家的先进管理经验。

第二款是关于公安机关交通管理部门应当对交通警察进行培训和考核的规定。本款主要是从如何加强交通警察的业务素质方面做的规定。维护道路交通秩序、预防和减少交通事故、管理车辆和驾驶员等工作都离不开交通警察的具体工作,交通警察要胜任这些工作必须具备良好的业务素质,本款规定了两层内容:一是规定了公安机关交通管理部门应当有计划地对交通警察进行法制和交通安全管理两方面业务的培训。法制培训是要使每一个交通警察熟悉和掌握交通安全管理方面的法律、法规以及相关的刑事、民事法律,如《中华人民共和国道路交通管理条例》、《道路交通事故处理办法》、《机动车驾驶员考试办法》以及刑法中有关交通肇事罪的规定、民事法律中有关交通事故各方民事责任的规定等。交通安全管理业务培训是要使交通警察对于交通安全管理工作的内容、工作程序及提高工作效率的办法等业务知识有全面的了解,并能熟练运用。二是规定了公安机关交通管理部门应当对交通警察进行考核,只有考核合格,能够胜任工作的才能上岗工作,对于经过考核不合格的,不得上岗执行职务。这一规定,对于促进交通警察提高业务素质,保证执法水平和执法效率有着积极的意义。

第七十九条　公安机关交通管理部门及其交通警察实施道路交通安全管理,应当依据法定的职权和程序,简化办事手续,做到公正、严格、文明、高效。

【释义】 本条是关于公安机关交通管理部门及其交通警察在实施道路交通安全管理时应当遵循哪些工作原则的规定。

公安机关交通管理部门及其交通警察依法实施道路交通安全管理,对于维护道路交通秩序,保障道路交通安全,促进经济发展,有着十分重要的作用。同时,个别的公安机关交通管理部门及其交通警察也有滥用职权,甚至是腐败的行为,如滥罚款,随意拦截车辆，恶意为难驾驶人员以及执法程序不规范等问题，这些问题的存在，不仅影响了正常的交通秩序，而且影响了交通警察在人民群众中的形象和权威，必须予以坚决地纠正。本条就是从交通警察的执法准则、行为规范方面对公安机关交通管理部门及其交通警察的执法活动提出了三个方面的严格要求：

一是公安机关交通管理部门及其交通警察应当依据法定的职权和程序实施道路交通管理。首先是在实施道路交通管理时，有法可依，有理有据。这里所说的法，是指人民警察法、道路交通安全法等法律和《道路交通事故处理办法》等国务院制定的行政法规以及各地方根据其道路安全管理工作的实际需要制定的地方性法规。其次，公安机关交通管理部门及其交通警察要依据法律、法规规定的职权去实施道路安全管理工作。既不超越职权、滥用职权，也不能不履行其应当履行的职权，对违法行为睁只眼闭只眼，或者是对特权车辆或者关系人予以特殊的照顾。最后一点，依照法定的程序执法也很重要。程序公正才能保障实体的公正，才能保障公民的合法权益，如申请复议权、提起行政诉讼的权利等。

二是公安机关交通管理部门及其交通警察在实施道路交通安全管理时，应当尽量简化手续。这既体现了方便群众的原则，也有利于维护道路交通的畅通、有序。近年来，公安机关交通管理部门及其交通警察在违章处罚、驾驶证的办理以及机动车检验等方面已经做了大量的简化手续的工作，但是最应当进一步改进的仍然是这方面的工作，群众最不满意的也是这方面的工作。有的部门及其交通警察工作态度生硬，对于需要办理的有关手续不向群众解释清楚，让群众多次白跑；有的交通警察对于违法行为人缺乏尊重，处罚不告知事由或者扣留驾驶执照后不及时处理；有的办事手续需要跑多个部门、多个地点办理，而不是从方便群众考虑搞“一条龙”的服务等。本条对此作出规定，对公安机关交通管理部门及其交通警察完善这方面的工作是一个积极的促进。

三是公安机关交通管理部门及其交通警察实施道路交通安全管理的整体工作要求是做到公正、严格、文明、高效。具体讲，“公正”，是指处理各种问题大公无私，对各方当事人不偏不倚；“严格”就是要严格依法办事；“文明”是言语、举止有礼；“高效”是指工作效率高，处理问题迅速。

第八十条　交通警察执行职务时，应当按照规定着装，佩带人民警察标志，持有人民警察证件，保持警容严整，举止端庄，指挥规范。

【释义】　本条是关于交通警察在执行职务时警容警纪方面的规定。

交通警察在执行职务时，直接面对社会和群众，对他们的警容警纪作出统一的规定，可以树立交通警察的良好形象，密切警民关系，是从严治警，加强交通警察队伍建设的必然要求，对于保证交通警察有效地执行职务，广泛地接受人民群众的监督，具有重要的意义。

按照本条规定，交通警察在执行职务时，在警容警纪方面应当遵守下列规定：

(1)按照规定着装。交通警察的制式警服与其他警种的警服有所不同，不同季节的服装也有严格区别，男女交通警察的服装式样也不相同。为了便于人民群众识别，保证执法的严肃性、权威性，因此，交通警察必须按照公安部的规定统一着装。

(2)佩带人民警察标志。这是指佩带帽徽、肩章、臂章、警号等。交通警察佩带人民警察标志，必须规范、齐全。

(3)持有人民警察证件。这是指应当持有能够证明人民警察身份的有效证件，如工作证和执行某项职务时用的证件。

(4)保持警容严整，举止端庄，指挥规范。这是指交通警察在执行职务时，总体上要做到着装规范，佩带人民警察标志正确齐全；精神面貌良好，举止文明礼貌，严肃认真；指挥交通的动作正确而规范。

第八十一条　依照本法发放牌证等收取工本费，应当严格执行国务院价格主管部门核定的收费标准，并全部上缴国库。

【释义】　本条是关于公安机关交通管理部门颁发牌证等应当严格按照国家规定收取费用并全部上缴国库的规定。

本条的规定主要是严禁公安机关交通管理部门在核发牌证时超标准、超范围收费，以及为了部门和地方的利益截留应当上缴国库的费用。本条对于公安机关交通管理部门的收费从两个方面做了严格规定：一是公安机关交通管理部门收费的标准应当严格执行国务院价格主管部门核定的收费标准，不准许超标准多向当事人收费。各项收费都应当由国务院价格主管部门依据法律的规定核定收费的标准，而且收费后，应当向缴费人出具有关的票据。任何由公安机关交通管理部门自定的收费标准或者是高于国务院价格主管部门核定的收费标准，都属于超标准的不合理收费，有关当事人可以拒绝缴纳，并向有关部门及时反映情况予以纠正。二是收取的各项费用应当全部上缴国库，任何单位和个人不得以任何理由截留。公安机关交通管理部门的行政经费由国家有关部门统一拨发。这样规定切断了公安机关交通管理部门收费与自身经济利益的联系，有利于避免滥收费的现象。

按照道路交通安全法第一百二十一条的规定，对上道路行驶的拖拉机，由农业（农业机械）主管部门行使本法第八条、第九条、第十三条、第十九条、第二十三条规定的公安机关交通管理部门的管理职权，即对机动车进行登记、发放牌证的职权，对机动车进行安全技术检验的职权，发放机动车驾驶证的职权以及对机动车驾驶证进行审验的职权等。农业（农业机械）主管部门在行使上述职权收取工本费用的,也应当遵守本条的规定,严格执行国务院价格主管部门核定的收费标准,并全部上缴国库。

第八十二条 公安机关交通管理部门依法实施罚款的行政处罚,应当依照有关法律、行政法规的规定,实施罚款决定与罚款收缴分离;收缴的罚款以及依法没收的违法所得,应当全部上缴国库。

【释义】 本条是关于公安机关交通管理部门实施罚款的决定与罚款收缴相分离以及罚款与没收的违法所得应当上缴国库的规定。

本条的规定是为了解决实践中存在的个别公安机关交通管理部门及其交通警察的滥罚款问题,当场处罚不开罚款收据的问题,开罚单不如实填写罚款数额,不严格执行罚款与收缴相分离制度以及罚没收入不上缴或者不完全上缴等问题,这些问题往往导致腐败,影响了交通管理部门及其交通警察在群众中的形象,而且不利于公正、高效执法。

本条的规定有如下含义:一是应当依照有关法律、行政法规的规定,实施处罚决定与罚款收缴相分离。依照本法规定,对于道路交通违法行为,有的可以由交通警察当场处罚,有的责令当事人到交通管理部门接受处罚,无论以何种方式处罚,都应当依照本法及行政处罚法等法律、行政法规的规定,实行处罚决定与罚款收缴相分离,即由公安机关交通管理部门做出处罚决定,但不直接收取罚款,而是由违法行为人到指定的银行缴纳罚款。这是为了彻底切断公安机关交通管理部门及其交通警察利用职权进行处罚与自身经济利益的联系,杜绝个别单位和交通警察滥罚款的现象。二是收缴的罚款以及依法没收的违法所得,应当全部上缴国库。任何单位、任何个人都不得截留。国家财政实行收支两条线,以防止个别地方、个别单位为了局部的利益不顾全局利益,为了小集体的利益而损害国家的利益,同时,也保证了执法的公正严明。

第八十三条　交通警察调查处理道路交通安全违法行为和交通事故,有下列情形之一的,应当回避:

(一)是本案的当事人或者当事人的近亲属;

(二)本人或者其近亲属与本案有利害关系;

(三)与本案当事人有其他关系,可能影响案件的公正处理。

【释义】 本条是关于交通警察在调查处理交通安全违法行为和处理交通事故时应当回避的情形的规定。

交通警察调查处理交通安全违法行为和处理交通事故,是与公民的切身利益密切相关的,为了保证查处违法行为和处理交通事故的公正性、合法性,防止交通警察徇私枉法行为,规定交通警察的回避制度是十分必要的。依照本条的规定,交通警察在调查处理交通安全违法行为和处理交通事故时,有下列三种情形的,应当回避:

(1)是本案的当事人或者当事人的近亲属。“本案的当事人”,是指处理交通安全违法行为和交通事故的交通警察本人即是违法行为人或者是交通事故中的一方。在这种情况下,交通警察不能自己办理自己涉及的案件,而应当主动回避。“是当事人的近亲属”,是指办理交通安全违法行为和交通事故的交通警察是其中一方当事人的配偶、子女、父母、兄弟姐妹、祖父母、外祖父母。在这种情况下,处理案件的交通警察也应当回避。

(2)本人或者其近亲属与本案有利害关系。这是指处理案件的交通警察或者其近亲属,虽然不是本案的当事人,但是本案的处理结果涉及他们比较重大的利益。在这种情况下交通警察应当主动回避。

(3)与本案当事人有其他关系,可能影响案件的公正处理的。“与本案当事人有其他关系”,是指处理案件的交通警察与本案的一方当事人是亲戚、朋友关系,或者有重大的恩怨关系等情况。有这种关系可能影响案件的公正处理的,交通警察才应当回避。一般的认识关系,不会影响案件公正处理的,交通警察可以继续调查处理。

应当明确的是,交通警察在调查处理交通安全违法行为和交通事故时,应当回避而不主动回避的,当事人及其法定代理人可以向有关公安机关交通管理部门申请办理此案的交通警察予以回避。

第八十四条 公安机关交通管理部门及其交通警察的行政执法活动,应当接受行政监察机关依法实施的监督。

公安机关督察部门应当对公安机关交通管理部门及其交通警察执行法律、法规和遵守纪律的情况依法进行监督。

上级公安机关交通管理部门应当对下级公安机关交通管理部门的执法活动进行监督。

【释义】 本条是关于公安机关交通管理部门及其交通警察的执法活动应当接受行政监察机关、公安机关督察部门和上级公安机关交通管理部门监督的规定。公安机关交通管理部门及其交通警察的执法活动与广大群众的切身利益密切相关,也关系到维护道路交通秩序、促进经济发展的大问题,必须保证公正严格执法,必须不断提高执法水平。因此,加强对公安机关交通管理部门及其交通警察的监督十分重要,本条对此作了较为详细的规定。本条共分三款。

第一款是关于公安机关交通管理部门及其交通警察的行政执法活动应当接受行政监察机关监督的规定。《中华人民共和国行政监察法》规定:“监察机关是人民政府行使监察职能的机关,依照本法对国家行政机关、国家公务员和国家行政机关任命的其他人员实施监察。”公安机关交通管理部门是国家行政机关,交通警察属于国家公务员,都应当依法接受行政监察机关的监察。按照本款的规定,公安机关交通管理部门及其交通警察的行政执法活动应当接受行政监察机关的监督。行政监察机关对公安机关交通管理部门及其交通警察的监督应当依法实施,就是说,行政监察机关应当依照行政监察法规定的职责、权限和程序对公安机关交通管理部门及其交通警察进行监督。

第二款是关于公安机关督察部门应当对公安机关交通管理部门及其交通警察执行法律、法规和遵守纪律的情况进行监督的规定。公安机关建立内部督察制度,加强内部的自我监督,由督察部门对公安机关交通管理部门及其交通警察执行法律、法规和遵守纪律的情况进行监督是十分必要的。督察部门主要是通过日常的各种监督活动对公安机关交通管理部门及其交通警察的执法活动和遵守纪律情况进行事前和事中的监督,及时发现、制止和纠正各种违法违纪行为,对已经发生的违法违纪案件进行查处。公安机关督察部门对公安机关交通管理部门及其交通警察的监督也要依照公安部门的规章制度进行,做到既强化内部监督,同时也维护公安机关交通管理部门及其交通警察严肃执法的权威。

第三款是关于上级公安机关交通管理部门应当对下级公安机关交通管理部门的执法活动进行监督的规定。公安机关交通管理部门内部上下级之间是领导关系,上级机关不仅对下级机关在业务上有领导责任,而且应当对下级机关的执法活动进行监督,这是上级机关的权利,也是上级机关的责任。本款明确规定上级公安机关交通管理部门应当监督下级公安机关交通管理部门的执法活动是很重要的,因为上级机关容易发现下级机关执法中的错误,也便于及时纠正这些错误,这有利于维护国家法制的统一,有利于保护公民的合法权益。上级公安机关交通管理部门应当对下级公安机关交通管理部门依法履行职责和行使权力的情况加以监督,如下级机关是否依法定的程序和规定处罚当事人,下级机关的处罚决定是否正确等等。上级机关发现下级机关的执法活动有错误的，应当及时予以纠正。这里所说的“上级公安机关交通管理部门”，既包括执法机关的直接上级机关，也包括更高一层的上级机关。

第八十五条 公安机关交通管理部门及其交通警察执行职务，应当自觉接受社会和公民的监督。

任何单位和个人都有权对公安机关交通管理部门及其交通警察不严格执法以及违法违纪行为进行检举、控告。收到检举、控告的机关，应当依据职责及时查处。

【释义】 本条是关于公安机关交通管理部门及其交通警察必须接受社会监督以及社会和公民对其进行监督的方式的规定。本条共分两款。

第一款是关于公安机关交通管理部门及其交通警察应当接受社会和公民的监督的规定。公安机关交通管理部门及其人民警察依法执行职务的目的，归根到底是为人民服务的，应该也必须接受社会和公民的广泛的监督。公安机关交通管理部门及其交通警察经常要与社会组织和公民发生联系，其执行职务的活动更是与公民和社会组织的切身利益密切相关，其执行职务活动是否违法违纪，公民和社会是了解的，也是最有发言权的。公民和各种社会组织对公安机关交通管理部门及其交通警察执行职务的监督形式是多样的，渠道是多种的，既可以对各项工作提出批评、建议和改进的意见，也可以通过社会舆论进行监督，还可以对其不严格执法以及违法违纪行为向有关部门检举、控告。本款规定公安机关交通管理部门及其交通警察应当接受社会和公民的监督，这是一种义务性的规定，不能想接受监督便接受，不想接受监督便自行其是。而且本款还强调必须是自觉的接受监督，不能只在形式上、口头上接受监督，而心中不情愿甚至是拒不改正错误。同时本款只规定了公民和社会对公安机关交通管理部门及其交通警察执行职务时可以进行监督，对于其非执行职务的活动，如日常生活中的不道德行为等的监督，不在本款规定的范围内。

第二款是关于单位和个人有权对公安机关交通管理机关及其人民警察不严格执法以及违法违纪行为进行检举、控告和有关部门应当及时查处的规定。依照本款的规定，任何单位和公民发现、知道公安机关交通管理部门及其交通警察有不严格执法的行为或者是有违法违纪行为，都有权向有关部门检举、控告。检举和控告既可以口头形式提出，也可以书面形式提出，这样有利于方便群众，及时纠正不严格执法的行为和及时查处违法违纪行为。任何人、任何部门都不得对控告人、检举人进行压制和打击报复。接到检举、控告的有关机关有责任对公民和单位的检举、控告进行及时的查处，并应将查处结果告知检举人、控告人。对于不属于本机关职责的检举、控告，也不能置之不理，应当转交有权查处的机关处理。本款所说的“收到检举、控告的机关”，主要是指公安机关交通管理部门及其上级机关、行政监督机关及人民检察院等有权查处违法违纪行为的机关。

第八十六条　任何单位不得给公安机关交通管理部门下达或者变相下达罚款指标；公安机关交通管理部门不得以罚款数额作为考核交通警察的标准。

公安机关交通管理部门及其交通警察对超越法律、法规规定的指令，有权拒绝执行，并同时向上级机关报告。

【释义】　本条是关于不得强行下达罚款指标以及公安机关交通管理部门及其交通警察如何正确对待不法指令的规定。本条共分两款。

第一款是关于任何单位不得给公安机关交通管理部门下达罚款指标以及公安机关交通管理部门不得将罚款数额作为内部考核

标准的规定。实践中,有些单位,甚至是公安机关交通管理部门的上级单位,为了部门或者地方的利益,强行向公安机关交通管理部门下达或者变相下达罚款的任务和指标,公安机关交通管理部门为了完成指标,不严格执法,不按照法律、法规规定的罚款数额、程序执法,有的甚至是不该罚款的强行罚款,有的为了罚款而故意为驾驶人员设置障碍,造成了人民群众的极大不满,损害了公安机关交通管理部门的形象和执法的权威。罚款不应当是目的,只是处理交通安全违法行为的一种手段,滥用罚款的处罚只能是适得其反。有些公安机关交通管理部门虽然认为上级单位下达罚款指标的做法有问题,但又不得不服从,有苦难言。为了解决这一问题,为公安机关交通管理部门严格执法创造一个良好的环境,本款对这种硬性下达罚款指标的行为作了禁止性的规定。本款规定的"变相下达罚款指标",是指有些单位虽然不明确规定公安机关交通管理部门必须达到的罚款数额,但是提倡多罚款或者是以罚款的多少作为考查公安机关交通管理部门及其领导人政绩的标准等。本款同时规定,在公安机关交通管理部门内部,也不得以罚款数额作为考核交通警察工作的标准。

第二款是关于公安机关交通管理部门及其交通警察如何正确处理超越法律、法规的指令的规定。公安机关交通管理部门及其交通警察的职责和权限是由国家法律、法规明确规定的,必须在法律、法规规定的范围内履行职责和行使权力,不能超越法律、法规规定滥用职权。这里规定的"指令",一般是指行政指令,是国家行政机关或者行政首长对所属下级机关及人员发布的命令和指示。在一些地方,有的领导机关或者领导人出于个人私利或者是对法律的无知,向公安机关交通管理部门及其交通警察下达超越法律、法规规定的指令,要求其办理职责范围以外的事项,如设卡收费等等,这种做法破坏了各部门分工负责的制度,不利于严格执法,有可能损害群众的利益。因此,公安机关交通管理部门及其交通警察对超越法律、法规的指令，不论其是哪个部门、哪个领导下达的，都有权拒绝执行，同时向其上级机关报告有关情况，以得到上级机关的支持。这里规定的“上级机关”，主要是指公安机关交通管理部门的上级机关。

第七章 法律责任

第八十七条　公安机关交通管理部门及其交通警察对道路交通安全违法行为，应当及时纠正。

公安机关交通管理部门及其交通警察应当依据事实和本法的有关规定对道路交通安全违法行为予以处罚。对于情节轻微，未影响道路通行的，指出违法行为，给予口头警告后放行。

【释义】　本条是关于公安机关交通管理部门及其交通警察对道路交通安全违法行为纠正和处罚原则的规定。本条共分两款。

本条第一款是关于公安机关交通管理部门及其交通警察应当及时纠正道路交通安全违法行为的规定。维护道路交通秩序，预防和减少交通事故，保障交通安全，提高通行效率，保护自然人、法人和其他组织的合法权益，是公安机关交通管理部门及其交通警察的职责。为了更好地履行职责，公安机关交通管理部门及其交通警察必须及时地纠正各种道路交通违法行为，既不能对道路交通安全违法行为不理不管，听之任之，也不能迟缓松懈，无故拖延。

本条第二款是关于公安机关交通管理部门及其交通警察依据哪些原则对道路交通安全违法行为予以处罚的规定。第一个原则是处罚必须以事实为依据，这里的事实是指道路交通安全违法行为的客观实际情况。这个原则不仅适用于司法实践，也适用于道路交通管理中的行政处罚，是实事求是原则在行政执法工作中的具体体现。公安机关交通管理部门及其交通警察在处理道路交通安全违法行为时，应当依照有关的法律规定认真调查，以正确认定客观存在的事实，切忌主观性、片面性。要了解全部违法事实的情况、经过及原因，要尽可能多地依法取得相关的证据材料。违法事实调查清楚了，就有了正确实施行政处罚的基础，一方面能够适当地给予违法行为人行政处罚，维护道路交通秩序；另一方面也为以后可能出现的行政复议或者行政诉讼做充分的准备。第二个原则是处罚的法定原则，即公安机关交通管理部门及其交通警察对道路交通安全违法行为的处罚必须是依据本法的规定进行。主要包括三方面：一是对道路交通安全违法行为的处罚必须有法定的依据，本法没有明确规定的不能处罚。有些行为即使对道路交通秩序有不良的影响，如果本法没有规定对这种行为进行行政处罚的，也不能随意处罚。有些地方的交通管理部门及其交通警察对行人、驾驶员乱处罚的现象应当坚决予以纠正。二是对道路交通安全违法行为的处罚必须由公安机关交通管理部门及其交通警察实施，其他单位和个人无权实施，公安机关交通管理部门及其交通警察也不得随意授权他人行使行政处罚权。三是对道路交通安全违法行为的处罚，必须严格依法进行，包括处罚的种类、处罚的幅度以及有关处罚程序的规定。公安机关交通管理部门及其交通警察处罚道路交通违法行为的根本目的在于疏导交通，维护道路交通秩序，教育违法行为人，而不在于处罚本身。有些公安机关交通管理部门及其交通警察为了处罚而处罚，甚至是为了处罚而设置障碍，不仅被处罚的行为人不服，没有达到教育的目的，而且也造成了交通秩序的混乱。为此，本款规定，对于情节轻微，未影响道路通行的，在指出行为人的违法行为并给予口头警告后，立即放行。

第八十八条　对道路交通安全违法行为的处罚种类包括：警告、罚款、暂扣或者吊销机动车驾驶证、拘留。

【释义】　本条是关于对道路交通安全违法行为的处罚种类的规定。

依照本条的规定，公安机关交通管理部门及其交通警察对道路交通安全违法行为的处罚有四种：一是警告，就是责令违法行为人改正违法行为并不再重犯的一种申诫罚。主要适用于比较轻微的道路交通安全违法行为。二是罚款，是对道路交通安全违法行为进行惩戒的一种财产罚。依照本法的规定，对道路交通安全违法行为的处罚幅度在五元至二千元之间，这是一种适用比较广泛的处罚。三是暂扣或者吊销驾驶证，这是一种剥夺违法驾驶人员驾驶资格的行为罚，也有称之为能力罚。主要适用于严重违章的驾驶人员。四是拘留，是一种剥夺道路交通安全违法行为人人身自由的处罚。适用于极其严重的道路交通安全违法行为。

公安机关交通管理部门及其交通警察在对道路交通安全违法行为适用以上几种处罚时，应当注意以下几点：一是对什么违法行为适用哪种处罚应当严格依照本法的规定。不能对轻微的违法行为给予严重的处罚，也不能对严重的道路交通安全违法行为给予轻微的处罚了事。应当严格区分不同种类的处罚及其适用对象。二是给予何种处罚、处罚的轻重如何掌握，应当根据违法行为的事实、性质、情节以及社会危害程度来确定。如同样是对道路交通安全违法行为处以罚款，不同的违法行为罚款的数额不同，同一种类的违法行为根据其不同的情节，罚款的数额也会有所不同。

第八十九条　行人、乘车人、非机动车驾驶人违反道路交通安全法律、法规关于道路通行规定的，处警告或者五元以上五十元以下罚款；非机动车驾驶人拒绝接受罚款处罚的，可以扣留其非机动车。

【释义】　本条是关于对行人、乘车人、非机动车驾驶人的道路交通安全违法行为如何处罚的规定。

本法第四章对行人、乘车人、非机动车驾驶人道路通行规则作了明确的规定。行人、乘车人、非机动车驾驶人应当严格按照上述规定通行,违反上述规定的,不仅会影响道路交通的正常秩序,而且对本人及他人的人身安全和财产安全会造成危害,因此,本条规定,对行人、乘车人、非机动车驾驶人违反道路交通安全法律、法规关于道路通行规定的,由公安机关交通管理部门给予警告或者五元以上五十元以下罚款。具体是给予其中哪一种处罚、罚款的数额是多少,要根据行人、乘车人、非机动车驾驶人违法行为的事实、性质、情节及社会危害程度,由公安机关交通管理部门来确定。应当注意的是,依照行政处罚法第四十六条、第四十七条的规定,只有依照简易程序的规定,当场作出行政处罚的决定,依法给予二十元以下罚款的,执法人员可以当场收缴,二十元以上的处罚,当事人应当到指定银行缴纳罚款。本条以及本法第一百零八条作出了与上述规定不同的规定,是考虑到道路交通管理工作面临车流量大,行人流动性强、道路交通违法行为又比较多以及方便群众等特点,针对交通警察在纠正道路交通违章过程中的特殊情况作出的特别规定,按照特别法的效力优于一般法的原则,这样规定是可以的。

同时,本条规定,对拒绝接受处罚的非机动车驾驶人,可以扣留其非机动车,这是为了保证处罚的正常进行,法律给予公安机关交通管理部门处置违法行为的强制性手段,对于接受处罚的或者是经过教育后接受处罚的非机动车驾驶人,不得扣留其非机动车。这里所说的“非机动车”的范围,本法第一百一十九条作了详细规定。

第九十条　机动车驾驶人违反道路交通安全法律、法规关于道路通行规定的,处警告或者二十元以上二百元以下罚款。本法另有规定的,依照规定处罚。

【释义】　本条是关于对机动车驾驶人违反道路交通安全法律、法规中关于道路通行规定的一般违法行为如何进行处罚的规定。

本条规定包括四个方面的含义:1. 处罚的对象必须是机动车驾驶人。2. 处罚的行为必须是违反了道路交通安全法律、法规中关于道路通行的有关规定的行为。3. 处罚的种类仅包括警告、罚款两种,且罚款的数额限制在二十元以上二百元以下。4. 本条所规定的具体处罚,是对所有机动车驾驶人违反道路交通安全法律、法规中关于道路通行规定的一般违法行为所作的处罚规定,对那些严重违反交通规则,本法已特别规定了处罚的,要依据特别规定的处罚予以处罚。如酒后驾驶,客运车、货运车严重超载等违法行为,本法已作了特别的处罚规定,对这些行为就不能再依据本条的规定予以处罚。

由于在违反交通法规的行为中,大多属于一般的违法行为,实践中对大量的违反道路交通安全法律、法规行为的处罚,都要适用本条的规定,因此,本条的规定,在本法对所有违反交通规则行为的处罚条款中具有重要的地位。为了更有利于准确把握本条的基本含义,就本条规定的基本内容具体解释如下:

一、本条处罚的对象具有专门性

本条处罚的对象是违反交通规则的机动车驾驶人。机动车驾驶人、非机动车驾驶人、行人和乘车人都是道路交通的参与者,只要其在中华人民共和国境内通行,其行为都要遵守本法的规定,并要受到本法的约束。但由于驾驶机动车这一高速运输工具的特殊性,决定了机动车驾驶人在所有道路交通参与者中的特殊地位。仅就 1995 年、1996 年、1997 年、1998 年这四年全国道路交通事故统计的数字看,由于机动车驾驶人违章造成的交通事故占交通事故总数,1995 年是 90%,1996 年是 90.9%,1997 年是 83.6%,1998 年是 91.7%。因此,机动车驾驶人是否遵守交通规则与保障道路交通安全具有非常重要的关系。强化对机动车驾驶人的安全管理,是维护交通秩序,提高道路通行效率,保障道路交通安全的一个重要方面。本法针对近几年来交通事故特别是群死群伤的重特大交通事故逐年上升的实际情况，将对机动车驾驶人的安全管理作为一个重要方面作了许多规定，如机动车驾驶人资格的取得以及加强对机动车驾驶人的管理等方面都作了规定。其中严格对机动车驾驶人违反交通规则行为的处罚，是强化对机动车驾驶人安全管理的一个重要方面。

二、对一般违反道路交通安全法律、法规行为的处罚种类及罚款的数额作了限制

根据本法的有关条款规定，我国对道路交通违法行为的处罚种类包括：警告、罚款、暂扣或者吊销机动车驾驶证、拘留。设定和实施行政处罚必须以事实为根据，与违法行为的事实、性质、情节以及社会危害程度相当，是行政处罚法规定的一项重要原则。由于本条是对机动车驾驶人违反道路通行规定的一般违法行为的处罚，因此，本条只规定了两种处罚种类，即警告和罚款。1986 年制定的《治安管理处罚条例》第二十七条、第二十八条对违反交通管理的行为规定了处罚，其中对不同的违法行为的最高罚款数额作了不同的限制，即二百元、五十元和五元。十几年来，我国经济持续高速增长，全国各地的交通状况、交通需求都出现了很大的变化。在一些大中城市，交通拥堵日趋严重，道路通行效率降低，严重影响了人们的正常生产、生活，道路交通事故逐年上升，给国家财产和人民群众的生命、财产带来严重损害。为解决这一问题，各地相继出台了一些地方性法规，加大了对违反交通规则行为的处罚力度，其中有的省、直辖市、自治区制定的地方性法规以及地方性政府规章中，对一些违反交通规则行为的罚款数额大大突破了二百元的限制，有的甚至达到了五百元、上千元。2000 年 3 月第九届全国人民代表大会第三次会议审议通过了立法法，并于同年 7 月 1 日开始施行。立法法明确规定了法律、行政法规以及地方性法规的不同立法权限，并要求行政法规、地方性法规不得与宪法和法律相抵触。根据这一法律规定，行政法规、地方性法规以及政

府规章，在规定对一般违反道路交通安全法律、法规行为的处罚种类、罚款数额时，都不得突破本条规定的限制。应当注意的是，关于罚款的数额，考虑到我国各地经济发展不平衡，本条只规定了一个罚款幅度，而没有规定具体的处罚数额。对于各地在执行本法中，如何确定当地的处罚数额，本法在第一百二十三条作了授权规定，即省、自治区、直辖市人民代表大会常务委员会可以根据本地区的实际情况，在本法规定的罚款幅度内，规定具体的执行标准。结合本条的规定，各地在制定地方性法规中，对本条所规定行为的处罚数额最低不得低于二十元，最高不得超过二百元；处罚的种类限于警告和罚款两种。

三、本条适用的范围具有普遍性

本条规定的处罚行为是指所有违反道路交通安全法律、法规关于道路通行的规定的一般违法行为。本法在第四章中分五节对道路通行的规则作了规定。机动车驾驶人凡是违反这些规定，且没有达到本法其他条款规定的严重程度的违法行为，都将被适用本条的规定给予处罚。应当注意的是，尽管本法对道路通行规则分五节作了大量的规定，但由于道路通行规定技术性、操作性较强，其中有些内容还会随着道路交通情况的发展而有所变化。因此，本条对违反道路通行规定的行为，没有仅限于本法的有关规定，还包括法规。其中这里的“法规”是指广义上的法规，即包括行政法规、地方性法规等。这些法规都要依照立法法的有关规定，不能与本法的规定相抵触。

本条除了上面论述的几项规定外，还作出了一项重要的规定，即：本法另有规定的，依照规定处罚。这里所说的“另有规定”的情况，就是指机动车驾驶人严重违反道路交通安全法律、法规关于道路通行的规定的行为。所谓“依照规定处罚”，就是说，对这类机动车驾驶人严重违反道路交通安全法律、法规关于道路通行的规定行为的处罚，要依据处罚较重的特别规定予以处罚，而不受本条规定的处罚种类和罚款数额的限制。

第九十一条[①] **饮酒后驾驶机动车的，处暂扣一个月以上三个月以下机动车驾驶证，并处二百元以上五百元以下罚款；醉酒后驾驶机动车的，由公安机关交通管理部门约束至酒醒，处十五日以下拘留和暂扣三个月以上六个月以下机动车驾驶证，并处五百元以上二千元以下罚款。**

饮酒后驾驶营运机动车的，处暂扣三个月机动车驾驶证，并处五百元罚款；醉酒后驾驶营运机动车的，由公安机关交通管理部门约束至酒醒，处十五日以下拘留和暂扣六个月机动车驾驶证，并处二千元罚款。

一年内有前两款规定醉酒后驾驶机动车的行为，被处罚两次以上的，吊销机动车驾驶证，五年内不得驾驶营运机动车。

【释义】 本条是关于对酒后驾驶机动车的行为如何处罚的规定。

---

① 2011年4月22日《全国人民代表大会常务委员会关于修改〈中华人民共和国道路交通安全法〉的决定》将第九十一条修改为："饮酒后驾驶机动车的，处暂扣六个月机动车驾驶证，并处一千元以上二千元以下罚款。因饮酒后驾驶机动车被处罚，再次饮酒后驾驶机动车的，处十日以下拘留，并处一千元以上二千元以下罚款，吊销机动车驾驶证。

"醉酒驾驶机动车的，由公安机关交通管理部门约束至酒醒，吊销机动车驾驶证，依法追究刑事责任；五年内不得重新取得机动车驾驶证。

"饮酒后驾驶营运机动车的，处十五日拘留，并处五千元罚款，吊销机动车驾驶证，五年内不得重新取得机动车驾驶证。

"醉酒驾驶营运机动车的，由公安机关交通管理部门约束至酒醒，吊销机动车驾驶证，依法追究刑事责任；十年内不得重新取得机动车驾驶证，重新取得机动车驾驶证后，不得驾驶营运机动车。

"饮酒后或者醉酒驾驶机动车发生重大交通事故，构成犯罪的，依法追究刑事责任，并由公安机关交通管理部门吊销机动车驾驶证，终生不得重新取得机动车驾驶证。"

本条根据酒后驾驶机动车的不同情况和可能造成的不同危害后果，区别情况，规定了不同的处罚。本条共分三款。第一款是对酒后驾驶机动车行为的处罚；第二款是对酒后驾驶营运机动车行为的处罚；第三款是对多次醉酒后驾驶机动车行为的加重处罚。

切实维护道路交通秩序，保障道路交通安全，关系到我国经济发展和人民群众的生命、财产安全。目前我国的道路交通安全形势依然严峻，道路交通事故逐年上升，给国家财产和人民群众的生命、财产安全带来严重损害。据有关部门统计，我国仍是世界上道路交通事故死亡人数较多的国家。预防和减少道路交通事故，保障道路交通安全，是本法要重点解决的问题。机动车驾驶人与道路交通安全直接相关，根据近几年对道路交通事故原因的统计，因机动车驾驶人原因造成的交通事故占交通事故总数的绝大部分，而在机动车驾驶人造成的道路交通事故中，机动车驾驶人酒后驾车造成的交通事故又占很大比例。为强化对机动车驾驶人的安全管理，预防和减少交通事故，本法对机动车驾驶人的管理作了专节的规定。其中，在第二十二条明确规定，饮酒的，不得驾驶机动车。由于酒精本身特有的功能，酒后驾车对道路交通安全造成的危害，人们已形成共识。为杜绝酒后驾车对道路交通安全造成的危害，世界各国在道路交通管理的法律中，都对这种行为规定了严厉的处罚。如在巴西酒后驾车罚款最高达八百二十美元；在美国密苏里州如第三次发现酒后驾车，要罚款五千美元，并处罚十年不得开车；在日本酒后驾车，不仅要处高额的罚款，还要吊销驾驶执照，同时，还要追究向司机提供酒者的责任。随着我国经济的高速发展，人民生活水平有了很大的改善，机动车数量大幅增加，特别私人拥有机动车的数量增长很快。但另一方面，在我国道路交通参与者的交通安全意识和道路交通法制观念还很淡薄，交通违法现象十分严重，特别是酒后驾车现象，具有相当的普遍性，为制止这类违法现象，保障人民的生命财产安全，在本法中对酒后驾车的行为，规定了较其他违反道路交通法律、法规行为更为严厉的处罚。

本条第一款是关于酒后驾驶机动车的处罚规定。这里所说的酒后驾驶机动车的行为,包括两种行为:1. 饮酒后驾驶机动车的行为。所谓“饮酒”,是指喝了酒,但还没有达到醉酒的程度。也就是说,无论机动车驾驶人饮的是含多少酒精纯度的酒,也无论其饮的是哪一类酒,只要是喝了酒且没有达到醉酒的程度,就要适用本款的规定给予处罚。根据本款的规定,对饮酒后驾驶机动车的行为,处暂扣一个月以上三个月以下机动驾驶证,并处二百元以上五百元以下罚款。2. 醉酒后驾驶机动车的行为。由于人体本身存在的差异,对饮了多少数量的酒为醉酒,每一个人都是不同的。本款所处罚的是无论行为人饮了多少数量的酒,只要是达到了神志不清,无法正常控制自己行为的醉酒程度,就应依照本款的规定,予以处罚。根据本款规定,对醉酒后驾驶机动车的行为人,首先由公安机关交通管理部门约束其至酒醒,这并不是一种处罚,而是为了保障行为人和公众安全而采取的一种法定强制措施。由于机动车是一种高速运输工具,其机械性能本身就具有一定的不确定性,具有一定的安全风险,而醉酒的机动车驾驶人无法正常控制自己的行为,使高速运转的机动车处于失控状态,给社会和公众安全带来严重的威胁,为保障公众的生命安全,同时也是保护醉酒的驾驶机动车人自身的生命安全,本款对醉酒驾驶机动车的行为人,规定了严厉的处罚,即处十五日以下拘留和暂扣三个月以上六个月以下机动车驾驶证,同时还要并处五百元以上二千元以下罚款。

本条第二款是关于营运机动车驾驶人酒后驾驶营运机动车的处罚规定。同样这里所说的酒后驾驶营运机动车的行为,也包括两种行为,即饮酒后驾驶营运机动车的行为和醉酒后驾驶营运机动车的行为。这里所说的“营运机动车”,包括各类大、中、小型从事客运或者货运的机动车。由于营运机动车一旦发生交通事故,往往会造成群死群伤或者公共财产严重损失的严重后果。因此，本款对这类酒后驾驶机动车的行为较第一款规定了更重的处罚：1. 饮酒后驾驶营运机动车的，处暂扣三个月机动车驾驶证，并处五百元罚款。2. 醉酒后驾驶营运机动车的行为，由公安机关交通管理部门约束其至酒醒，处十五日以下拘留和暂扣六个月机动车驾驶证，并处二千元罚款。

本条第三款是关于多次醉酒驾驶机动车的行为的处罚规定。

根据本款的规定，只要是醉酒驾驶机动车的行为人一年内因醉酒驾驶机动车，被处罚两次以上的，都一律吊销其机动车驾驶证，并在五年内不得驾驶营运机动车。五年内不得驾驶营运机动车，这是一种限制从事某种职业资格的处罚规定。这主要是考虑到，醉酒后驾驶机动车的行为人，在其被吊销机动车驾驶证以后，只要其认真悔改，经过一定的时间，再次参加驾驶员的培训考核，依照有关规定还是可以重新取得驾驶证的，但是，由于营运机动车承担着运载乘客的重要职责。乘客的生命、财产安全完全系于机动车驾驶人一人，营运机动车发生交通事故，往往会导致群死群伤的重特大交通事故的发生，因此，为强化营运机动车驾驶人的责任，保护广大人民群众生命、财产安全，同时也是保护营运机动车驾驶人自身的生命安全，本法规定一年内有醉酒后驾驶机动车的行为且被处罚两次以上的行为人，五年内不得驾驶营运机动车。

第九十二条　公路客运车辆载客超过额定乘员的，处二百元以上五百元以下罚款；超过额定乘员百分之二十或者违反规定载货的，处五百元以上二千元以下罚款。

货运机动车超过核定载质量的，处二百元以上五百元以下罚款；超过核定载质量百分之三十或者违反规定载客的，处五百元以上二千元以下罚款。

有前两款行为的，由公安机关交通管理部门扣留机动车至违

法状态消除。

运输单位的车辆有本条第一款、第二款规定的情形，经处罚不改的，对直接负责的主管人员处二千元以上五千元以下罚款。

【释义】　本条是关于从事公路客运、货运的车辆超载和超范围运载的行为如何处罚的规定。

本条共分四款。其中，第一款是关于公路客运车辆载客超过额定乘员和超范围运载的违法行为给予处罚的规定。第二款是关于货运机动车超过核定载质量和超范围运载的违法行为给予处罚的规定。第三款是关于对超载和超范围运载的车辆如何处置的规定。第四款是关于对超载和超范围运载的车辆所属的运输单位如何处罚的规定。

从事公路客运、货运的车辆，对我国人员、商品的流动，对推动我国市场经济的发展，起着十分重要的作用。但由于我国经济还不十分发达，道路的基础建设还不能适应经济发展的需要，迅猛增长的交通需求与落后的道路基础建设之间的矛盾还很突出。为维护道路交通秩序，保障道路交通安全，防止道路交通事故，特别是重特大交通事故的发生，保障我国经济建设有序、稳定地发展，保护国家、人民的生命、财产安全，我国有关部门对公路客运、货运车辆的安全驾驶都作出了大量的规定。但是一些单位和个人盲目追求经济利益，不顾国家和人民的生命、财产安全，严重违反国家的有关规定，使道路交通事故，特别是重特大交通事故逐年上升，给国家财产和人民的生命、财产安全带来严重损害。为解决这一突出问题，本条对这种严重违法行为的处罚作了明确规定。本条规定主要包括以下几个方面的内容：

一、规定了四种应当予以处罚的具体行为：

1. 公路客运车辆载客超过额定乘员的。根据本条的规定这一行为包括两种情况：(1)公路客运车辆载客超过额定乘员但未超过百分之二十的。对于不同的机动车的载人人数，法律、法规根据其不同的机械性能,都作出了明确的规定,对每一类机动车核定的人数,都给予不同的限制。(2)公路客运车辆载客超过额定乘员百分之二十的。这是一种严重的超载行为,给人民群众的生命安全带来严重的安全隐患,而界定何为严重超载的行为,即是本条所规定的标准,即超过额定乘员百分之二十的行为。

2. 公路客运车辆违反规定载货的。国家有关部门根据车辆本身的性能,对其用途作了严格区分,即客运和货运。对违反国家有关规定,超范围运载的,本条明确规定了处罚。

3. 货运机动车超过核定载质量的。根据本条规定这一行为包括两种情况:(1)货运机动车超过核定载质量但未超过百分之三十的。关于机动车载质量问题,本法第四十八条明确规定,机动车载物应当符合核定的载质量,严禁超载。(2)货运机动车超过核定载质量百分之三十的。超过核定载质量百分之三十的行为,是一种严重超载的行为,其标准就是超过核定载质量百分之三十。

4. 货运机动车违反规定载客的。货运机动车违反规定载客与公路客运车辆违反规定载货一样,都是法律、法规所禁止的。本法第五十条规定,禁止货运机动车载客。这里所规定的"载客"是广义的,不仅仅是指货运机动车用于经营性活动时运载的,才是乘客。而是指除货运机动车根据规定核定的附载作业人员之外的,都属于载客行为。只要其违反规定载客,就要依据本条的规定给予处罚。

二、规定了两种处理手段。机动车超载和超范围运载是造成重大交通事故频发的主要原因之一,对机动车超载和超范围运载,特别是营运车辆为追求经济效益一再超载的违法行为,较其他一般的违法行为,本条规定了较为严厉的处罚。

(一)扣留其机动车至违法状态消除。这是本法赋予公安机关交通管理部门在处理这四种对道路交通安全有较大危害行为时的一种特殊的强制措施。本条所规定处罚的这四种违法行为,不仅对道路交通安全造成极大威胁，同时，由于这几种违法行为在实践中具有一定的普遍性，在一些地区还很严重，给道路交通管理工作增加了很大的难度。有些道路交通管理人员，过分注重罚款的作用，只是加以重罚，而忽略了消除其违法状态方面应做的工作，致使一些违法行为人为防止罚款造成的"损失"，而变本加厉，超载的货物、运载的乘客等也越来越多，形成恶性循环，严重地威胁了国家财产和人民群众的生命、财产安全。为解决这一问题，同时，也为公安机关交通管理部门对这四种违法行为进行有效的管理，本条增加了这一强制措施，为公安机关交通管理部门及时、有效地制止这几种违法行为，保障道路交通安全，提供了有力的法律武器。本条所规定的"扣留机动车至违法状态消除"，就是指为了使上述四种违法行为的违法性，得到根本纠正，使其行为符合法律、法规所规定的标准后，才能允许继续行驶。

（二）处以罚款。本条根据违法行为人违法情节的轻重，分别规定了不同数额的罚款，对公路客运、货运车辆超载和超范围运载行为的罚款数额，区别不同情况作了明确处罚规定，最低限额为二百元，最高限额为二千元。

在执法中应当注意的是，在对本条规定的这四种违法行为给予处罚时，公安机关交通管理部门在对其违法行为给予高额罚款的同时，还要消除机动车的违法状态。不能仅是高额罚款，而不去纠正其违法行为，只有消除其违法状态，才能保障道路交通安全，实现立法目的。

本条第四款是关于对超载车辆所属的运输单位有关负责人如何处罚的规定。

为了更有效地制止这种在社会上普遍存在的严重超载现象，更好地保护人民群众的生命和财产安全，杜绝此类现象的蔓延，本条第四款对单位违法行为明确规定了处罚。实践中造成超载的原因有很多因素，其中运输单位的负责人员盲目追求经济利益，强行或者变相要求车辆驾驶人员违反国家有关规定，进行超载是一个重要的原因，因此，本法对运输单位有本条第一款、第二款规定的四种违法行为的，经处罚该运输单位违法车辆的驾驶人员后，该运输单位的车辆驾驶人员仍有本条第一款、第二款规定的四种违法行为情形的，对此运输单位直接负责的主管人员处二千元以上五千元以下罚款。

第九十三条　对违反道路交通安全法律、法规关于机动车停放、临时停车规定的，可以指出违法行为，并予以口头警告，令其立即驶离。

机动车驾驶人不在现场或者虽在现场但拒绝立即驶离，妨碍其他车辆、行人通行的，处二十元以上二百元以下罚款，并可以将机动车拖移至不妨碍交通的地点或者公安机关交通管理部门指定的地点停放。公安机关交通管理部门拖车不得向当事人收取费用，并应当及时告知当事人停放地点。

因采取不正确的方法拖车造成机动车损坏的，应当依法承担补偿责任。

【释义】　本条是关于对不按照规定停放机动车的行为如何处罚的规定。

本条共分三款。第一款是关于对违反国家有关机动车停放规定的行为的一般处罚原则的规定；第二款是关于对违规停车行为中几种特别情况的处罚规定；第三款是关于因采取不正确的方法拖车造成机动车损坏的处理规定。

根据本条第一款的规定，对违反道路交通安全法律、法规关于机动车停放、临时停车规定的违法行为，一般情况下都只是要求公安机关交通管理部门指出其违法行为，并予以口头警告，令其立即驶离，对服从管理迅速驶离的，不再予以罚款等处罚。这是处理违规停车的行为的总的处罚原则。本法第五十六条规定，机动车应当在规定的地点停放。在道路上临时停车的，不得妨碍其他车辆和行人通行。其目的就是为了保障道路交通的畅通，提高道路通行效率，考虑到机动车驾驶人在交通警察告之其停车行为，属于违章停车，并给予口头警告，要求立即驶离后，机动车驾驶人意识到自己的违章行为，并服从了公安机关交通管理部门的指挥，迅速驶离现场，改正了自己违章停车行为，在这种情况下，一是没有给道路交通的畅通带来严重的后果，二是违法行为人已认识到错误，并改正了自己的违法行为，因此，本款对这种行为规定的处罚仅限于口头警告，同时要求其立即驶离。当然，机动车驾驶人应当自觉遵守法律、法规的这些规定，严格按照规定，停放机动车，维护交通秩序。

本条第二款是对机动车驾驶人违反道路交通安全法律、法规关于机动车停放、临时停车的规定，又具有机动车驾驶人不在现场或者虽在现场但拒绝立即驶离，妨碍其他车辆、行人通行的情况的处罚规定。本款的规定包含下面几层内容：（一）本款处罚的对象仅限于两种机动车驾驶人：1. 违反道路交通安全法律、法规关于机动车停放、临时停车的规定停放机动车，且机动车驾驶人又不在现场的。2. 违反道路交通安全法律、法规关于机动车停放、临时停车的规定停放机动车，尽管机动车驾驶人在现场，但不服从公安交通管理部门的指挥，拒绝立即驶离的。（二）适用本款规定处罚的行为，必须同时具备两个条件：1. 违法性。停放机动车违反了道路交通安全法律、法规关于机动车停放、临时停车的规定。2. 要有一定的后果。其违法行为必须是达到了妨碍其他车辆、行人通行的程度的。这两个条件必须同时具备，缺一不可。（三）规定了处罚手段和处置措施：1. 罚款。处二十元以上二百元以下罚款。2. 可以拖车。将违章停放的机动车拖移至不妨碍交通的地点或者公安机关交通管理部门指定的地点停放。这两种违法行为不仅妨碍了道路交通工作的管理，同时，也影响了道路交通的畅通与安全，因此，本款对这两种行为规定了比第一款较重的处罚。应当强调指出的是，本款所规定的处罚条件，既是给予行政处罚—罚款的条件，也是公安机关交通管理部门实施拖车的必备条件。也就是说，违法行为人若没有同时具备本款规定的处罚条件，则公安机关交通管理部门对违法行为人就不能依据本款的规定予以罚款，也不能实施拖车行为。（四）明确规定公安机关交通管理部门在拖车时，不得向当事人收费，并负有告知当事人其被拖车辆停放地点的义务。拖车不收费，这是与现行管理办法完全不同的做法，是本法对现行管理办法所作的重大改变之一。在本法制定前，一些地方和部门对违章停车的，不仅规定要受到行政处罚，同时，对拖走的车辆还要求当事人承担拖车费用，且有的执法者也不告知当事人机动车被拖移至什么地方，对此群众意见很大，也严重影响了交通警察及有关执法部门的形象。对此，本款作了针对性的规定。

第三款是对因采取不正确的方法拖车造成机动车损坏的，要依法给予补偿的规定。这一规定主要是针对实践中个别执法者野蛮执法，造成当事人的机动车被损坏的情况。这里所说的“采取不正确的方法”，是从广义上讲的。只要执法者在依据本款的规定，依法实施拖车行为时，采取了不合理的方式，造成了当事人车辆不应有的损坏，都可认定为采取了不正确的方法。

第九十四条　机动车安全技术检验机构实施机动车安全技术检验超过国务院价格主管部门核定的收费标准收取费用的，退还多收取的费用，并由价格主管部门依照《中华人民共和国价格法》的有关规定给予处罚。

机动车安全技术检验机构不按照机动车国家安全技术标准进行检验，出具虚假检验结果的，由公安机关交通管理部门处所收检验费用五倍以上十倍以下罚款，并依法撤销其检验资格；构成犯罪的，依法追究刑事责任。

【释义】 本条是关于机动车安全技术检验机构超过标准收费和出具虚假检验报告行为如何处罚的规定。

机动车作为一种高速运输工具,其自身的安全性对道路交通安全有着直接的联系。为了防止不符合国家安全技术标准的机动车上道路,我国规定一系列的措施,确保机动车自身的安全性。根据本法的规定,我国对机动车实行严格的技术检验制度。第十条明确规定,准予登记的机动车应当符合机动车国家安全技术标准。机动车登记时,应当接受安全技术检验。同时,为了保证安全技术检验结论的客观、公正,杜绝重复检验,甚至只收费不检验的现象,本法规定,机动车的安全技术检验实行社会化。机动车安全技术检验实行社会化的地方,任何单位不得要求机动车到指定的场所进行检验。为了保障国家这一系列规定的有效执行,保障机动车安全技术检验机构出具的结论客观、公正,确保道路交通的安全、畅通,本条对安全技术检验中的违法行为,作了明确的处罚规定。本条共分二款。

第一款是对机动车安全技术检验机构违反国家有关规定,超标准收费行为给予处罚的规定。本法第十三条对机动车安全技术检验机构对机动车检验的收费标准已作了明确规定,即必须严格执行国务院价格主管部门核定的收费标准。对机动车安全技术检验机构实施机动车安全技术检验超过国务院价格主管部门核定的收费标准收取费用的行为,本款规定了两种处罚措施:1. 退还多收取的费用;2. 价格主管部门依照价格法的有关规定,对机动车安全技术检验机构给予相应的处罚。根据价格法的有关规定,对机动车安全技术检验机构的违法行为,可以罚款、没收违法所得,情节严重的,还要责令其停业整顿,甚至由工商行政管理部门吊销其营业执照。

第二款是对机动车安全技术检验机构出具虚假检验结果的处罚规定。机动车安全技术检验机构对其进行检验的机动车的结论，做到客观、公正，既是其作为经营者应当遵循的职业规范要求，也是保障道路交通安全的重要要求。因此，本款对机动车安全技术检验机构不按照机动车国家安全技术标准进行检验，出具虚假检验结果的行为，规定了较为严厉的处罚。对其中不构成犯罪的，由公安机关交通管理部门处所收检验费用五倍以上十倍以下罚款，并依法撤销其检验资格。构成犯罪的，要依照刑法的有关规定，追究其刑事责任。

第九十五条　上道路行驶的机动车未悬挂机动车号牌，未放置检验合格标志、保险标志，或者未随车携带行驶证、驾驶证的，公安机关交通管理部门应当扣留机动车，通知当事人提供相应的牌证、标志或者补办相应手续，并可以依照本法第九十条的规定予以处罚。当事人提供相应的牌证、标志或者补办相应手续的，应当及时退还机动车。

故意遮挡、污损或者不按规定安装机动车号牌的，依照本法第九十条的规定予以处罚。

【释义】　本条是关于上道路行驶的机动车未悬挂机动车号牌，未放置检验合格标志、保险标志，或者未随车携带行驶证、驾驶证的以及故意遮挡、污损或者不按规定安装机动车号牌的行为如何处罚的规定。

本条共分两款。第一款是对上道路行驶的机动车未悬挂机动车号牌，未放置检验合格标志、保险标志，或者未随车携带行驶证、驾驶证的行为的处罚规定。

本法第十一条明确规定，驾驶机动车上道路行驶，应当悬挂机动车号牌，放置检验合格标志、保险标志，并随车携带机动车行驶证。第十九条规定，驾驶机动车时，驾驶人应当随身携带机动车驾驶证。为了保证这些管理措施的有效执行，消除可能存在的安全隐患，本条对机动车驾驶人违反这些规定的行为规定了相应的处罚。

根据本条第一款的规定，本款规定的内容包括下列几个方面：（一）处罚的对象是两种行为：1. 上道路行驶的机动车未悬挂机动车号牌，未放置检验合格标志、保险标志的行为；2. 上道路行驶的机动车未随车携带行驶证、驾驶证的行为。（二）规定两种处罚、处置手段：1. 扣留机动车，并通知当事人提供相应的牌证、标志或者补办相应的手续；2. 可以依照第九十条的规定，给予警告或者二十元以上二百元以下罚款。由于上道路行驶的机动车未悬挂机动车号牌，未放置检验合格标志、保险标志，或者未随车携带行驶证、驾驶证的行为，使得道路交通安全管理部门无法准确掌握车辆和机动车驾驶人的真实情况，为杜绝可能存在的安全隐患，本款赋予了公安机关交通管理部门扣留机动车的权力，其目的就是要保障道路交通的安全。但同时，为防止执法人员滥用这一权力，本款规定，公安机关交通管理部门在扣留机动车时，必须要通知当事人提供相应的牌证、标志或者补办相应的手续。在当事人提供相应的牌证、标志或者补办相应手续后，车辆和驾驶人的真实情况已十分清楚，扣留机动车的缘由已消失，因此，本款规定，在这种情况下，公安机关交通管理部门应当及时退还机动车。

第二款是对故意遮挡、污损或者不按规定安装机动车号牌的行为的处罚规定。

根据第二款的规定，故意遮挡、污损或者不按规定安装机动车号牌的行为，要给予处罚。在实践中故意遮挡、污损或者不按规定安装机动车号牌的行为在一些地区带有一定的普遍性，如在有些地方，一些用于结婚的车队中，机动车号牌往往被人用一些吉利祝福的词语故意遮挡住等。这些行为都严重地冲击破坏了机动车的管理秩序，本款规定，对这些行为依照本法第九十条的规定予以处罚，即给予警告或者二十元以上二百元以下罚款。在适用这一款处罚时，有个问题值得注意，本款处罚的只能是故意行为，由于过失造成遮挡、污损机动车号牌的行为，不能适用本款的规定。

第九十六条[①]　**伪造、变造或者使用伪造、变造的机动车登记证书、号牌、行驶证、检验合格标志、保险标志、驾驶证或者使用其他车辆的机动车登记证书、号牌、行驶证、检验合格标志、保险标志的，由公安机关交通管理部门予以收缴，扣留该机动车，并处二百元以上二千元以下罚款；构成犯罪的，依法追究刑事责任。**

当事人提供相应的合法证明或者补办相应手续的，应当及时退还机动车。

【释义】　本条是关于对伪造、变造或者使用伪造、变造的机动车登记证书、号牌、行驶证、检验合格标志、保险标志、驾驶证或者使用其他车辆的机动车登记证书、号牌、行驶证、检验合格标志、保险标志的行为如何处罚的规定。

加强对机动车车辆的管理，是保障道路交通安全的重要方面。根据本法的规定，我国对机动车实行登记制度，机动车经公安机关交通管理部门登记后，方可上道路行驶。同时规定机动车登记后上道路行驶，必须悬挂机动车号牌、放置检验合格标志、保险标志，并随车携带行驶证。机动车登记证书、号牌、行驶证、检验合格标

---

①　2011 年 4 月 22 日《全国人民代表大会常务委员会关于修改〈中华人民共和国道路交通安全法〉的决定》将第九十六条第一款修改为："伪造、变造或者使用伪造、变造的机动车登记证书、号牌、行驶证、驾驶证的，由公安机关交通管理部门予以收缴，扣留该机动车，处十五日以下拘留，并处二千元以上五千元以下罚款；构成犯罪的，依法追究刑事责任。

"伪造、变造或者使用伪造、变造的检验合格标志、保险标志的，由公安机关交通管理部门予以收缴，扣留该机动车，处十日以下拘留，并处一千元以上三千元以下罚款；构成犯罪的，依法追究刑事责任。

"使用其他车辆的机动车登记证书、号牌、行驶证、检验合格标志、保险标志的，由公安机关交通管理部门予以收缴，扣留该机动车，处二千元以上五千元以下罚款。"

原第九十六条第二款作为第四款。

志、保险标志、机动车登记证、机动车驾驶证等,都是登记制度和机动车管理中重要的内容,是保障道路交通安全,预防、减少交通事故发生的重要环节。因此,本条对机动车号牌、行驶证、检验合格标志、保险标志、机动车登记证书、机动车驾驶证等涉及机动车登记制度和机动车管理制度中的有关内容,作出了专门的处罚规定,明确规定凡是伪造、变造或者使用伪造、变造的机动车号牌、行驶证、检验合格标志、保险标志、机动车登记证书、机动车驾驶证或者使用其他车辆的机动车号牌、行驶证、检验合格标志、保险标志、机动车登记证书的行为都要给予处罚。本条共分两款。

第一款是对伪造、变造或者使用伪造、变造的机动车登记证书、号牌、行驶证、检验合格标志、保险标志、驾驶证或者使用其他车辆的机动车登记证书、号牌、行驶证、检验合格标志、保险标志的行为处罚的规定。本款主要包括两方面内容:(一)本条处罚的行为包括三种:1. 伪造、变造牌证的行为,即伪造、变造的机动车登记证书、号牌、行驶证、检验合格标志、保险标志、驾驶证的。2. 使用伪造、变造的牌证的行为,即使用伪造、变造的机动车登记证书、号牌、行驶证、检验合格标志、保险标志、驾驶证的。3. 使用其他车辆的牌证的行为,即使用其他车辆的机动车登记证书、号牌、行驶证、检验合格标志、保险标志的。这三种行为尽管有一些区别,但其性质都是一样的,都是使有关管理部门无法真实了解其自己车辆的真实情况,都是一种弄虚作假的行为。(二)对这三种违法行为的处罚、处置手段也规定了三种:1. 扣留其机动车;2. 处二百元以上二千元以下罚款;3. 构成犯罪的,依法追究刑事责任。这里应当强调的是,扣留机动车的权力,只能由公安机关交通管理部门行使,在扣留其机动车的同时要并处罚款,扣留车与罚款要同时运用。

第二款是对当事人被扣车后应当如何处理的规定。根据第二款的规定,当事人事后若能提供其机动车所应具备的相应的合法证明，或者按照国家的有关规定对其机动车补办了相应的手续，公安机关交通管理部门就必须将扣留的机动车及时退还给当事人。应当注意的是，本款要求公安机关交通管理部门将扣留的机动车退还给当事人时，规定的不仅是“应当”，而且还要求“及时”。

第九十七条　非法安装警报器、标志灯具的，由公安机关交通管理部门强制拆除，予以收缴，并处二百元以上二千元以下罚款。

【释义】 本条是关于对非法安装警报器、标志灯具的行为如何处罚的规定。

警报器、标志灯具是一种特殊的警示标志，是为从事维护国家利益、维护公众利益工作的人员的需要，对其执行紧急任务时，提供的一种具有一定通行特权的外在显示标志。如它在执行紧急任务时，在确保安全的前提下，不受行驶路线、行驶方向、行驶速度和信号灯的限制，且其他车辆和行人应当让行，具有道路通行优先权。为此，本法对安装警报器、标志灯具的条件，作了严格的限制。本法第十五条规定，警车、消防车、救护车、工程救险车应当按照规定喷涂标志图案，安装警报器、标志灯具。其他机动车不得喷涂、安装、使用上述规定车辆专用的或者与其相类似的标志图案、警报器或者标志灯具。警车、消防车、救护车、工程救险车应当严格按照规定的用途和条件使用。实践中，一些人明知自己不符合安装警报器、标志灯具的条件，而非法安装警报器、标志灯具，不仅严重干扰了我国的道路交通管理工作，同时，也给道路交通安全带来了严重的威胁。为此，本条对这种违法行为，明确规定给予处罚。本条规定包括下面几项内容：

（一）处罚的对象是非法安装警报器、标志灯具的行为。只要是违反法律、法规关于安装警报器、标志灯具的有关规定，安装警报器、标志灯具的行为，就是非法安装警报器、标志灯具的行为，就可以适用本条的规定，予以处罚。

（二）对非法安装警报器、标志灯具的行为规定了两种处罚、处置手段。1. 强制拆除、收缴。2. 罚款二百元以上二千元以下。公安机关交通管理部门在对非法安装警报器、标志灯具的行为给予处罚时，有两点应当注意：一是对非法安装的警报器、标志灯具强制拆除时，必须予以收缴，不能让其流散在社会上。二是对非法安装警报器、标志灯具强制拆除、收缴后，必须还要同时予以罚款，本条规定的是并处罚款。

第九十八条　机动车所有人、管理人未按照国家规定投保机动车第三者责任强制保险的，由公安机关交通管理部门扣留车辆至依照规定投保后，并处依照规定投保最低责任限额应缴纳的保险费的二倍罚款。

依照前款缴纳的罚款全部纳入道路交通事故社会救助基金。具体办法由国务院规定。

【释义】　本条是关于对机动车的所有人、管理人没有投保机动车第三者责任强制保险的行为如何处罚以及罚款如何处理的规定。

由于我国过去尚未建立起完善的交通事故救助、赔偿机制，在发生交通事故后，常常发生由于肇事者的逃逸或者无赔偿能力，造成交通事故的人身伤亡难以得到及时救治和补偿的现象。一方面加重了交通事故受害者的痛苦和损失，另一方面也极易诱发社会不安定因素，为解决这一问题，这次立法借鉴了国际上通行的机动车第三者责任强制保险的机制，明确规定，我国实行机动车第三者责任强制保险制度。设立道路交通事故社会救助基金。为了保障这一强制保险制度得到有效执行，使交通事故受害者得到及时的救治和补偿，本条对未按照国家规定投保机动车第三者责任强制保险的行为规定了处罚。

本条共分两款。第一款是对未按照国家规定投保机动车第三者责任强制保险的行为给予处罚的规定。主要包括以下内容：（一）本款规定的处罚对象是机动车所有人、管理人未按照国家规定投保机动车第三者责任强制保险的行为。由于法律已明确规定，我国实行机动车第三者责任强制保险制度。因此，机动车所有人、管理人都有责任和义务，按照国家的有关规定投保机动车第三者责任强制保险。（二）处罚、处置的手段有两种：1. 扣留机动车至其依法投保。2. 罚款，处依照规定投保最低责任限额应缴纳的保险费的二倍罚款。

第二款是对违法行为人所缴纳的罚款如何处理的规定。根据本款的规定，机动车所有人、管理人依据第一款的规定缴纳的罚款，要全部纳入道路交通事故社会救助基金。本款之所以作这样的规定，主要是考虑到，道路交通事故社会救助基金的资金来源之一，是由办理机动车第三者责任强制保险的保险公司在收取的保费中按照国家规定的比例抽取的。而道路交通事故社会救助基金的作用，就是用于垫付尚未参保的机动车造成的交通事故和肇事逃逸机动车造成的交通事故受害人的抢救、赔偿费用。事后道路交通事故社会救助基金有权向应当负责任的机动车所有人、管理人或者驾驶人追偿。因此，违法行为人未按照国家规定投保机动车第三者责任强制保险的行为，首先侵害的是机动车第三者责任强制保险制度，同时，也使道路交通事故社会救助基金的资金来源减少，为保证这一制度的有效执行，发挥其在处理道路交通事故中应有的作用，本款明确规定，违法行为人所缴纳的罚款，全部纳入道路交通事故社会救助基金。同时，考虑到机动车第三者责任强制保险制度在我国还是一种新的制度，如何完善道路交通事故社会救助基金的管理，也还面临许多新的问题，尚待实践，逐步完善。因此，本款规定，具体办法由国务院规定。

第九十九条　有下列行为之一的，由公安机关交通管理部门

处二百元以上二千元以下罚款：

（一）未取得机动车驾驶证、机动车驾驶证被吊销或者机动车驾驶证被暂扣期间驾驶机动车的；

（二）将机动车交由未取得机动车驾驶证或者机动车驾驶证被吊销、暂扣的人驾驶的；

（三）造成交通事故后逃逸，尚不构成犯罪的；

（四）机动车行驶超过规定时速百分之五十的；

（五）强迫机动车驾驶人违反道路交通安全法律、法规和机动车安全驾驶要求驾驶机动车，造成交通事故，尚不构成犯罪的；

（六）违反交通管制的规定强行通行，不听劝阻的；

（七）故意损毁、移动、涂改交通设施，造成危害后果，尚不构成犯罪的；

（八）非法拦截、扣留机动车辆，不听劝阻，造成交通严重阻塞或者较大财产损失的。

行为人有前款第二项、第四项情形之一的，可以并处吊销机动车驾驶证；有第一项、第三项、第五项至第八项情形之一的，可以并处十五日以下拘留。

【释义】 本条是关于无证驾驶机动车、造成交通事故后逃逸、严重超速行驶等比较严重的道路交通安全违法行为及其处罚问题的规定。本条共分两款。

第一款是关于上述无证驾驶等八种道路交通安全违法行为及其罚款处罚问题的规定。本款主要有以下两方面内容：

一、本款分八项规定了八种比较严重的道路交通安全违法行为

1. 第一项规定的道路交通安全违法行为是“未取得机动车驾驶证、机动车驾驶证被吊销或者机动车驾驶证被暂扣期间驾驶机动车”。这种违法行为即通常所说的“无证驾驶”。本项规定的“未取得机动车驾驶证”，是指无证驾驶的违法行为人由于本人没有申请、不符合驾驶许可条件、考试不合格等原因，没有取得公安

机关交通管理部门发放的机动车驾驶证。实践中，以下两种情形也属于“未取得机动车驾驶证”：(1)违法行为人在驾驶机动车时持有的机动车驾驶证的准驾车型与实际驾驶的车型不符的。比如，持有小轿车驾驶证的人驾驶大型客车的，相对于大型客车而言，该驾驶人是未取得该种机动车驾驶证。(2)无证驾驶违法行为人持有的是境外机动车驾驶证的。因为根据本法第十九条第三款规定，境外的机动车驾驶证不能直接在我国使用，持有境外机动车驾驶证的人，要经公安机关交通管理部门考核合格并发给我国的机动车驾驶证后，才能在我国驾驶机动车。所谓“机动车驾驶证被吊销”，是指受到公安机关交通管理部门“吊销机动车驾驶证”处罚的情形。根据本法第八十八条规定，吊销机动车驾驶证是对道路交通安全违法行为的一种处罚种类。机动车驾驶证被吊销后，该证件即告无效，要按照机动车驾驶证管理规定，经过一定期限后，重新申请领取机动车驾驶证。因此，机动车驾驶证被吊销，没有重新取得机动车驾驶证的，原机动车驾驶证持有人实际上与“未取得机动车驾驶证”没有什么不同。所谓“机动车驾驶证被暂扣”，是指机动车驾驶证受到公安机关交通管理部门“暂扣机动车驾驶证”处罚的情形。暂扣机动车驾驶证也是对道路交通安全违法行为的一种处罚种类，暂扣的期间主要有三个月、六个月等，在此期间，该机动车驾驶证持有人不得驾驶机动车。应当注意，以下两种情形不适用本款规定：(1)使用伪造、变造的机动车驾驶证的。此种情形虽然实质上属于“未取得机动车驾驶证”，但由于本法第九十六条对该违法行为及其处罚另有专门规定，因此应当适用该条规定。(2)机动车驾驶人有机动车驾驶证而未随身携带的。该行为虽然也属于道路交通安全违法行为，但并不构成本项规定的无证驾驶违法行为，不适用本款规定，而应当适用本法第九十五条规定。这里规定的“驾驶机动车”，是指驾驶机动车上道路行驶。如果上述无机动车驾驶证的人不在本法第一百一十九条规定的"道路"上驾驶机动车，比如在驾驶学校练习驾驶技术，则不构成本项规定的无证驾驶违法行为。

2. 第二项规定的道路交通安全违法行为是"将机动车交由未取得机动车驾驶证或者机动车驾驶证被吊销、暂扣的人驾驶"。本项未明确规定违法行为的主体，从违法行为本身分析，主要应当是机动车所有人或者管理人。这里规定的"交由"，即"交给"的意思，包括以出借、出租等多种方式将机动车交给未取得机动车驾驶证或者机动车驾驶证被吊销、暂扣的人驾驶的情形。该行为的主观状态可以是故意，也可以是过失，因为本项规定实际上要求行为人在将机动车交由他人驾驶时，应当查明其是否持有相应的机动车驾驶证，如果未经查明而将机动车交给未取得机动车驾驶证或者机动车驾驶证被吊销、暂扣的人驾驶，即可构成本项规定的违法行为。当然，无论是故意还是过失，行为人在主观上都是有过错的。如果机动车驾驶人使用伪造、变造的机动车驾驶证进行欺骗，使行为人产生错误认识，从而将机动车交由未取得机动车驾驶证或者机动车驾驶证被吊销、暂扣的人驾驶，则不构成本项规定的违法行为。这里规定的"驾驶"，也是指驾驶机动车上道路行驶，如果将机动车交由未取得机动车驾驶证或者机动车驾驶证被吊销、暂扣的人，但此人并没有驾驶该机动车上道路行驶的，那么机动车所有人、管理人也不构成本项规定的违法行为。因此，作为机动车所有人、管理人构成本项违法行为的前提条件，取得该机动车的人应当构成本款第一项规定的无证驾驶违法行为。

3. 第三项规定的违法行为是"造成交通事故后逃逸，尚不构成犯罪"。这里规定的"交通事故"，根据本法第一百一十九条第五项规定，是指车辆在道路上因过错或者意外造成的人身伤亡或者财产损失的事件。因为造成交通事故的车辆，包括机动车和非机动车，所以本项违法行为的主体应当是机动车或者非机动车驾驶人。所谓"逃逸"，是指行为人在造成交通事故后逃离事故现场、逃避法律追究的行为。行为人之所以逃逸，主要是行为人通常有主观过错，对造成的交通事故负有一定责任。所谓“尚不构成犯罪”，是指不构成我国刑法分则规定的犯罪，主要是指不构成刑法第一百三十三条规定的交通肇事犯罪。根据刑法关于交通肇事罪的规定，不构成犯罪的情形主要是：(1)虽造成交通事故，但属于意外事件，行为人并没有违反交通运输管理法规或者没有主观过错的；(2)行为人虽违反交通运输管理法规或者有主观过错，但造成的交通事故不属于重大事故，未致人重伤、死亡或者公私财产没有遭受重大损失的。如果行为人构成犯罪，应当依法追究刑事责任，不适用本款规定。根据本项规定，无论行为人出于何种原因在交通事故后逃逸，只要有逃逸行为，即可构成本项规定的违法行为。

4. 第四项规定的道路交通安全违法行为是“机动车行驶超过规定时速百分之五十”。本项规定的“规定时速”，是指法律、法规、规章规定的或者道路限速标志标明的机动车行驶的最高时速，如本法第六十七条规定“高速公路限速标志标明的最高时速不得超过一百二十公里”。所谓“超过规定时速百分之五十”，即指机动车的行驶时速达到规定最高时速的一倍半以上，比如，假定某高速路段规定或标明的最高时速为一百二十公里，那么“超过规定时速百分之五十”即为时速超过一百八十公里。

5. 第五项规定的道路交通安全违法行为是“强迫机动车驾驶人违反道路交通安全法律、法规和机动车安全驾驶要求驾驶机动车，造成交通事故，尚不构成犯罪”。本项对违法行为主体未作明确规定，可以理解为一般主体，包括机动车所有人、管理人、乘车人等。所谓“强迫”，是指行为人以暴力或者以暴力相威胁以及其他强迫手段，强制机动车驾驶人违反道路交通安全法律、法规和机动车安全驾驶要求驾驶机动车。根据本法第二十二条第三款规定，“任何人不得强迫、指使、纵容驾驶人违反道路交通安全法律、法规和机动车安全驾驶要求驾驶机动车”,因此,“强迫”“指使”“纵容”他人违规驾驶机动车三种行为都是本法禁止的违法行为。本条在这里只对其中的“强迫”违法行为作处罚规定,主要是考虑“强迫”行为违背他人意志,性质较为严重,应当给予较重的处罚。如果行为人有“指使”“纵容”行为,但没有实施强迫行为,即机动车驾驶人在自己意志并未受强迫的情况下违反道路交通安全法律、法规和机动车安全驾驶要求驾驶机动车的,不构成本项规定的违法行为。这里规定的“机动车驾驶人违反道路交通安全法律、法规和机动车安全驾驶要求驾驶机动车”,是指各种违反道路交通安全的违法行为,其行为的表现形式多种多样,如超载行驶、超限行驶、超速行驶、酒后开车、不按规则避让等。所谓“造成交通事故”,即指车辆造成人身伤亡或者财产损失的事件。根据本项规定,违法行为人的强迫行为、机动车驾驶人的违规驾驶行为、造成交通事故后果三者之间存在直接因果关系:行为人的强迫行为是因,机动车驾驶人违规行驶是果;机动车驾驶人违规驾驶是因,造成交通事故是果。因此,如果行为人实施了“强迫”行为,但机动车驾驶人并没有服从,没有违反道路交通安全法律、法规和机动车安全驾驶要求驾驶机动车,在这种情况下行为人的强迫行为并不构成本项规定的违法行为;或者尽管机动车驾驶人在行为人的强迫下违规驾驶机动车,但并未造成交通事故,也不构成本项规定的交通违法行为。本项规定的“尚不构成犯罪”,与本款第三项规定的“尚不构成犯罪”的含义基本相同,主要是指尚不构成交通肇事犯罪。根据《最高人民法院关于审理交通肇事刑事案件具体应用法律若干问题的解释》,单位主管人员、机动车所有人或者机动车承包人强令他人违章驾驶造成重大交通事故,构成犯罪的,以交通肇事罪定罪处罚。

6. 第六项规定的道路交通安全违法行为是“违反交通管制的规定强行通行,不听劝阻”。本项规定的“交通管制”,是有特定含义的交通管理措施，是指出于抢险救灾、维护社会秩序等紧急情况或者特殊情况的需要，依照法律、法规、规章的规定而对道路交通实行的一种强制性管理措施。“违反交通管制的规定”，是指违反法律、法规、规章等关于交通管制问题的规定，比如违反本法第四十条、人民警察法第十五条、戒严法第十四条、消防法第三十三条等有关法律以及其他法规规章的规定。如果行为人只是违反一般性的限制通行、禁行等限制性交通措施的规定，不属于本项违反交通管制的规定。这里的“强行通行”，是指明知实行了道路交通管制，不准车辆通行，而仍违反规定强行通行；“不听劝阻”是指不服从实行交通管制现场人员的劝告、阻拦。“不听劝阻”是本项违法行为的构成要件，行为人虽然违反交通管制规定强行通行，但听从劝阻，服从管制现场通行指挥的，也不构成本项道路交通安全违法行为，不适用本条处罚。

7. 第七项规定的道路交通安全违法行为是“故意损毁、移动、涂改交通设施，造成危害后果，尚不构成犯罪”。本项规定的“交通设施”，是指道路主管部门为了道路交通的安全、畅通等目的而设置的各种设施的总称，主要包括路灯、警示灯、警示标志、交通信号灯、交通标志、交通标线、道路中间的隔离设施、道路两侧的防护设施等。车辆等交通工具不属于本项规定的交通设施。这里规定的“损毁”，是指行为人实施的行为使交通设施的物质形态受到损坏或者毁灭，如损坏交通信号灯等；“移动”是指行为人实施的行为使交通设施的物理位置发生变动，如挪动安全防护栏等；“涂改”主要是指对交通标志、交通标线等有文字、符号、图线方面内容的交通设施进行涂划、改动，使原有文字、符号、图线等内容、外形或者颜色、功能发生变化。损毁、移动、涂改交通设施是本项违法行为的三种行为表现，即这三种以外的其他行为，比如盗窃、哄抢交通设施行为，不属于本项规定的违法行为，不适用本条处罚。本项规定的“故意”，是指行为人在实施损毁、移动、涂改交通设施的违法行为时，其主观形态是故意的，即明知自己的行为会使交通设施受到损毁、移动、涂改，而希望或者放任这种结果发生。如果行为人因过失或紧急避险而造成交通设施受到损毁、移动、涂改的后果，不构成本项规定的道路交通违法行为。所谓“造成危害后果”，是指行为人损毁、移动、涂改交通设施的行为，造成道路交通事故、交通堵塞、误导机动车行错道路等实际危害后果。造成危害后果是构成本项违法行为的要件，没有造成危害后果的，不构成本项违法行为。所谓“尚不构成犯罪”，是指损毁、移动、涂改交通设施的行为虽然造成危害后果，但我国刑法对其中某一行为没有规定为犯罪，或者刑法对该行为虽规定为犯罪，但属于情节显著轻微危害不大，不认为是犯罪。从我国刑法分则规定来看，对故意损毁、移动、涂改交通设施的行为，可能构成的犯罪主要是构成刑法第一百一十七条规定的破坏交通设施罪和第二百七十五条规定的故意毁坏财物罪。因此，“尚不构成犯罪”主要也是指尚不构成破坏交通设施罪和故意毁坏财物罪。对于构成犯罪的，应当依法追究刑事责任。

8. 第八项规定的道路交通安全违法行为是“非法拦截、扣留机动车辆，不听劝阻，造成交通严重阻塞或者较大财产损失”。本项规定的“非法拦截、扣留机动车辆”，是指行为人无法定职权而擅自拦截、扣留机动车辆的行为。“不听劝阻”，主要是指不听公安机关交通管理部门等有关执法人员的劝阻。对于行为人虽然实施了非法拦截、扣留机动车辆的行为，但能够听从交通管理等有关执法人员的劝阻，对自己的行为及时加以改正的，则不构成本项违法行为。这里规定的“交通严重阻塞”，是指行为人在道路上非法拦截、扣留机动车辆，导致交通阻塞，使道路在较长时间内不能正常通行。“较大财产损失”，主要是指行为人非法拦截、扣留机动车辆的行为使被非法拦截、扣留的车辆不能如期完成预定任务，产生货物腐烂、违约赔偿等较大财产损失后果。造成“交通严重阻塞”和“较大财产损失”的后果，是构成本项违法行为的条件，对于行为人虽然实施了非法拦截、扣留机动车的行为，但没有造成交通严重阻塞或者较大财产损失的后果的，不构成本项规定的违法行为。

二、本款对上述八种道路交通安全违法行为规定了罚款处罚

首先，本款违法行为的处罚机关是公安机关交通管理部门，其他任何机关或部门都无权处罚。

其次，本款违法行为的处罚种类是罚款，数额幅度是人民币二百元以上二千元以下。在此数额幅度内，公安机关交通管理部门应当根据行为人实施的道路交通安全违法行为的情节轻重等，决定具体的罚款数额。

再次，根据本款规定，只要行为人有本款规定的八种违法行为之一，即应当处以二百元以上二千元以下罚款。如果行为人同时实施了本款规定的数种道路交通安全违法行为，应当实行分别处罚，合并执行。

第二款是关于可以并处吊销机动车驾驶证或者可以并处拘留问题的规定。这里规定的“前款第二项、第四项情形”，包括将机动车交由未取得机动车驾驶证或者机动车驾驶证被吊销、暂扣的人驾驶；机动车行驶超过规定时速百分之五十。根据本款规定，对上述两项道路交通安全违法行为，公安机关交通管理部门在依照第一款规定处二百元以上二千元以下罚款的同时，可以并处吊销机动车驾驶证。所谓“可以”并处，是指不一定必须并处，处罚机关可以根据具体行为情节的严重性来决定是否并处吊销机动车驾驶证。应当注意，关于对有本条第一款第三项情形吊销机动车驾驶证的问题，本法第一百零一条另有规定，即对造成交通事故后逃逸的，由公安机关交通管理部门吊销机动车驾驶证，且终生不得重新取得机动车驾驶证。关于并处拘留的问题，根据本款规定，行为人有本条第一款第一项、第三项、第五项、第六项、第七项、第八项

情形之一的，公安机关交通管理部门在依法对其处以本条第一款规定之罚款的同时，可以并处十五日以下拘留，即处罚机关应当视具体情节决定是否要并处十五日以下拘留。

第一百条　驾驶拼装的机动车或者已达到报废标准的机动车上道路行驶的，公安机关交通管理部门应当予以收缴，强制报废。

对驾驶前款所列机动车上道路行驶的驾驶人，处二百元以上二千元以下罚款，并吊销机动车驾驶证。

出售已达到报废标准的机动车的，没收违法所得，处销售金额等额的罚款，对该机动车依照本条第一款的规定处理。

【释义】　本条是关于驾驶非法拼装的机动车或者已达到报废标准的机动车上道路行驶、出售已达到报废标准的机动车的法律责任问题的规定。本条共分三款。

第一款是关于对上道路行驶的拼装的机动车或者已达到报废标准的机动车应当予以收缴并强制报废问题的规定。本款规定的“拼装的机动车”，是指没有制造、组装机动车许可证的企业或个人，擅自非法拼凑、组装的机动车。拼装的机动车既没有整车出厂合格证明或进口机动车的进口凭证，通常也达不到机动车国家安全技术标准，公安机关交通管理部门对该机动车也不予审查登记。“已达报废标准的机动车”，是指按照国家强制报废标准应当报废的机动车。机动车在行驶过程中，安全技术状况会发生变化，达到一定年限或者行驶一定里程后，其安全技术系数会降低，不能保证正常安全行驶，这时就应当报废。因此，本法第十四条规定，国家实行机动车强制报废制度，根据机动车安全技术状况和不同用途，规定不同的报废标准；应当报废的机动车必须及时办理注销登记；达到报废标准的机动车不得上道路行驶。这里规定的“上道路行驶”，是指在本法附则第一百一十九条第一项规定的“道路”上行驶。根据该规定，“道路”是指公路、城市道路和虽在单位管辖范围但允许社会机动车通行的地方,包括广场、公共停车场等用于公众通行的场所。“上道路行驶”是构成本条违法行为的要件,如果拼装的机动车或者已达到报废标准的机动车不上道路行驶,比如,行为人只是爱好收集旧汽车等,不适用本款规定。根据本款规定,对于构成本款违法行为的,公安机关交通管理部门应当收缴拼装的机动车或者已达到报废标准的机动车,并且强制报废。这里规定的“应当予以收缴”,是指公安机关交通管理部门对上道路行驶的拼装的机动车或者已达到报废标准的机动车,一经发现,必须予以收缴。“强制报废”,是指对已达到报废标准的机动车或者拼装的机动车,注销机动车登记或者同时进行解体。本款规定对在道路上行驶的拼装的机动车或者已达到报废标准的机动车应当予以收缴并强制报废,是为了确保在道路上行驶的机动车符合机动车国家安全技术标准,保证机动车安全行驶,保障道路交通安全。

第二款是关于对驾驶拼装的机动车或者已达到报废标准的机动车上道路行驶的违法行为人如何处罚问题的规定。根据本款规定,对该违法行为人,由公安机关交通管理部门处二百元以上二千元以下罚款,并吊销机动车驾驶证。这里规定“并吊销机动车驾驶证”,是指在对违法行为人依法处以罚款的同时,还要并处吊销其机动车驾驶证。如果本条违法行为人属于未取得机动车驾驶证、机动车驾驶证已经被吊销的特殊情况,则在客观上只能单处罚款,但其行为已经构成两个违法行为,在对本条违法行为处以罚款的同时,对其无证驾驶机动车的违法行为,应当依照本法第九十九条的规定再行处罚。

第三款是对出售已达到报废标准的机动车的违法行为如何处罚的规定。这里规定的“出售”,即指有价出让或者销售,主要包括将自己所有、使用和管理或者将通过收购等方式获得的已达到报废标准的机动车进行销售。“出售”行为的主体,既可以是个人,也可以是单位。这里的“没收违法所得”,是指将出售已达到报废标准的机动车的金钱、物质等全部违法所得加以没收。“处销售金额等额的罚款”,是指在没收违法所得的前提下,同时还应当处以罚款,罚款的数额为已达到报废标准的机动车的销售金额。这里规定的“对该机动车依照本条第一款的规定处理”,是指该机动车上道路行驶的,公安机关交通管理部门应当予以收缴,强制报废。应当注意,本款只对出售已达到报废标准的机动车规定了处罚,至于对生产、销售拼装的机动车的处罚问题,本法第一百零三条另有专门规定。

第一百零一条 违反道路交通安全法律、法规的规定,发生重大交通事故,构成犯罪的,依法追究刑事责任,并由公安机关交通管理部门吊销机动车驾驶证。

造成交通事故后逃逸的,由公安机关交通管理部门吊销机动车驾驶证,且终生不得重新取得机动车驾驶证。

【释义】 本条是关于对交通肇事犯罪行为以及造成交通事故后逃逸的行为如何处罚问题的规定。本条共分两款。

第一款是关于对交通肇事犯罪行为如何处罚问题的规定。本款规定的“违反道路交通安全法律、法规的规定”,是指违反国家法律、行政法规、地方性法规关于车辆、驾驶人、道路通行等有关交通安全问题的规定。违反道路交通安全法律、法规的规定是构成犯罪的要件,如果行为人遵守道路交通安全法律、法规的规定,即使发生重大道路交通事故,也不构成犯罪。“发生重大交通事故”,是指车辆在道路上发生重大人身伤亡或者财产损失的事件。国务院《道路交通事故处理办法》第六条规定,根据人身伤亡或者财产损失的程度或者数额,交通事故分为轻微事故、一般事故、重大事故和特大事故四类。重大事故的标准一般是死亡一人以上或者重伤三人以上或者造成公共财产或者他人财产重大损失。从法律因果关系上讲,这里的“发生重大交通事故”应当与“违反道路交通安全法律、法规的规定”有直接因果关系,如果两者之间确实不存在因果关系的，则不构成犯罪。这里规定的“构成犯罪”，主要是指构成刑法规定的交通肇事罪。根据刑法第一百三十三条规定，交通肇事罪是指违反交通运输管理法规，因而发生了重大事故，致人重伤、死亡或者使公私财产遭受重大损失的行为。“依法追究刑事责任”，主要也是指依照刑法第一百三十三条规定的刑罚追究刑事责任，对构成交通肇事罪的，处三年以上有期徒刑或者拘役；交通运输肇事后逃逸或者有其他特别恶劣情节的，处三年以上七年以下有期徒刑；因逃逸致人死亡的，处七年以上有期徒刑。“并由公安机关交通管理部门吊销机动车驾驶证”，是指对构成交通肇事犯罪的，在司法机关依法追究刑事责任的同时，公安机关交通管理部门还应当吊销其机动车驾驶证。

第二款是关于对造成交通事故后逃逸的人取消其机动车驾驶资格问题的规定。本款规定的“造成交通事故后逃逸”，是指造成的人身伤亡或者财产损失的交通事故发生后，行为人逃离事故现场，逃避责任追究的行为。这里用“造成交通事故”而不是用“发生交通事故”，体现了逃逸行为人对交通事故负有过错责任或者有道路交通安全违法行为，在实践中，没有过错责任或者没有违法行为的人也没有必要逃逸。造成交通事故的行为既包括构成犯罪的情形，也包括尚不构成犯罪的情形，只要行为人造成交通事故后逃逸，无论该行为是否构成犯罪，公安机关交通管理部门都应当吊销其机动车驾驶证，而且该行为人终生不得重新取得机动车驾驶证。所谓“终生不得重新取得机动车驾驶证”，是指公安机关交通管理部门对造成交通事故后逃逸的人，在吊销其机动车驾驶证后，终生不再发给其机动车驾驶证，实际上终生剥夺了其驾驶机动车的资格。本款之所以作这样严厉规定，主要是造成交通事故后逃逸的行为，性质极为恶劣，反映出行为人不具备作为机动车驾驶人最基本的道德品质，有必要终生剥夺其驾驶机动车的资格；同时，也有利于防止和减少造成交通事故后逃逸现象。应当注意，对造成交通事故后逃逸的人,在依照本款规定吊销其机动车驾驶证并且终生剥夺其驾驶机动车资格的同时,不影响对其依法追究刑事责任或者给予其他行政处罚:构成交通肇事罪的,由司法机关依法追究刑事责任;尚不构成犯罪的,依照本法第九十九条的规定处罚,由公安机关交通管理部门处二百元以上二千元以下罚款,可以并处十五日以下拘留。

第一百零二条　对六个月内发生二次以上特大交通事故负有主要责任或者全部责任的专业运输单位,由公安机关交通管理部门责令消除安全隐患,未消除安全隐患的机动车,禁止上道路行驶。

【释义】　本条是关于对六个月内发生二次以上特大道路交通事故负主要责任或者全部责任的专业运输单位应当如何处理问题的规定。

本条规定的"专业运输单位",主要是指依照有关法律、法规、规章的规定,取得道路运输管理部门批准的专门从事道路客运、货运等运输业务的单位。这里规定的"六个月内",是指二次或者几次特大交通事故发生的最长间隔时间,以天计算,少于或等于六个月的,属于六个月内,超过六个月的,不属于这里规定的情形。"二次以上",包括二次本数在内,可以是二次,也可以是多次。所谓"特大交通事故",是国务院《道路交通事故处理办法》规定的四类交通事故中最为严重的交通事故,一般是指一次造成死亡3人以上、重伤11人以上,或者死亡1人、同时重伤8人以上,或者死亡2人、同时重伤5人以上,或者公私财产遭受特别重大损失的道路交通事故。本条规定的"六个月内发生二次以上特大道路交通事故"包括但不限于同一机动车辆所为,实践中也往往不会是同一辆机动车所为。所谓"主要责任",是指特大交通事故主要是由于该交通运输单位车辆的原因造成的,事故的对方虽也有责任,但属于次要责任。“全部责任”，是指己方负100%责任，对方没有任何责任。这里规定“负有主要责任或者全部责任”作限制，是考虑现实中有些专业运输单位，虽然在六个月内发生二次以上特大交通事故，但对事故不负有任何责任，或者只负次要责任，应当区别对待，不宜都规定按本条处罚。所谓“责令消除安全隐患”，这里是指公安机关交通管理部门依法责令有关专业运输单位立即采取各种有效措施，查明事故原因，加强管理，改善车况，及时消除本单位车辆和驾驶人的交通安全隐患。“未消除隐患的机动车，禁止上道路行驶”，主要是指对专业运输单位中车况不符合机动车国家安全技术标准的，禁止上道路行驶。从这一规定可以看出，公安机关交通管理部门不得以要求专业运输单位消除安全隐患为由，责令其全面停运。专业运输单位的车辆一般较多，责令其全面停业既没有必要，也会给专业运输单位造成重大经济损失，因此对于专业运输单位中已查明不存在安全隐患或者已经消除安全隐患的机动车，还是应当允许上道路营运。

第一百零三条　国家机动车产品主管部门未按照机动车国家安全技术标准严格审查，许可不合格机动车型投入生产的，对负有责任的主管人员和其他直接责任人员给予降级或者撤职的行政处分。

机动车生产企业经国家机动车产品主管部门许可生产的机动车型，不执行机动车国家安全技术标准或者不严格进行机动车成品质量检验，致使质量不合格的机动车出厂销售的，由质量技术监督部门依照《中华人民共和国产品质量法》的有关规定给予处罚。

擅自生产、销售未经国家机动车产品主管部门许可生产的机动车型的，没收非法生产、销售的机动车成品及配件，可以并处非法产品价值三倍以上五倍以下罚款；有营业执照的，由工商行政管理部门吊销营业执照，没有营业执照的，予以查封。

生产、销售拼装的机动车或者生产、销售擅自改装的机动车的，依照本条第三款的规定处罚。

有本条第二款、第三款、第四款所列违法行为，生产或者销售不符合机动车国家安全技术标准的机动车，构成犯罪的，依法追究刑事责任。

【释义】 本条是关于对国家机动车产品主管部门不严格履行审查职责，机动车生产企业出厂销售质量不合格机动车产品，有关企业或者个人擅自生产、销售未经国家机动车产品主管部门允许生产的机动车型，生产、销售拼装或者擅自改装的机动车等四种行为如何追究法律责任问题的规定。本条共分五款。

第一款是关于对国家机动车产品主管部门未按照机动车国家安全技术标准严格审查，许可不合格机动车型投入生产的行为，给予行政处分问题的规定。本款规定的“国家机动车产品主管部门”，是指按照国务院划定的部门职能分工，负有国家机动车产品的项目审批、机动车车型许可证的发放等职责的主管部门。这里规定的“机动车国家安全技术标准”，是我国对机动车安全技术实行的专门标准，具体含义与本法第十条规定的机动车国家安全技术标准相同。“未按照机动车国家安全技术标准严格审查”，是指国家机动车产品主管部门对机动车生产企业报请许可生产的机动车型，在技术项目或者审查程序上没有严格按照机动车国家安全技术标准规定的要求进行审查，从而许可不合格的机动车型投入生产。未严格审查行为的主观形态包括故意和过失两种，无论是故意还是过失，都属于“未按照机动车国家安全技术标准严格审查”。这里规定的“许可不合格机动车型投入生产”，是指对不符合机动车国家安全技术标准的机动车型，许可其投入生产。应当注意，本款规定的“未按照机动车国家安全技术标准严格审查”与“许可不合格机动车型投入生产”是有因果关系的，如果上述主管部门有关人员虽未按照规定经严格审查即发放生产许可证，但许可生产的机动车型在客观上是合格的,不适用本款追究法律责任。根据本款规定,有上述不严格审查之失职行为的,对负有责任的主管人员和其他直接责任人员给予降级或者撤职的行政处分。这里规定的"负有责任的主管人员",是指对不严格审查负有直接责任的有关负责人;"其他直接责任人员",是指对不严格审查负有直接责任的具体经办人员。"行政处分",这里是指对国家公务员违纪行为所给予的一种处分。根据《国家公务员暂行条例》规定,对公务员违纪行为的行政处分有六种:警告、记过、记大过、降级、撤职、开除。这里规定的"降级"和"撤职"都属于行政处分的种类。

第二款是关于对机动车生产企业出厂销售质量不合格机动车如何处罚问题的规定。本款规定的"机动车生产企业",是指有生产机动车合法资格的企业。在我国设立机动车生产企业,要经国家机动车产品主管部门批准,并在工商行政管理部门依法登记、取得营业执照,而且该营业执照的经营范围里必须有"生产机动车"的项目。本款违法行为的主体是特定主体,即机动车生产企业,非机动车生产企业不可能取得经国家机动车产品主管部门关于生产机动车型的许可。"经国家机动车产品主管部门许可生产的机动车型",是指机动车生产企业上报的、经国家机动车产品主管部门审查后认为符合机动车国家安全技术标准并发放生产许可证的车型。"不执行机动车国家安全技术标准",是指机动车生产企业对已经国家机动车产品主管部门许可生产的机动车型,在生产过程中对有关技术标准予以改变,使产品可能达不到原来报请许可的机动车国家安全技术标准。"不严格进行机动车成品质量检验",是指机动车生产企业在生产机动车时虽然执行机动车国家安全技术标准,但在生产过程中对产品质量不严格检验,实际上可能还是达不到机动车国家安全技术标准。"致使质量不合格的机动车出厂销售"是本款违法行为的重要构成要件,这句话有三层意思:(1)这里规定的"致使",表示质量不合格机动车出厂销售的原因,是机动车生产企业不执行机动车国家安全技术标准或者不严格进行成品质量检验。(2)机动车质量不合格是构成本款违法行为的主要标准。这里规定的“质量不合格的机动车”,是指机动车产品质量不符合机动车国家安全技术标准。(3)“出厂销售”也是构成本款违法行为的重要界限,如果质量不合格的机动车产品没有出厂销售,则不能认定为构成本款规定的违法行为。本款规定的“由质量技术监督部门依照《中华人民共和国产品质量法》的有关规定给予处罚”有以下两层意思:(1)对本款规定的违法行为,只能由质量技术监督部门处罚,其他部门无权处罚。这样规定,主要是检验机动车产品是否符合机动车国家安全技术标准涉及比较专业的技术问题,需要较强的专业技术知识和经验,往往只有质量技术监督部门才具备此项执法的专业人员及设备条件。(2)依照产品质量法的有关规定给予处罚。主要是依照产品质量法第四十九条、第五十条的规定予以处罚。根据该法第四十九条规定,生产、销售不符合保障人体健康和人身、财产安全的国家标准、行业标准的产品的,责令停止生产、销售,没收违法生产、销售的产品,并处违法生产、销售产品(包括已售出和未售出的产品)货值金额等值以上三倍以下的罚款;有违法所得的,并处没收违法所得;情节严重的,吊销营业执照。根据该法第五十条规定,以不合格产品冒充合格产品的,责令停止生产、销售,没收违法生产、销售的产品,并处违法生产、销售产品货值金额百分之五十以上三倍以下的罚款;有违法所得的,并处没收违法所得;情节严重的,吊销营业执照。至于对本款行为构成犯罪的追究刑事责任问题,本条第五款另有专门规定。

第三款是关于对擅自生产、销售未经国家机动车产品主管部门许可生产的机动车型的违法行为如何处罚问题的规定。本款未明确规定违法行为的主体,其主体应当属于非特定主体,既包括有机动车生产、销售营业执照的企业,也包括未取得机动车生产、销售营业执照的企业或者个人。本款规定的“擅自生产、销售未经国家机动车产品主管部门许可生产的机动车型”,是指某种机动车型没有取得国家机动车产品主管部门发放的生产许可证,而有关单位或者个人擅自进行生产、销售。只要擅自生产、销售未经国家许可的机动车型,不论该机动车型产品是否符合机动车国家安全技术标准,即可构成本款规定的违法行为。关于本款规定的处罚,可以分为以下三个层次:(1)无论擅自生产、销售者是否有营业执照,只要有本款规定的违法行为,就应当没收非法生产、销售的机动车成品及配件,还可以并处非法产品价值三倍以上五倍以下罚款。这里规定的“非法产品价值”,是指非法生产、销售未经许可的机动车型的成品及配件的价值,包括已售出的和未售出的机动车产品的价值。(2)有营业执照的,由工商行政管理部门吊销营业执照。这里规定的“有营业执照”,是指擅自生产、销售者是一家依法登记成立的企业,具有工商行政管理部门发放的企业营业执照,主要包括有生产、销售机动车经营项目的营业执照,也包括有其他依法取得的营业执照。这里的“吊销营业执照”,是指工商行政管理机关对有营业执照、但擅自生产、销售未经主管部门许可生产的机动车型的机动车生产企业,给予吊销营业执照的行政处罚。营业执照吊销后,该企业在法律上便不复存在。(3)没有营业执照的,予以查封。这里规定的“没有营业执照”,是指既没有依法取得的生产、销售机动车经营项目的营业执照,也没有其他营业执照。“予以查封”,这里是指对无营业执照而生产、销售上述未经许可生产的机动车型的,采取关闭生产销售场所、没收设备或者非法产品及配件等措施予以查封。

第四款是对生产、销售拼装或者擅自改装的机动车的行为如何处罚问题的规定。实际上,这两种行为可以认为属于本条第三款规定的擅自生产、销售未经国家机动车产品主管部门许可的机动车型的违法行为,所以本款规定依照第三款处罚。

第五款是关于对生产或者销售不符合机动车国家安全技术标准的机动车，构成犯罪的，如何追究刑事责任问题的规定。本款规定的"有本条第二款、第三款、第四款所列违法行为"，是指有本条第二款规定的"机动车生产企业经国家机动车产品主管部门许可生产的机动车型，不执行机动车国家安全技术标准或者不严格进行机动车成品质量检验，致使质量不合格的机动车出厂销售"的行为；有第三款规定的"擅自生产、销售未经国家机动车产品主管部门许可生产的机动车型"的行为；有第四款规定的"生产、销售拼装的机动车或者生产、销售擅自改装的机动车"的行为。这里规定的"生产或者销售不符合机动车国家安全技术标准的机动车"，是上述三种违法行为构成犯罪的一个主要标准。这里"构成犯罪的"，主要是指构成刑法第一百四十六条规定的生产、销售不符合安全标准的产品罪，构成该罪的主要标准是"对人体健康造成严重危害"，即生产或者销售的机动车因不符合机动车国家安全技术标准而造成人员伤亡的交通事故；此外，也可能构成刑法第一百四十条规定的生产、销售伪劣商品罪，该罪的构成不要求有造成人员伤亡的交通事故发生，只要生产、销售的机动车不符合机动车国家安全标准即可能构成犯罪。这里规定的"依法追究刑事责任"，是指依照刑法规定的罪名和刑罚，依照刑事诉讼法规定的程序，追究刑事责任。

第一百零四条　未经批准，擅自挖掘道路、占用道路施工或者从事其他影响道路交通安全活动的，由道路主管部门责令停止违法行为，并恢复原状，可以依法给予罚款；致使通行的人员、车辆及其他财产遭受损失的，依法承担赔偿责任。

有前款行为，影响道路交通安全活动的，公安机关交通管理部门可以责令停止违法行为，迅速恢复交通。

【释义】　本条是关于擅自从事影响道路交通安全活动的行

为和处罚以及如何迅速恢复交通问题的规定。本条共分两款。

第一款是关于道路主管部门对擅自从事影响道路交通安全的活动进行处罚问题的规定。本款规定的“未经批准”，是指未按照有关法律、法规的规定，经有关道路主管部门、有关公安机关的批准。根据公路法以及有关城市道路管理法规规定，进行挖掘、占用公路、城市道路等活动，应当事先征得交通主管部门、城市建设主管部门等道路主管部门的同意或者批准，任何单位和个人不得擅自占用、挖掘公路、城市道路；影响交通安全的，建设单位还须征得有关公安机关同意。所谓“擅自”，未经有关部门批准，即属于擅自。这里挖掘、占用的“道路”，与本法第一百一十九条规定的范围相同，即指公路、城市道路和虽在单位管辖范围但允许社会机动车通行的地方，包括广场、公共停车场等用于公众通行的场所，但本款规定主要是指公路、城市道路。所谓“从事其他影响道路交通安全活动”，是指从事挖掘道路、占用道路施工以外的其他影响道路交通安全的活动。这里规定“道路主管部门”，是指根据法律、法规规定主管有关道路工作的部门，主要有主管公路的交通主管部门、主管城市道路的城市建设部门等，这些主管部门是本款违法行为的处罚机关。这里所谓的“责令停止违法行为”，是指道路主管部门责令违法行为人立即停止其影响道路交通安全的活动。“恢复原状”，是指道路主管部门责令违法行为人采取有效措施，排除对道路交通安全的影响，至少恢复到原来状态，如修复已经挖掘的道路、清除在道路上堆放的施工材料等。“可以依法给予罚款”包含三点意思：(1)处罚种类只有罚款，不能给予罚款以外的其他处罚；(2)罚款的数额应当依照有关法律、法规规定；(3)可以给予罚款处罚，也可以不处罚，是否处罚由处罚机关根据实际情况决定。这里规定的“致使通行的人员、车辆及其他财产遭受损失”，是指本款违法行为给通行的人员、车辆造成人身伤害或者财产损失。其中“致使”表示违法行为与造成的损失存在直接的因果关系，如果两者之间没有直接因果关系的，不属于“致使”情形，不承担赔偿责任。“依法承担赔偿责任”，是指依照民事法律规定，在经济上对通行人员、车辆及其他财产遭受的损失承担民事赔偿责任。至于具体赔偿数额，应当依照有关民事法律规定确定；承担赔偿责任的程序，通过当事人协商或者民事诉讼解决。

第二款是关于公安机关交通管理部门可以采取措施迅速恢复交通问题的规定。这里规定的“有前款行为”，即指有擅自挖掘道路、占用道路施工或者从事其他影响道路交通安全活动。根据本款规定，对第一款违法行为，除道路主管部门有权依照该款规定给予处罚外，公安机关交通管理部门也有权责令行为人停止违法行为，迅速恢复交通。从本条规定看，公安机关交通管理部门无权对本条违法行为给予罚款处罚。当然，如果构成本法第九十九条第（七）项规定的违法行为的，则公安机关交通管理部门有权依法作出处罚。

第一百零五条　道路施工作业或者道路出现损毁，未及时设置警示标志、未采取防护措施，或者应当设置交通信号灯、交通标志、交通标线而没有设置或者应当及时变更交通信号灯、交通标志、交通标线而没有及时变更，致使通行的人员、车辆及其他财产遭受损失的，负有相关职责的单位应当依法承担赔偿责任。

【释义】　本条是关于负有道路施工、养护或者交通信号设置等相关职责的单位对因其职务不作为行为引起的损失，应当依法承担赔偿责任的规定。

不履行或者不及时履行职责的行为，在法律上称为“职务不作为”。在道路交通工作中，在道路施工、养护以及交通信号的设置等方面负有相关职责的单位，不履行或者不及时履行职责的现象会使人民群众的生命财产安全遭受很大危害。为了强化这些单位的工作责任感，促进他们认真履行职责，保护人民生命财产安全，维护公民和组织的合法权益，本条对负有相关职责单位的职务不作为行为所引起的损失规定了赔偿责任。

根据本条规定，对道路施工、养护以及交通信号的设置等负有相关职责单位的职务不作为行为有以下四种情形：(1)在道路施工作业时，未及时设置警示标志、未采取防护措施。这里规定的“道路施工作业”，是指负有道路施工职责的单位在道路上所进行的各种施工作业，如修整路面等。对于不负有道路施工职责的单位或者个人，未经批准而擅自从事挖掘道路等影响道路交通安全的活动，致使通行的人员、车辆及其他财产造成损失的，依照本法第一百零四条的规定，除依法承担赔偿责任外，还应当责令其停止违法行为并恢复原状，可以依法给予罚款。“未及时设置警示标志”，是指道路施工单位在道路施工作业时，未及时设置标明“正在施工”“限速通行”“禁止通行”等警示通行人员和车辆注意的各种标志。所谓“未及时”，这里是相对于遭受损失的人员和车辆而言的，是指在这些人员和车辆通行之时，还没有设置警示标志。“未采取防护措施”，是指在道路施工作业中，未采取围挡、隔离等交通安全防护措施。(2)道路出现损毁，未及时设置警示标志、未采取防护措施。这里规定的“道路出现损毁”，是指道路出现坍塌、坑漕、水毁、隆起、井盖灭失等影响安全通行的情形。这里所谓的“未及时”，应当与道路施工作业中的“未及时”有所不同，相关职责单位对道路出现损毁的情况需要一个知悉信息的时间，因此这里的“未及时”应当理解为相关职责单位知悉或者应当知悉道路出现损毁而未及时履行职责。(3)应当设置交通信号灯、交通标志、交通标线而没有设置。这是指对投入通行使用的道路，按照有关规定应当设置交通信号灯、交通标志、交通标线而没有设置，包括没有及时设置。关于“交通信号灯”“交通标志”“交通标线”的概念，本书对本法第二十五条已有释义。(4)应当及时变更交通信号灯、交通标志、交通标线而没有及时变更。这里规定的“应当及时变更”,是指已经设置交通信号灯、交通标志、交通标线的道路,如果出现原设置有误、道路及通行情况发生变化等情形,应当按照有关规定,对交通信号灯、交通标志、交通标线进行及时变更。本条规定的“致使通行的人员、车辆及其他财产遭受损失”,是指因负有道路相关职责的单位有上述四种职务不作为行为,致使通行人员和通行车辆遭受人身伤亡和财产损失。这里的“致使”,表明通行的人员和车辆遭受的损失与上述四种职务不作为行为之间存在因果关系,如果两者之间不存在因果关系,通行的人员、车辆及其他财产遭受损失完全是由于本人通行或者驾驶不慎引起,或者由于其他不可抗力因素引起,不属于本条规定的应当依法承担赔偿责任的范围。本条规定的“负有相关职责的单位”,是指依照法律、法规、规章规定以及各级政府确定的具体职能分工,对道路施工、养护、修复、设置交通信号等交通设施等工作负有其中一项或几项职责的单位。本条规定的“应当依法承担赔偿责任”,是指应当依照有关法律、法规的规定,对通行的人员、车辆所遭受的损失给予赔偿。这里所谓的“依法”,包括依照实体法和程序法两个方面:在实体上,对通行的人员、车辆及其他财产所遭受的损失即具体的赔偿责任,主要依据有关实体法规定的标准来计算确定;在程序上,可以通过协商解决,协商不成时可以向人民法院起诉。

第一百零六条　在道路两侧及隔离带上种植树木、其他植物或者设置广告牌、管线等,遮挡路灯、交通信号灯、交通标志,妨碍安全视距的,由公安机关交通管理部门责令行为人排除妨碍;拒不执行的,处二百元以上二千元以下罚款,并强制排除妨碍,所需费用由行为人负担。

【释义】　本条是关于遮挡路灯、交通信号灯、交通标志或者妨碍安全视距的违法行为及其处罚问题的规定。

本法第二十八条第二款规定:“道路两侧及隔离带上种植的树木或者其他植物,设置的广告牌、管线等,应当与交通设施保持必要的距离,不得遮挡路灯、交通信号灯、交通标志,不得妨碍安全视距,不得影响通行。”为了保证上述禁止性规定能贯彻实施,本条规定了相应的法律责任。本条规定的“在道路两侧及隔离带上种植树木、其他植物或者设置广告牌、管线等”,是本条违法行为的具体方式。这里的“道路两侧”,包括道路路基以内的两侧和路基以外的两侧;“隔离带”,包括道路中心隔离带和道路两边机动车与非机动车隔离带。这里规定的“遮挡路灯、交通信号灯、交通标志”,是上述行为对道路交通安全造成的一种不良影响状态,包括全部或者局部遮挡路灯、交通信号灯、交通标志。所谓“妨碍安全视距”,也是上述行为对道路交通安全造成的一种不良影响状态,是指车辆及行人安全通行的视线距离受到妨碍和影响。“安全视距”不是一个固定不变的距离,不同的道路通行主体具有不同的安全视距,不同的通行速度也有不同的安全视距。本条规定的“安全视距”,是指某一道路上各种通行主体不同安全视距中最长的安全视距,具体距离应当根据有关规定确定。根据本条规定,行为人有上述种植树木、设置广告牌等行为,不论是擅自进行还是经有关部门批准进行,只要有“遮挡路灯、交通信号灯、交通标志”或者“妨碍安全视距”的不良影响状态之一,即构成本条违法行为;没有这两种不良影响状态之一的,则不构成本条违法行为。应当注意,擅自在道路两侧及隔离带上种植树木、设置广告牌等行为,除可能构成本条违法行为外,还可能构成其他有关法律、法规规定的违法行为。关于法律责任,本条规定以下两点:(1)由公安机关交通管理部门责令行为人排除妨碍。这是指对于本条规定的违法行为,公安机关交通管理部门首先应当责令行为人按照限定的时间和要求,自动采取砍伐、拆除等改正措施,使上述树木、广告牌等不再遮挡路灯、交通信号灯、交通标志或者妨碍安全视距。当然，排除妨碍的费用由行为人自行承担。(2)拒不执行的，处二百元以上二千元以下罚款，并强制排除妨碍，所需费用由行为人承担。这里的“拒不执行”，是指行为人对公安机关交通管理部门排除妨碍的责令拒不服从，不自动排除妨碍、不按要求排除妨碍或者无正当理由不在限定的时间内排除妨碍。实施“二百元以上二千元以下罚款”的处罚机关是公安机关交通管理部门，“强制排除妨碍”也由公安机关交通管理部门组织实施。“所需费用由行为人负担”，是指公安机关交通管理部门因组织实施强制排除妨碍所支付的各项人力、物力费用，由违法行为人承担。

第一百零七条　对道路交通违法行为人予以警告、二百元以下罚款，交通警察可以当场作出行政处罚决定，并出具行政处罚决定书。

行政处罚决定书应当载明当事人的违法事实、行政处罚的依据、处罚内容、时间、地点以及处罚机关名称，并由执法人员签名或者盖章。

【释义】　本条是关于道路交通安全违法行为当场处罚程序及处罚决定书应当载明事项的问题的规定。本条共分两款。

第一款是关于当场处罚程序的适用范围及决定程序问题的规定。当场处罚程序属于行政处罚简易程序，依照行政处罚法第三十三条的规定，一般只适用于对公民处以五十元以下、对法人或者其他组织处以一千元以下罚款或者警告的行政处罚。考虑到道路交通管理工作面临车流量大、行人流动性强、道路交通违法行为又比较多等特点，本款规定当场处罚程序的适用范围为警告、二百元以下罚款，提高了当场处罚的罚款数额。这一规定属于专门法规定，按照特别法的效力优于一般法的原则，因此对道路交通违法行为人当场处罚的适用范围，应当依照本款规定，不适用行政处罚法第三十三条。本款所谓的“道路交通违法行为人”，是指违反道路交通安全法规，应当受到行政处罚的行为人。本款规定的“交通警察可以当场作出行政处罚决定”，主要是指当场处罚的主体是交通警察，对违反道路交通安全的违法行为，交通警察可以单独作出当场处罚决定。“并出具行政处罚决定书”，是指交通警察依法对道路交通安全违法行为人作出当场处罚决定的，应当填写有预定格式、编有号码的行政处罚决定书，并将该行政处罚决定书当场交付被处罚当事人。需要注意，本款对当场处罚的有关程序未作规定的事项，如违法事实应当确凿并有法定依据、执法人员应当向当事人出示执法身份证件等，应当依照行政处罚法的相关规定执行；本款规定的只是当场处罚的有关决定程序，至于当事人对该当场处罚决定如何履行，应当适用本法第一百零八条和行政处罚法第三十三条、第四十六条、第四十七条、第四十八条规定。此外，对于本款规定可以当场处罚以外的其他行政处罚，依照行政处罚法规定的一般程序进行处罚。

第二款是关于行政处罚决定书应当载明事项的规定。这里规定的“应当载明”，是指行政处罚决定书必须具备的或者说是不可缺少的事项，当然在应当载明事项以外还可以增加其他事项。这里所谓的“当事人”，是指行政处罚的相对人，与道路交通安全违法行为人、被处罚人都属同一范畴。所谓“违法事实”，这里是指当事人违反道路交通安全法律法规的具体行为事实，主要包括违法行为的行为种类、违法性质以及时间地点等要素。“行政处罚的依据”，是指作出行政处罚的法律、法规方面的依据，即行政处罚决定所依据的是哪个法律、法规以及哪个条款。“处罚内容”，即给予什么样的具体处罚，包括处罚的种类、罚款的具体数额等。“时间、地点”，是指制作行政处罚决定书的时间、地点。对于当场处罚决定书，其制作时间应当与违法行为发生的时间、地点基本一致。“处罚机关名称”，是指作出行政处罚机关的单位名称。“并由执法人员签名或者盖章”，是指作出处罚决定的执法人员必须在行政处罚决定书上由本人签写姓名或者加盖本人姓名印章。

第一百零八条　当事人应当自收到罚款的行政处罚决定书之日起十五日内，到指定的银行缴纳罚款。

对行人、乘车人和非机动车驾驶人的罚款，当事人无异议的，可以当场予以收缴罚款。

罚款应当开具省、自治区、直辖市财政部门统一制发的罚款收据；不出具财政部门统一制发的罚款收据的，当事人有权拒绝缴纳罚款。

【释义】　本条是关于罚款行政处罚如何执行问题的规定。本条共分三款。

第一款是关于当事人如何缴纳罚款及缴纳罚款的期限问题的规定。本款规定有以下两方面内容：(1)关于缴纳罚款的期限，规定为自收到罚款的行政处罚决定书之日起十五日内。这里规定的"罚款"，是指罚款处罚，包括通过一般程序决定的罚款和简易程序决定的罚款，可以当场予以收缴的罚款除外。所谓"收到罚款的行政处罚决定书"，是指处罚机关将罚款的行政处罚决定书送达当事人。证明当事人收到行政处罚决定书的主要依据，通常是当事人在该处罚决定书上的签字，处罚决定书在当场交付、当面送达或者挂号邮件送达时，都应当有当事人签收。对于当事人拒绝签收的情形，可以按照有关规定视为当事人已经收到。对于违章停车，处罚机关在违章车辆上张贴处罚决定书的，视为送达。所谓"自收到罚款的行政处罚决定书之日起十五日内"，是指从当事人收到罚款的行政处罚决定书之日的第二日开始计算十五日内。(2)关于缴纳罚款的程序，依照规定是当事人到指定的银行缴纳。所谓"指定的银行"，是指罚款的行政处罚决定书标明的办理代收罚款业务的银行。

第二款是关于在特定情形下可以当场予以收缴罚款问题的规

定。根据本款规定,对当事人可以当场予以收缴罚款必须具备以下两个条件:(1)当事人是行人、乘车人和非机动车驾驶人。对机动车驾驶人的罚款处罚,除法律另有规定外,不得当场收缴。(2)当事人无异议。这是指当事人对罚款的行政处罚没有异议,同意当场缴纳罚款。应当注意的是,根据本法第八十九条的规定,对行人、乘车人和非机动车驾驶人的罚款是五元以上五十元以下,因此本款规定的可以当场予以收缴的罚款额也是五元以上五十元以下,虽然与行政处罚法规定的当场收缴罚款的最高额二十元以下不一致,但本法属于特别法,根据特别法的效力优于一般法的原则,应当适用本法规定。

第三款是关于开具罚款收据问题的规定。本款规定与行政处罚法第四十九条的规定相同,主要是为了防止不开或者乱开票据从而导致罚款不入账或不上缴国库,防止滥罚款以及截留、挪用、贪污罚款,促进廉政建设,改善执法队伍的形象。本款规定有以下两方面内容:(1)罚款应当开具省、自治区、直辖市财政部门统一制发的罚款收据。包括两层含义:第一,罚款必须开具罚款收据,不得不开具罚款收据;第二,罚款收据必须是省、自治区、直辖市财政部门统一制发,不得使用擅自印制的非法定罚款收据。这里所谓的"统一制发",是指罚款收据由省、自治区、直辖市财政部门统一制作和发放。(2)不出具财政部门统一制发的罚款收据的,当事人有权拒绝缴纳罚款。这一规定也有两层含义:第一,不出具罚款收据的,当事人有权拒绝缴纳罚款。这里所谓的"当事人有权拒绝缴纳罚款",是指当事人拒绝缴纳罚款的行为属于行使法律规定的合法权利,对该行为后果不负任何法律责任。第二,出具的罚款收据不是省、自治区、直辖市财政部门统一制发的,当事人也有权拒绝缴纳罚款。

第一百零九条　当事人逾期不履行行政处罚决定的，作出行政处罚决定的行政机关可以采取下列措施：

（一）到期不缴纳罚款的，每日按罚款数额的百分之三加处罚款；

（二）申请人民法院强制执行。

【释义】　本条是关于如何处理当事人逾期不履行行政处罚决定的问题的规定。行政处罚过程通常分为两个环节：一是行政处罚的决定；二是行政处罚的执行，行政处罚决定只有得到实际执行才能最终完成行政处罚的行为。如果依法作出的行政处罚决定不能实际执行，不仅达不到行政处罚的目的，反而会损害行政处罚决定的严肃性，削弱处罚机关的法定权威。在现实生活中，行政处罚决定的执行有两种情况，主要是依靠当事人自觉履行行政处罚决定；对于当事人不自觉履行的才采取加罚或者强制执行措施。这些执行措施既是保证当事人自觉履行行政处罚决定的有效措施，也是保证行政处罚决定能够最终执行的有力措施，因此本条对当事人逾期不履行行政处罚决定的，明确规定了两种执行措施。

本条规定的"逾期不履行行政处罚决定"，是指当事人在规定或者限定的时间内无正当理由没有按照要求履行行政处罚决定。根据本条规定，对当事人逾期不履行行政处罚决定的，作出行政处罚决定的行政机关可以采取下列两种措施：(1)加罚。即当事人到期不缴纳罚款的，每日按罚款数额的百分之三加处罚款，原罚款仍应执行。(2)申请人民法院强制执行。这里规定的"申请人民法院强制执行"，是指作出行政处罚决定的行政机关没有法定强制执行权的，不能自行强制执行，而是向人民法院提出强制执行申请，由人民法院依法强制执行。根据我国现行法律、法规的规定，只有公安、海关、税务等少数行政机关在某些法定情况下有强制执行权。不过，根据本法规定行政处罚种类，这里需要申请人民法院强制执行主要是指申请人民法院强制执行罚款以及其他具有执行内容并已发生法律效力的行政处罚决定，因为警告处罚一般不存在强制执行的问题，而处罚机关对暂扣或者吊销机动车驾驶证、拘留的行政处罚都有强制执行权。行政机关申请人民法院强制执行，应当向人民法院提交申请执行书、据以执行的行政处罚决定书以及其他应当提交的材料。在申请执行书中，应写明当事人逾期不履行行政处罚决定的事实根据和要求强制执行的有关法律依据、执行对象和执行标的等，以便人民法院进行司法审查和强制执行。

第一百一十条 执行职务的交通警察认为应当对道路交通违法行为人给予暂扣或者吊销机动车驾驶证处罚的，可以先予扣留机动车驾驶证，并在二十四小时内将案件移交公安机关交通管理部门处理。

道路交通违法行为人应当在十五日内到公安机关交通管理部门接受处理。无正当理由逾期未接受处理的，吊销机动车驾驶证。

公安机关交通管理部门暂扣或者吊销机动车驾驶证的，应当出具行政处罚决定书。

【释义】 本条是关于对道路交通违法行为人给予暂扣或者吊销机动车驾驶证的处罚程序的规定。

暂扣或者吊销机动车驾驶证，是对严重违反道路交通安全法规的行为的行政处罚措施，它是以在一定时间内剥夺行为人驾驶资格的方法，对违法行为人实施的惩戒和教育，是道路交通违法行为的处罚种类里较为严厉的一种处罚。

原《中华人民共和国道路交通管理条例》及有关规定，虽然明确规定对某些行为人可以吊扣其机动车驾驶证，但吊扣的程序却规定得较为笼统。实践中，公安机关在进行该类处罚时，执行主体、工作程序、期限及具体要求等掌握得各不相同，执法较为随意和混乱。针对这种情况，为提高交通管理整体执法水平，促进依法行政，保护管理相对人的合法权益，1999 年 12 月公安部发布了《交通违章处理程序规定》，其中对暂扣和吊销驾驶证的处罚作了进一步具体的规定，实施以来取得了一定成效。本条在总结实践经验的基础上，对暂扣或者吊销驾驶证处罚的操作程序从不同角度作了规定。本条共分三款。

第一款是关于执行处罚的主体、对象以及处罚初始阶段的执法程序的规定。首先，根据该款规定，只有执行职务的交通警察，才有权在其职务管辖范围内，对道路交通违法行为人予以暂扣或者吊销驾驶证。“执行职务”是指正在上岗执行维护道路交通秩序的职务，如果身为交通警察，但不是在执行职务，或者不在自己的职务管辖范围内，则不能实施暂扣或吊销违法行为人驾驶证的处罚。其次，处罚对象是依法应当给予暂扣或者吊销驾驶证处罚的道路交通违法行为人，根据本法的规定，对于下述一些行为，可以予以暂扣或吊销驾驶证，如第九十一条规定的对饮酒后驾驶机动车的、营运机动车驾驶人饮酒后驾驶营运机动车的，可以在处以罚款的同时，并处暂扣驾驶证，对于醉酒后驾驶机动车的或者营运机动车驾驶人醉酒后驾驶营运机动车的，在予以相应的行政处罚的同时，可以并处暂扣驾驶证。对于一年内因醉酒后驾驶机动车被处罚两次以上的，吊销机动车驾驶证。又如第九十九条中规定，行为人将机动车交由未取得机动车驾驶证的人驾驶或者交由机动车驾驶证已被吊销、暂扣的人驾驶的，或者机动车行驶超过规定时速百分之五十以上的，可以在处以罚款的同时，并处吊销机动车驾驶证。第一百条第二款、第一百零一条也都有关于吊销机动车驾驶证的规定。除法律法规规定予以暂扣或吊销驾驶证的情形外，公安机关交通管理部门不得实施暂扣或者吊销驾驶证的处罚。第三，根据本款的规定，交通警察在执行职务过程中对违法行为人驾驶证的扣留，是“先予扣留”，属于暂时措施，是处罚行为的开始，还不是正式的处罚决定。这是因为暂扣或者吊销机动车驾驶证，是一种较为严厉的处罚，应由公安交通管理机关依法作出处理决定，交通警察个人是无权决定的，且交通警察正在岗上执勤，在执行职务过程中，也不允许其立即离开岗位到公安交通管理机关去汇报处理，所以法律赋予其当场先予扣留行为人驾驶证的权力，限制其驾驶自由，消除事故隐患。为了使事情得到及时处理，法律规定交通警察在先予扣留机动车驾驶证后，必须在二十四小时内将案件移交公安机关交通管理部门处理。交通警察先予扣留驾驶证，应按规定当场开具有关凭证，说明扣留理由，并告知被扣证方在指定期限内到指定部门接受处理。

第二款是关于处罚对象接受公安机关交通管理部门处理的规定。根据该款规定，首先，被先予扣留驾驶证的道路交通违法行为人，应当在十五日内到公安机关交通管理部门接受处理。“接受处理”有两层意思：一是指道路交通违法行为人向公安机关交通管理部门陈述事实经过，该行为人认为自己不应该受处罚的，可以为自己申辩；二是公安机关交通管理部门应认真听取上述陈述和申辩，申辩理由成立的，应当予以采纳，在全面了解情况的基础上进行处理。其次，为了保证执法的严肃性、权威性，促使违法行为人对自己的道路交通违法行为引起足够的重视，该款规定，违法行为人无正当理由逾期未到公安机关交通管理部门接受处理的，吊销其驾驶证。所谓“正当理由”，是指合理的理由，如行为人遇到无法克服或排除的困难和情况，如正好到外地出差，或因生病不便行走等。如果违法行为人没有正当理由未在十五日内到指定的公安机关交通管理部门接受处理的，则无论其行为是否应受到暂扣或者吊销驾驶证的处罚，都应当吊销其机动车驾驶证。这样规定，既是为了体现执法的严肃性，也是为了使交通违法行为得到尽快处理。

第三款是关于暂扣、吊销机动车驾驶证应当开具行政处罚决定书的规定。暂扣或者吊销机动车驾驶证的处罚决定只能由公安机关交通管理部门作出。公安机关交通管理部门根据事实和法律，作出暂扣或者吊销机动车驾驶证处罚决定的，应当出具行政处罚决定书，当场交付当事人。

第一百一十一条　对违反本法规定予以拘留的行政处罚，由县、市公安局、公安分局或者相当于县一级的公安机关裁决。

【释义】　本条是关于对拘留的行政处罚由哪一级公安机关进行裁决的规定。

本法规定的行政拘留，是指公安机关对严重违反本法规定的行为人，为达到惩戒和教育的目的，在一定期限内强制剥夺其人身自由的处罚措施。由于拘留是剥夺人身自由的处罚，为了体现执法的严肃性，本条规定拘留必须由县、市公安局、公安分局或者相当于县一级的公安机关裁决。这一规定与《治安管理处罚条例》的有关规定是一致的，本法规定处以行政拘留的行为，也是违反治安管理的行为，根据《治安管理处罚条例》的规定，对违反治安管理行为的处罚，由县、市公安局、公安分局或者相当于县一级的公安机关裁决。这里应注意的是，“县、市公安局”是指县政府或县级市政府的公安局，即拘留决定必须由县政府或县级市政府的公安局作出，而不能由该公安局的交通管理部门直接作出。这样有利于公安机关的内部监督，保证处罚的准确性。这里规定的“公安分局”，是指地级以上城市中的公安分局，即拘留决定应由公安分局作出，而不能由该行政管辖区域的公安交通管理部门直接作出。“相当于县一级的公安机关”，则主要是指其行政级别与县公安局相同的公安机关交通管理部门，如地级以上城市公安局所直属的交通管理部门，即必须是达到一定级别的公安机关交通管理部门才能直接作出行政拘留的处罚决定。

根据本法规定，可以予以拘留处罚的主要有以下几种情形：1. 醉酒后驾驶机动车的；2. 无证驾驶机动车的；3. 造成交通事故后逃逸，尚不构成犯罪的；4. 强迫机动车驾驶人违反道路交通安全法律法规和机动车安全驾驶要求驾驶机动车，造成交通事故，尚不构成犯罪的；5. 违反交通管制的规定强行通行，不听劝阻的；6. 故意损毁、移动、涂改交通设施，造成危害后果，尚不构成犯罪的；7. 非法拦截、扣留机动车辆，不听劝阻，造成交通严重阻塞或者较大财产损失的。关于拘留处罚的程序，应当依照《治安管理处罚条例》的规定执行，即对于符合上述情形需要予以拘留的，执勤警察可以传唤其至公安机关，拒绝传唤的，可以当场采取强制措施进行传唤。传唤至公安机关后，公安机关应当在二十四小时内决定是否予以行政拘留。对于决定予以拘留处罚的，由公安机关的拘留所负责执行。

第一百一十二条　公安机关交通管理部门扣留机动车、非机动车，应当当场出具凭证，并告知当事人在规定期限内到公安机关交通管理部门接受处理。

公安机关交通管理部门对被扣留的车辆应当妥善保管，不得使用。

逾期不来接受处理，并且经公告三个月仍不来接受处理的，对扣留的车辆依法处理。

【释义】　本条是关于公安机关交通管理部门扣留车辆后如何处理的规定。

本条共分三款，第一款是关于扣留车辆程序的规定。根据本法的规定，公安机关交通管理部门主要在下列几种情况下可以扣留机动车辆或非机动车辆：1. 违反道路交通安全法律法规的非机动车驾驶人，拒绝接受罚款处罚的，公安机关交通管理部门可以扣留其非机动车；2. 上道路行驶的机动车没有悬挂机动车号牌，未放置检验合格标志、保险标志，或未随车携带行驶证、驾驶证的，公安机关交通管理部门可以扣留机动车，要求当事人提供相应的牌证、标志或者补办手续；3. 使用伪造、变造的机动车登记证书、号牌、行驶证、检验合格标志、保险标志、驾驶证或者使用其他车辆的机动车登记证书、号牌、行驶证、检验合格标志、保险标志的，公安机关交通管理部门应当扣留该机动车；4. 交通警察在对交通事故现场进行勘验、检查，因收集证据的需要，也可以扣留事故车辆。根据本款规定，公安机关扣留机动车、非机动车的，应当当场出具凭证，并告知当事人在规定的期限内到公安机关交通管理部门接受处理。公安机关扣留车辆，不是行政处罚，而是为了及时消除隐患，保证对道路交通违法行为的处理能够正常进行的一种强制性措施。“当场出具凭证”，是指执勤的交通警察决定对有关车辆进行扣留时，应当在扣留的现场当场交给当事人扣车的凭证。当事人在规定的“期限”内到公安机关接受处理，其期限主要由公安部作出具体规定，根据目前的有关规定，如需要对机动车驾驶员予以处罚的，扣车时间不得超过三日；对于使用伪造或者使用其他车辆号牌、行驶证，驾驶机动车上道路行驶而予以扣留的车辆，需要对车辆来源等情况进行调查核实，扣留时间一般不超过七天，需要延长的，须报上一级公安机关交通管理部门批准，但最长不得超过三十日；如果行为人是已经造成交通事故或者有交通肇事嫌疑的，扣留车辆的时间可以按照处理事故程序的时间执行。另外，根据有关规定，当事人对公安机关扣留车辆的行政措施不服的，也可以依法提出行政复议或者向法院提起行政诉讼。

本条第二款是关于对扣留的车辆妥善保管的规定。公安机关扣留车辆后，应当将车辆停放在指定的地点，并妥善保管，任何人不得使用被扣留的车辆，包括公安机关等执法部门的人员也不能使用。根据有关规定，如果因保管不善造成车辆损坏的，公安机关应当修复或赔偿。

本条第三款是关于当事人不接受处理的对其车辆如何处理的规定。“逾期”不接受处理，是指超过公安部规定的期限而没有去接受处理。对于超过规定的期限没有接受处理的，公安机关交通管理部门应当通过法定的途径予以公告，自公告之日起三个月内当事人仍没有来接受处理的，对扣留的车辆依法处理。当事人在公告后仍未接受处理，是比较少见的情况，原因可能也很复杂，比如有的是因为使用伪造或其他车辆的登记证书、号牌、行驶证驾驶机动车而被扣车的，有可能该车的来源不合法，当事人不敢再到公安机关去，等等。对于不来接受处理的，公安机关交通管理部门首先应当查明不接受处理的原因，如果该车涉嫌被盗或与其他犯罪有关，应当按规定将该车移交负责侦查的公安机关处理；如果未发现涉及犯罪情况，找不到有关当事人，或者当事人在规定的时间内拒不到公安交通管理部门接受处理的，公安机关交通管理部门可以按照有关法律法规规定撤销该机动车的号牌和行驶证，并按规定将车上交财政部门。总之应当根据具体的情况，按照法律法规的规定进行处理。这里应当明确的是，如果当事人对于扣车不服，依法向有关部门提起行政复议或者行政诉讼，这时扣车的公安机关交通管理部门成为行政复议的被申请人或者行政诉讼的被告人，在行政复议和行政诉讼期间，当事人虽然没有去扣车的公安机关交通管理部门，也不属于本条规定的不接受处理的情况。

第一百一十三条　暂扣机动车驾驶证的期限从处罚决定生效之日起计算；处罚决定生效前先予扣留机动车驾驶证的，扣留一日折抵暂扣期限一日。

吊销机动车驾驶证后重新申请领取机动车驾驶证的期限，按照机动车驾驶证管理规定办理。

【释义】　本条是关于暂扣机动车驾驶证期限和吊销机动车驾驶证后重新申请领取驾驶证期限的规定。

本条共分两款。第一款是关于暂扣机动车驾驶证期限的规定。暂扣机动车驾驶证的期限从处罚决定生效之日起计算，这里规定的“处罚决定生效之日”，是指公安机关交通管理部门依照有关法律法规的规定，对有关当事人正式作出予以暂扣驾驶证处罚决定的当日。根据本法第一百一十条的规定，执行职务的交通警察认为应当对道路交通违法行为人给予暂扣驾驶证处罚的，可以先予扣留驾驶证，并在二十四小时内将案件移交公安机关交通管理部门处理，道路交通违法行为人应当在十五日内到公安机关交通管理部门接受处理。这里应注意的是，执勤警察先予扣留驾驶证的时间，不是正式的处罚决定，当然也不是处罚生效之日。只有在违法当事人在十五日内到公安机关交通管理部门接受处理，公安机关作出处罚决定，并出具暂扣驾驶证的行政处罚决定书时，才属于这里规定的“处罚决定生效之日”。根据本法的规定，暂扣驾驶证的处罚分两个档次：一是暂扣一个月以上三个月以下；二是暂扣三个月以上六个月以下。暂扣时间应从处罚决定生效之日起计算，暂扣日期届满的，公安机关交通管理部门应当发还驾驶证。根据本款规定，处罚决定生效前扣留机动车驾驶证的，扣留一日折抵暂扣期限一日，即从执勤警察先予扣留当事人驾驶证至公安交通管理部门正式作出扣留驾驶证行政处罚决定之日这一段时间，应当从处罚期限中扣除，如处罚决定是暂扣驾驶证三个月，决定作出前已扣留了十天，则从处罚生效之日起应再执行两个月二十天，而不是整三个月。

本条第二款是关于吊销机动车驾驶证后重新申领驾驶证的期限的规定。吊销机动车驾驶证与暂扣不同，吊销驾驶证后该驾驶证将永久失效，这也是与暂扣驾驶证的根本区别，当然这并不等于永远剥夺当事人驾驶机动车的资格，当事人可以按照有关规定重新申请领取机动车驾驶证。但本法明确规定，机动车驾驶员造成交通事故后逃逸的，公安机关交通管理部门吊销其机动车驾驶证，且终身不得重新取得机动车驾驶证。没有法律明确规定终身不得重新取得机动车驾驶证的，当事人就可以重新取得驾驶资格。为了体现吊销驾驶证处罚的严肃性，按照公安部目前的规定，当事人被吊销机动车驾驶证的，自吊销之日起两年后才能重新申请取得驾驶证。需要指出的是，重新申请领取驾驶证，必须按照本法及有关规定，申请人应符合国务院公安部门规定的驾驶许可条件，经考试合格后，由公安机关交通管理部门发给驾驶证。这就是说，被吊销驾驶证的人不得以自己已经会驾驶为由不经过考试而重新取得驾驶证，应当按照公安部关于《机动车驾驶员培训学校（班）管理办法》、《机动车驾驶员考试办法》和《机动车驾驶证管理办法》等规定重新领取驾驶证。

第一百一十四条　公安机关交通管理部门根据交通技术监控记录资料，可以对违法的机动车所有人或者管理人依法予以处罚。对能够确定驾驶人的，可以依照本法的规定依法予以处罚。

【释义】 本条是关于依据交通技术监控记录资料对机动车违法行为人进行处罚的规定。

为了加强城市道路交通安全管理，强化执法力度，从 1997 年开始，在我国一些大城市中逐步采用了电子监控系统发现和处理交通违章事例。电子监控系统可以在一些主要的路口、路段实行 24 小时监控，其具有准确检测违章行为，自动识别、摄像和当场拍照的功能，并能和计算机信息系统配套使用，不仅大大降低了劳动强度，而且扩大了交通管理覆盖面和控制时间，提高了工作效率，对有效减少和查处交通违章事例，保障交通有序、畅通和安全具有重要意义。本法将这一实际做法通过立法的形式予以了肯定。

由于电子监控设施摄录的图像真实可靠，本条规定“技术监控记录资料”可以作为对有关当事人进行处罚的根据。但是，“技术监控记录资料”的使用有其自身的特点，即它与交通警察处理现场交通违章不一样，交通警察处理现场交通违章情况，一般驾驶人也在场，可以当场面对当事人进行处罚或作出处理，而通过“技术监控记录资料”发现的交通违章，要进行处理时，已时过境迁，公安交通管理部门只能根据影像资料掌握车的牌号和外形，不知道驾驶人，只能通过车的牌号去寻找驾驶人，这样有时就会出现找到了车找不到驾驶人的情况，如找到了车主，车主可能会说当时是借给别人开的，或者该车是属于单位的，当时是哪个司机开的也记不得了，等等，而对违章的处罚通常必须以行为人为对象，才有实际意义。因此，本条规定，公安机关交通管理部门根据交通技术监控记录资料，可以对违法的机动车所有人或者管理人依法予以处罚，主要就是针对这种情况所作的规定。当然，公安机关交通管理部门应当尽量找到当时的驾驶人，对能够确定驾驶人的，可以按照本法的规定依法予以处罚。只有在确实难以查明谁是驾驶人的情况下，根据上述规定对车的所有人或者管理人作出处罚，以保证严格执法。

第一百一十五条　交通警察有下列行为之一的，依法给予行政处分：

（一）为不符合法定条件的机动车发放机动车登记证书、号牌、行驶证、检验合格标志的；

（二）批准不符合法定条件的机动车安装、使用警车、消防车、救护车、工程救险车的警报器、标志灯具，喷涂标志图案的；

（三）为不符合驾驶许可条件、未经考试或者考试不合格人员发放机动车驾驶证的；

（四）不执行罚款决定与罚款收缴分离制度或者不按规定将依法收取的费用、收缴的罚款及没收的违法所得全部上缴国库的；

（五）举办或者参与举办驾驶学校或者驾驶培训班、机动车修理厂或者收费停车场等经营活动的；

（六）利用职务上的便利收受他人财物或者谋取其他利益的；

（七）违法扣留车辆、机动车行驶证、驾驶证、车辆号牌的；

（八）使用依法扣留的车辆的；

（九）当场收取罚款不开具罚款收据或者不如实填写罚款额的；

（十）徇私舞弊，不公正处理交通事故的；

（十一）故意刁难，拖延办理机动车牌证的；

（十二）非执行紧急任务时使用警报器、标志灯具的；

（十三）违反规定拦截、检查正常行驶的车辆的；

（十四）非执行紧急公务时拦截搭乘机动车的；

（十五）不履行法定职责的。

公安机关交通管理部门有前款所列行为之一的，对直接负责的主管人员和其他直接责任人员给予相应的行政处分。

【释义】 本条是对公安机关交通警察以及公安机关交通管理部门的违法行为如何给予行政处分的规定。

本条共分两款。第一款是对交通警察在执行职务中的违法行为及其所给予的其行政处分的规定。公安机关交通管理部门及其交通警察，是道路交通安全工作的执法主体，担负着维护道路交通安全的重要职责，他们的执法水平、思想素质、工作作风等都直接关系到法律的正确实施，关系到道路交通安全工作的整体水平。为了建立一支清正廉洁、作风过硬、素质精良的专业化队伍和保证严格公正的执法，本法专门对交通警察作了有关纪律约束方面的规定。主要有以下十五个方面：1. 为不符合法定条件的机动车发放机动车登记证书、号牌、行驶证、检验合格标志的。根据本法规定，国家对机动车实行登记管理制度，机动车必须经公安机关交通管理部门进行审查和技术检验，符合法定标准的，发给机动车登记证书、号牌、行驶证以及技术安全检验合格标志，方能上道路行驶。这是保证道路交通安全的首要条件。如果负有职责的交通警察违反规定，徇私情、开后门，为不符合法定条件的机动车发放登记证书、号牌、行驶证、检验合格标志，将埋下交通事故或其他不法行为的隐患。2. 批准不符合法定条件的机动车安装、使用警车、消防车、救护车、工程救险车的警报器、标志灯具，喷涂标志图案的。为了顺利保障治安工作、救护以及其他抢险等工作，法律规定，警车、消防车、救护车、工程救险车应当安装警报器、标志灯具，并喷涂标志图案，其他机动车不得喷涂、安装、使用上述车辆专用的标志图案、警报器、标志灯具。如果违法批准在机动车上喷涂上述专用车辆的标志图案、安装上述车辆的警报器、标志灯具，不仅对维护正常的交通秩序十分不利，也容易造成社会管理上的混乱。3. 为不符合驾驶许可条件、未经考试或者考试不合格人员发放机动车驾驶证的。法律规定，驾驶机动车应当依法取得机动车驾驶证。申请机动车驾驶证，应当符合国务院公安部门规定的驾驶许可条件，经考试合格后，由公安机关交通管理部门发给驾驶证。根据公安部的有关规定，申请机动车驾驶证应当符合一定的身体条件和年龄条件，经过学习和训练，按照公安部规定的考试规程考试合格的，发给驾驶证。绝不允许通过“走后门”等不正常途径对不符合上述条件的人发放驾驶证。这种行为既是对当事人本人的安全不负责任，也是对公共交通安全不负责任。4. 不执行罚款决定与罚款收缴分离制度或者不按规定将依法收取的费用、收缴的罚款及没收的违法所得全部上缴国库的。这一规定包括两种情况：一是不执行行政罚款罚缴分离的有关法律规定；二是不按规定将收取的有关费用、罚款及违法所得上缴国库。为了严肃行政执法，严格管理行政罚款制度，行政处罚法明确规定了对行政罚款实行罚缴分离的制度。行政处罚法第四十六条规定：作出罚款决定的机关应当与收缴罚款的机构分离；除按照法律规定可以对一些小数额的罚款当场收缴罚款外，作出行政处罚决定的行政机关及其执法人员不得自行收缴罚款；当事人应当自收到行政处罚决定书之日起十五日内到指定的银行缴纳罚款，银行将罚款直接上缴国库。行政处罚法第四十九条和第五十条规定：行政机关及其执法人员当场收缴罚款的,必须出具省财政部门统一制发的罚款收据,并在规定的期限内缴付指定的银行。行政处罚法这一规定,对于纠正、约束某些行政机关及其工作人员追求经济利益滥罚款、利用罚款搞创收或从罚款中获取个人好处等不正之风,具有积极意义,应当坚决执行。本款规定的“依法收取的费用”和“没收的违法所得”主要包括依照法律法规规定在办理有关审批发证、发照等事项过程中收取的工本费、手续费等费用,以及对违法当事人依法处以没收违法所得行政处罚的情况。根据本法及其他有关法律规定,依法收取的费用和没收的违法所得都应按照规定全部上缴国库。5. 举办或者参与举办驾驶学校或者驾驶培训班、机动车修理厂或者收费停车场等经营活动的。根据本法及有关规定,机动车的驾驶培训实行社会化,交通主管部门对驾驶培训学校实行资格管理,任何国家机关不得举办或者参与举办驾驶培训学校、驾驶培训班。驾驶学校或驾驶培训班、机动车修理厂、收费停车场等都属于经营性机构,执法人员不能与这些机构保持经济利益上的关系,以杜绝腐败的滋生。6. 利用职务上的便利收受他人财物或者谋取其他利益的。“利用职务上的便利”主要是指利用执勤、处理交通事故以及办理有关证照等与履行职务有关的方便条件;“收受他人财物或者谋取其他利益,”包括收受他人的金钱、有价证券、礼品及各种物品,或者接受他人提供的免费旅游、服务等。7. 违法扣留车辆、机动车行驶证、驾驶证、车辆号牌的。扣留车辆、行驶证、驾驶证、车辆号牌应当由执法人员按照法律法规等有关规定,依法予以扣留,本法对在什么情况下扣留车辆、行驶证、驾驶证等都有具体的规定,执法人员扣留车辆、行驶证、驾驶证、车辆号牌必须严格按照法律的规定执行,严禁滥用职权非法扣留他人的车辆、行驶证、驾驶证、车辆号牌。8. 使用依法扣留的车辆的。公安机关交通管理部门扣留车辆,是根据法律法规为了对违反交通管理的行为进行处罚所采取的一种行政强制措施,车辆并不是处罚对象,对于这些被扣留的车辆必须妥善保管。在扣留期间交通警察使用这些车辆是一种滥用职权的行为,实质是对车辆所有人合法权益的侵犯,也有损公安机关交通管理部门的形象。因此,本法及公安部的有关规定都明确规定,任何人包括公安机关交通管理部门不得使用被扣留的车辆。9. 当场收取罚款不开具罚款收据或者不如实填写罚款额的。为了简化处理一些交通违章行为的手续,既方便当事人,也有利于维持交通秩序,本法规定对行人、乘车人和非机动车驾驶人的罚款,当事人无异议的,可以由执勤的交通警察当场收缴罚款。并规定,收缴罚款应当开具省财政部门统一制发的罚款收据。这一制度在本法施行以前,根据行政处罚法等有关法律法规的规定,已经执行多年,但实际执行中还存在一些执法人员采取罚款不开收据或虽然开了收据但不如实填写罚款数额等行为,从中谋取私利。针对这种情况,为了重申这一法纪,本法作了专门规定。10. 徇私舞弊,不公正处理交通事故的。公正处理交通事故是公安机关交通管理部门及其交通警察的一项重要职责,公安机关交通管理部门及其交通警察在接到交通事故报告后,从现场勘查、收集证据、检验鉴定以及作出裁决,都应当按照法律法规等有关规定。利用职权或各种关系从中收取好处,或偏袒一方,都是违背职责的。11. 故意刁难,拖延办理机动车牌证的。这里所说的"机动车牌证",主要是指机动车的号牌和行驶证,法律法规对申请机动车牌证规定了具体的办理时限,如果不符合发放机动车牌证法定条件的,应当向当事人说明原因,拒绝发放。不得利用职权刁难当事人,故意拖延时间不予发放机动车牌证。12. 非执行紧急任务时使用警报器、标志灯具的。根据本法规定,警车、消防车、救护车、工程救险车应当按照规定安装警报器、标志灯具。但是安装了警报器和标志灯具,不是在任何情况下可以随便使用的。法律规定,驾驶警车、消防车、救护车、工程救险车执行紧急任务时,可以使用警报器、标志灯具,在确保安全的前提下,不受行驶路线、行驶方向、行驶速度和信号灯的限制，其他车辆和行人应当让行。也就是说，驾驶上述车辆如果不是执行紧急任务，不能使用警报器和标志灯具，如有的人只是在一般的工作情况下使用，甚至是私人使用车辆，也使用警报器或标志灯具，以显示一种特权，是违背法律规定的。13. 违反规定拦截、检查正常行驶的车辆的。根据有关规定，公安机关为了维护交通安全秩序和治安秩序，可以要求行驶的车辆停车检查。如公安部《交通民警道路执勤执法规则》规定，交通民警在道路上执勤、执法时，遇有下列情况的，应当指挥机动车驾驶员立即停车，接受检查：如车辆无号牌、年检合格标记或者违反规定安装号牌的；车辆行驶中有非正常现象，驾驶员可能是无证驾驶、酒后驾车、疲劳驾驶的；需要查缉犯罪嫌疑人或者交通肇事逃逸人的；发现与被公安机关查缉的被盗抢机动车特征相同的机动车的等。还规定，遇有遭受不法伤害、意外受伤、突然患病、遇险的人员或者公共财产需要紧急保护时，交通民警可以要求机动车驾驶员立即停车，提供帮助。除按照上述有关规定可以对车辆进行拦截、检查外，交通民警不得凭借职权或为了谋取私利随意拦截正常行驶的车辆进行检查，影响正常的交通秩序。14. 非执行紧急公务时拦截搭乘机动车的。交通民警的首要职责是维护交通秩序和确保交通安全，除非在执行紧急公务的情况下，绝不允许利用职权或为私利拦截搭乘他人车辆。这里说的“紧急公务”，主要是指在一些紧急情况下，交通民警为了维护交通秩序和确保安全，也包括为维护社会治安，所进行的职务活动。如某路段出现塌方或发生重大交通事故，需要紧急赶赴现场维护交通安全和秩序，进行处理，但一时没有公务车辆，则可以搭乘他人车辆到出事现场。如果不是紧急情况，只是一般的工作，甚至为了自己办私事，则不应搭乘他人车辆。15. 不履行法定职责的。这主要是指交通警察没有按照法律法规的规定履行自己应尽的职责，如明明发现交通违章行为，但因为是亲戚、朋友而放任不管、不予处罚,或者在岗执勤因为私事而擅离职守,不履行执勤义务的,等等,都属于不履行法定职责的情况。

根据本款规定,交通警察有上述十五种违法行为之一的,依法给予行政处分。所谓“依法”,主要是指依照《中华人民共和国人民警察法》《中华人民共和国人民警察警衔条例》等法律、法规中有关对违法违纪的公务员予以行政处分的规定。根据目前《国家公务员暂行条例》的规定,对公务员的行政处分有警告、记过、记大过、降级、撤职和开除。其中“降级”是指降低行政级别的处分;“撤职”是指撤销其担任的行政职务;“开除”则不仅要撤销其行政职务,取消其行政级别,而且要开除出警察队伍。根据有关规定,对国家公务员的行政处分,由任用该公务员的行政机关或者行政监察机关决定。行政处分决定应当做到事实清楚、定性正确,并以书面形式通知本人。当然,这里只是从行政处分的角度说的,有些违反纪律的行为,同时也触犯了刑律,应当依法追究刑事责任,本法对此另有规定。

本条第二款是对公安机关交通管理部门有第一款规定的行为如何处理的规定。第一款主要是针对交通警察的个人行为所作的规定,即交通警察在履行职务或执勤中作为个人违法违纪的情况,但是在实际执法过程中,除交通警察个人可能出现违法违纪的情况外,公安机关交通管理部门以单位名义作为执法主体时也同样可能出现违法违纪的情况。如根据法律规定,许多行政处罚决定是由公安机关交通管理部门作出,不是交通警察个人就能决定的,必须经过一定的领导机关核查、批准,由单位作出处罚决定。发放车辆的牌证等也是同样的情况。因此,当公安机关交通管理部门违反上述有关规定,如违背事实作出行政处罚决定,或者在执法中有徇私舞弊等情况的,就面临着对单位如何处理的问题。根据本款规定,公安机关交通管理部门有上述所列违法行为之一的,对直接责任的主管人员和其他直接责任人员给予相应的行政处分。这就是说,单位有违法行为的,追究有关责任人员的责任。这里规定的"直接责任的主管人员",主要是指在以单位名义作出决定时起决策、领导作用的人,一般是单位的领导人或负责人,如以公安机关交通管理局名义作出的处罚决定,其负有责任的主管人员就是批准这项处罚决定的局长或副局长。所谓"其他直接责任人员",主要是指直接负责办理某项事务或某个案件的交通民警,即通常所说的"经办人"。"经办人"往往是现场的执勤人员或直接办理某项事务的人员,如果违反上述规定,导致公安交通管理部门作出错误决定,应当负一定责任。本款规定的"给予相应的行政处分",是指根据有关责任人员违法行为的事实情况、情节以及危害程度等按照国家有关规定给予相应的行政处分。

第一百一十六条　依照本法第一百一十五条的规定,给予交通警察行政处分的,在作出行政处分决定前,可以停止其执行职务;必要时,可以予以禁闭。

依照本法第一百一十五条的规定,交通警察受到降级或者撤职行政处分的,可以予以辞退。

交通警察受到开除处分或者被辞退的,应当取消警衔;受到撤职以下行政处分的交通警察,应当降低警衔。

【释义】　本条是对交通警察违反本法规定在给予行政处分时如何适用禁闭、辞退和降低警衔的规定。

本条共分三款。第一款是关于对交通警察作出行政处分前所采取的有关措施的规定。这里所说的"交通警察"既包括作为个人违法违纪的交通警察,也包括对单位违法违纪负有直接责任而需要给予行政处分的交通警察。根据本款的规定,交通警察所在的单位或其上级单位如果决定对该警察给予行政处分的,在作出正式处分决定前,可以视情况决定停止该交通警察执行职务,或者予以禁闭。这里应明确的是,在决定对某交通警察进行行政处分前,是否要停止其执行职务或予以禁闭,必须视情况而定,不是一开始调查或研究是否要给予行政处分的,就都予以停止执行职务或予以禁闭。在什么情况下可以停止其执行职务或予以禁闭,应当按照有关规定执行。根据目前公安部的有关规定,停止执行职务或者禁闭,是为了制止、查处受处分警察严重违法违纪的行为,预防事故,对违法违纪警察在必要时采取的行政措施。这是对停止执行职务和禁闭规定的原则要求。此外,在什么情况下停止执行职务,什么情况下禁闭,还有具体的规定,只有符合具体规定的,才能采取这样的措施。根据有关规定,停止执行职务的期限为十五天至三个月,禁闭的期限为一至七天。人民警察在停止执行职务或禁闭期间,其所在单位应对其加强管理和教育,督促其协助配合有关部门进行调查。人民警察对停止执行职务或禁闭决定不服的,可以向作出决定的公安机关或者上一级公安机关督察机构提出申诉。

本条第二款是关于对受到降级或撤职处分的交通警察可以予以辞退的规定。降级、撤职的行政处分一般是针对比较严重的违法违纪行为,公安机关交通管理部门应当考虑该受处分人是否还能担任交通警察工作,如果根据该民警的一贯表现,如以前曾经有过违法违纪行为,或因违法违纪行为已在群众中造成恶劣影响,确实不应继续在公安交通管理部门工作的,应当对该交通民警作出辞退的决定。如果根据过去的表现,经过批评教育,本人有深刻的认识和改过的决心,适合继续工作的,则可以继续担任交通警察或在警察部门工作。

本条第三款是关于对受到处分的交通警察取消警衔或降低警衔的规定。根据《人民警察警衔条例》的规定,警衔是区分人民警察的等级、表明人民警察身份的一种称号或标志,是国家给予人民警察的一种荣誉。警衔主要是根据警察的行政职务等级授予,《人民警察警衔条例》规定警衔设五等十三级,五等是指总警监、警监、警督、警司、警员，每个等级当中分为若干级，行政职务高的，等级相应也高。本款规定了两层意思：一是交通警察受到开除处分或者被辞退的，应当取消警衔。无论是开除处分，还是因根据前款规定被辞退的，受处分人都因有严重的违法违纪行为而丧失了人民警察的身份，因此，在其担任警察时所授予的警衔，已无存在必要。《人民警察警衔条例》规定：人民警察被开除公职的，警衔相应取消；人民警察退职的，警衔不予保留。本法的规定与《人民警察警衔条例》的规定是一致的。二是受到撤职以下行政处分的交通警察，应当依法降低警衔。根据《人民警察警衔条例》的规定，人民警察违犯警纪的，可以给予警衔降级的处分。应当说，受撤职处分的也是比较严重的违法违纪行为，但根据前款规定，有些受撤职处分的交通警察还可以继续留任交通民警或在警察部门工作，而不是一律辞退。为了对继续留任警察工作的人以及受到其他行政处分的人予以警示和教育，法律规定应当降低他们的警衔。

第一百一十七条　交通警察利用职权非法占有公共财物，索取、收受贿赂，或者滥用职权、玩忽职守，构成犯罪的，依法追究刑事责任。

【释义】　本条是关于对交通警察在履行职务过程中构成犯罪的行为应当依法追究刑事责任的规定。

本法第一百一十五条规定了许多交通警察应当遵守的纪律，除此之外，人民警察法以及其他有关法律法规也有关于人民警察应当遵守的纪律规范方面的规定。对于交通警察违法违纪的，本法及有关规定已经规定了行政处分等处理措施。但是，有些行为达到一定的严重程度，触犯了刑事法律，构成犯罪的，必须依法追究刑事责任。本条采用概括列举的方式规定，交通警察利用职权非法占有公共财物，或者索取、收受贿赂，或者滥用职权、玩忽职守，构成犯罪的，依法追究刑事责任。根据这一规定，涉及可能构成的犯罪主要有以下几种：

1. 贪污罪。刑法第三百八十二条规定：国家工作人员利用职务上的便利，侵吞、盗窃、骗取或者以其他手段非法占有公共财物的，是贪污罪。交通警察属于国家工作人员，如果交通警察利用职权将本应上缴国家的罚款或没收的财物侵吞占为己有，数额和情节达到贪污罪标准的，应当依法追究刑事责任。

2. 受贿罪。刑法第三百八十五条规定：国家工作人员利用职务上的便利，索取他人财物的，或者非法收受他人财物，为他人谋取利益的，是受贿罪。构成受贿罪，主要有两种情况：一种是国家工作人员利用职务上的便利索取他人财物的，即利用职权向他人索要财物，所谓“索取”，既包括明确向他人要钱要物，也包括暗示要他人给钱给物。另一种情况是非法收受他人财物，为他人谋取利益的，即送钱送物是当事人主动提出的，国家工作人员没有向他人索要的情节，但非法予以接受并为他人谋取利益。为他人谋取利益既包括谋取合法的利益，也包括谋取非法的利益；既包括主动为他人办事，也包括消极地不履行交通警察的职责等。对于后一种情况，实践中有的时候是先为他人谋取利益，后收好处，有的时候是先接受他人好处再为他人谋取利益，都不影响犯罪构成的条件。

3. 滥用职权罪或者玩忽职守罪。刑法第三百九十七条规定：国家机关工作人员滥用职权或者玩忽职守，致使公共财产、国家和人民利益遭受重大损失的，处三年以下有期徒刑或者拘役；情节特别严重的，处三年以上七年以下有期徒刑。国家机关工作人员徇私舞弊犯上述罪的，处五年以下有期徒刑或者拘役；情节特别严重的，处五年以上十年以下有期徒刑。刑法这一规定，规定了两个罪名，滥用职权罪和玩忽职守罪，犯罪主体是国家机关工作人员，交通警察也属于国家机关工作人员。滥用职权罪主要是指国家机关工作人员超越法律、法规赋予的职权，擅自处理其无权决定的事项，或者在行使职权时随心所欲地作出处理决定，致使公共财产、国家和人民利益遭受重大损失的行为。比如交通警察为谋取私人利益，严重违背法律法规规定指挥调度车辆通行，结果造成重大交通事故，使人民生命、财产造成重大损失，就应该以滥用职权罪追究刑事责任。玩忽职守罪是指国家机关工作人员对工作马虎草率、严重不负责任，或者放弃职守、不履行自己应当履行的职责，致使公共财产、国家和人民利益遭受重大损失的行为。如交通警察在执勤时已发现可能发生重大交通事故的隐患，既不报告，也不采取相应的防范措施，结果发生了重大交通事故，造成人民生命、财产重大损失，应当以玩忽职守罪追究刑事责任。如果交通警察在上述两种行为中有徇私舞弊情节，如是因为照顾亲戚、朋友或其他开“后门”情况，酿成事故，则应当依法处以更重的刑罚。

本条上述规定，只是采取列举的方式规定了交通警察在履行职务过程中比较容易出现的几种犯罪情况，以起警示作用。如果交通警察因为其他行为触犯刑律，也应当依照刑法有关规定追究其相应的刑事责任。

第一百一十八条　公安机关交通管理部门及其交通警察有本法第一百一十五条所列行为之一，给当事人造成损失的，应当依法承担赔偿责任。

【释义】　本条是关于公安机关交通管理部门及其交通警察因违法违纪行为造成当事人损失的应当承担赔偿责任的规定。

本法对公安机关交通管理部门及其交通警察的违法行为规定了行政处分，从第一百一十五条的规定看，公安机关及其交通警察因违法违纪可能给当事人造成损失的，主要有以下几种情况：1. 违法扣留他人车辆、行驶证、驾驶证、车辆号牌的，可能会使他人有关经营活动因此受到损失。2. 使用依法扣留的车辆的，可能会造成他人车辆的损坏和其他损失。3. 徇私舞弊，不公正处理交通事故的，可能处罚了不该处理的一方当事人，或者对一方当事人处罚明显偏重，如违反法律规定罚款，非法扣车扣证等。4. 违反规定拦截、检查正常行驶的车辆，有可能影响他人的正常经营活动。此外，还有其他一些不依法履行职责的行为，如乱罚款、乱采取行政强制措施等，都可能给当事人造成损失。

根据本条规定，公安机关交通管理部门及其交通警察因违法违纪行为给当事人造成损失的，应当依法承担赔偿责任。根据这一规定，不管是公安机关交通管理部门作出的决定违法，还是执勤的交通警察有违法行为，只要当事人认为其合法权益受到侵害的，都有权提出赔偿请求。根据国家赔偿法等有关法律规定，公安机关交通管理部门赔偿的范围通常是，因违法进行罚款、暂扣或吊销有关证照、扣留车辆以及行政拘留等行政处罚和行政强制措施给当事人造成的损失。就赔偿的事项来说，主要是对公安机关交通管理部门及其交通警察因违法行为造成当事人的经济上的损失。根据有关法律规定，当事人提出赔偿请求的途径主要有以下几种：1. 直接向作出具体决定的有关公安机关交通管理部门提出，公安机关交通管理部门经核查后认为请求合理的，应当对本部门及其交通警察因违法行为造成当事人的损失予予赔偿。2. 在依法向有关行政机关提起行政复议的同时，提出赔偿请求，行政复议机关对符合国家赔偿法规定应当给予赔偿的，在作出撤销、变更原行政决定或者确认原行政决定为违法的同时，决定原作出行政决定的公安机关交通管理部门给予赔偿。3. 在依法向人民法院提起行政诉讼时，提出赔偿请求，也可以在行政机关不予赔偿时单独就损害赔偿问题向人民法院提起诉讼。人民法院可以判决原行政机关予以赔偿。此外，法律规定，赔偿机关赔偿损失后，应当责令有故意或者重大过失的工作人员承担部分或全部赔偿费用，即有关的公安机关交通管理部门对当事人进行赔偿后，应当责令对违法行为负有直接责任的交通警察承担部分或者全部赔偿费用。

根据国家赔偿法等有关法律规定,财产赔偿的形式主要包括:1. 返还非法处以的罚款、非法扣押的车辆以及其他非法追缴或没收的财产,如果应当返还的财产有损坏的,应当恢复原状,不能恢复原状的,按照损坏的程度给付相应的赔偿金,应当返还的财产灭失的,给付相应的赔偿金。2. 赔偿由于吊销有关证照而引起停产停业期间的必要的经常性费用开支,以及赔偿其他造成当事人财产权的直接损失。如果是错误拘留需要赔偿的,每日的赔偿金按照国家上年底职工日平均工资计算。

第八章 附 则

第一百一十九条 本法中下列用语的含义:

(一)“道路”,是指公路、城市道路和虽在单位管辖范围但允许社会机动车通行的地方,包括广场、公共停车场等用于公众通行的场所。

(二)“车辆”,是指机动车和非机动车。

(三)“机动车”,是指以动力装置驱动或者牵引,上道路行驶的供人员乘用或者用于运送物品以及进行工程专项作业的轮式车辆。

(四)“非机动车”,是指以人力或者畜力驱动,上道路行驶的交通工具,以及虽有动力装置驱动但设计最高时速、空车质量、外形尺寸符合有关国家标准的残疾人机动轮椅车、电动自行车等交通工具。

(五)“交通事故”,是指车辆在道路上因过错或者意外造成的人身伤亡或者财产损失的事件。

【释义】 本条是关于本法中“道路”、“车辆”、“机动车”、“非机动车”和“交通事故”用语的基本含义的具体解释的规定。共有五项。

具体明确法律中有关用语的含义,在对于准确理解法律规定,明确和界定法律规定的内容以及在实践中严格遵守和执行法律等方面,都有非常重要的意义。本条对什么是道路、车辆、机动车、非机动车和交通事故这些用语的含义都作了具体和明确的解释。

本条的第一项是关于道路含义的解释。所谓“道路”,本条第一项解释为“是指公路、城市道路和虽在单位管辖范围但允许社会机动车通行的地方,包括广场、公共停车场等用于公众通行的场所”。明确道路的具体含义非常有必要。本法是关于道路交通安全方面的法律规范,一切关于道路交通安全方面的规定,如行人、非机动车、机动车等道路交通的参与者在道路上应当如何参与道路交通的活动;应当遵守什么规则;哪些是禁止性行为等,都是基于道路交通开展的。因此,明确道路的具体含义和范围,对于执法机关严格管理、严格执法,对于明确道路交通参与者的权利、义务及法律责任,从而更好地遵守法律,都具有重要的实际意义。其中,“公路”包括国道、省道、县道和乡村道路等。“城市道路”是指修建在城镇中的道路。包括直辖市、市、镇的主干道、辅路、支线、立交桥等。它是一个城市的重要道路交通系统。所谓“虽在单位管辖范围但允许社会机动车通行的地方”,是指有些单位或者社区的场院内的道路,虽然隶属于某单位管辖,但由于允许社会的机动车通行,这些道路的交通也属于本项所解释的道路的范畴之内。这里不包括那些封闭式的部门场院内的道路。如某些国家机关所在地、军事单位、国家重点保密单位等。由于这些单位的场院内的道路不允许社会的机动车任意驶入,因此自然不包含在本项所指的道路之内。另外,本项在解释道路时,还将广场、公共停车场等用于公众通行的场所也包括在道路的含义中。这是因为,本法调整的范围是道路的交通安全,是规范所有道路交通参与者行为的法律规范,而广场、公共停车场等用于公众通行的场所,也是行人、车辆通行的场所,这些场所的通行规则、各自的责任等也需要用法律规范来加以明确。因此,将道路交通安全的调整范围延伸到这些场所是十分必要的。

本条第二项是关于车辆含义的解释。本项所指的车辆主要包括机动车和非机动车。车辆是道路交通的重要参与者。如果说行人在道路交通的参与者中处于弱势的话,那么,车辆就应当算是强者。因此可以说,车辆是道路交通安全的主要调整对象。由于关于车辆的具体解释,包括机动车和非机动车,在本条的第三项和第四项中都作了规定,在这里就不赘述。

本条第三项是关于机动车含义的解释。所谓“机动车”是指以动力装置驱动或者牵引,上道路行驶的供人员乘用或者用于运送物品以及进行工程专项作业的轮式车辆。这里所说的动力装置是指以机械、电力等动力为车辆驱动或牵引的主要动力来源,而区别于以人力或畜力为驱动力的车辆。“上道路行驶”是指能够驱车上路的,有实际交通运行意义的车辆,而区别于那些不能上道路行驶或者作为观赏、收藏、实验等车辆。不能上道路就不参与道路交通的运行,也就自然排除在本法调整的对象之外。另外,本项在车辆的功能上作了三个方面的解释。主要是根据目前我国车辆的主要功能列举的。这些功能主要包括:供人员乘用、用于运输物品以及进行工程专项作业。供人员乘用的车辆,是指那些各种的客车,包括各式的大小客车,也是人们生活中经常乘坐的交通工具。用于运输物品的车辆,是指各种类型的专门运输货物的大小货车。进行工程专项作业的车辆是指各种在道路上从事专项工作的特种车辆,如各种工程车,包括电力部门进行电路查修工程的车辆、消防部门使用的各种用于救火的车辆、道路管理部门为保护道路进行清洁或洒水的车辆、公安交通管理部门在道路上进行划线作业的车辆、建筑施工使用的各种车辆等。另外,所谓“轮式车辆”,主要是指以车轮作为运行形式的车辆,以区别那些以履带或气垫运行形式的车辆。这种区分的实际意义就是那些以履带或气垫作为运行形式的车辆或载体不属于本法所称的机动车范围,也就不具有上道路行驶的主体资格,不属于本法调整的对象。

本条第四项是关于非机动车含义的解释。所谓“非机动车”是指以人力或者畜力驱动,上道路行驶的交通工具,以及虽有动力装置驱动但设计最高时速、空车质量、外形尺寸符合国家标准的残疾人机动轮椅车、电动自行车等交通工具。本项关于非机动车的范围的划定与本条第三项机动车的范围最主要的区别就是车辆的驱动来源是人力或畜力。人力驱动主要是指以人自身赋予车辆的力来驱动车辆的运行。这些车辆包括自行车、自行三轮车、手推车等。畜力驱动是指靠牲畜的牵引所赋予车辆的力来驱动车辆的运行。这些车辆包括马车、牛车、骡车、驴车等。另外,本条还规定了那些设计最高时速、空车质量、外形尺寸符合国家标准的残疾人机动轮椅车、电动自行车等交通工具也划入非机动车的范围。我们前面说过,从严格意义上讲,区分机动车与非机动车的标准,是以是否以机械动力作为车辆的驱动力来划分的。那么本项中为什么还将那些以动力装置驱动的车辆定为非机动车。这里有两个主要原因:一是我国的道路交通的设计一般遵循人车分流、机动车与非机动车分流的原则。理由是尽量做到各行其道。这也是确保交通安全的重要前提。机动车道是专供那些设计时速高的车辆行驶的。特别是随着汽车工业的迅猛发展,车辆性能良好、设计时速高的车辆不断大量涌现,对道路的通行状况,提出越来越高的要求。如何实现道路的高效能利用,在确保道路交通安全的前提下,也是一个不可忽视的重要课题。而那些虽以动力装置驱动的残疾人机动轮椅车、电动自行车,由于其设计时速低,质量小,不能够在机动车道上实现相对较高速度的行驶。并且如果允许它们驶入机动车道行驶,还将会影响其他机动车辆的相对高速度的行驶。那样将会大大降低道路的高效能利用,同时也就会造成道路资源的浪费。将这些车辆划定为非机动车的第二个原因是,现代科学技术的发展,还体现在以人为本原则的各个方面。追求高效率是我们在日常生活中随处可见的。特别是那些方便人们出行的各种轻便的交通工具,如双轮站式电瓶车、电动自行车等,越来越多地被人们采用。非机动车的机动化,也是一种更好地提高效率的趋势。而这种趋势是不能忽视的,也是不能在道路交通的设置方面加以阻拦的，但可以通过一定的方法加以限制。所以，必须要对车辆作出硬性的划分标准。将设计最高时速、空车质量、外形尺寸都较小的，但符合国家标准的车辆，如残疾人机动轮椅车、电动自行车等一些交通工具划定为非机动车也是考虑到这类车虽然也是以动力装置驱动，但由于其时速低、质量小，不具有一般机动车的危险性，所以纳入非机动车进行管理也符合安全畅通的原则。所以说，这是一个法律意义的划分和定义，而非物理学方面的区分。这样规定同时也为车辆的生产部门提供了一个技术性的参照指数。这类车辆属于非机动车，只能在非机动车道上行驶。

本条第五项是关于交通事故含义的解释。所谓交通事故是指车辆因过错或者意外造成的人身伤亡或者财产损失的事件。交通事故的主体，一方必须是车辆。即发生交通事故的双方或者是两车之间，或者是人车之间发生的碰撞等事故，有一方必须是车辆。这里的车辆包括各种机动车和非机动车。“因过错或者意外”是指交通事故的一方或双方在主观上有过错或者发生了意外的情况。其中有过错的情况主要包括违反交通规则、驾驶有误等；发生意外的情况主要是指发生了当事人意想不到的情况，如由于客观原因使道路状况变化、刹车失灵等。区分当事人的主观故意和客观因素，对于明确交通事故双方当事人的责任有着很重要的意义。“造成人身伤亡或者财产损失”是指由于发生了交通事故，给双方当事人或一方当事人或者第三方造成了人身伤亡或者财产损失的后果。综上所述，构成交通事故主要有三个因素：主体的一方必须是车辆；当事人在主观上有过错或者发生了意外的情况；必须是造成了双方或一方当事人或者第三方人身伤亡或财产损失等一定的后果。反之，缺乏其中一个要件都不能构成交通事故。

第一百二十条　中国人民解放军和中国人民武装警察部队在编机动车牌证、在编机动车检验以及机动车驾驶人考核工作，由中

国人民解放军、中国人民武装警察部队有关部门负责。

【释义】 本条是关于中国人民解放军和中国人民武装警察部队在编机动车牌证、在编机动车检验以及机动车驾驶人考核工作，由中国人民解放军、中国人民武装警察部队有关部门负责的规定。

中国人民解放军和中国人民武装警察部队是国家的武装力量，由于他们执行任务的特殊性和管理上的独立性，因此规定对车辆的牌证、在编机动车检验以及机动车驾驶人考核工作，由中国人民解放军、中国人民武装警察部队有关部门根据部队的具体情况以及工作的需要制定相应的具体办法进行负责管理。其中“在编机动车牌证、在编机动车”是指按照军队的规定编制的机动车牌证和车辆。国家对军队的装备是按照一定的编制进行的，其中包括车辆的配备。从严格意义上讲，只有按照规定的编制所配备的车辆，才是属于部队的机动车车辆。因为挂有军车牌证的车辆的主要意义是与地方车辆加以区别，为的是使部队便于执行军事任务和进行特殊管理。实践中，有些车辆虽属于军队使用，但不在编制范围内，对于这些车辆的牌证就应当按照规定由地方公安交通管理部门进行上证管理并负责车辆的检验。这里的“机动车驾驶人”是指具有中国人民解放军和武装警察部队军籍的干部、战士中驾驶机动车的人。对这些人交通法规和驾驶技术的考核及颁发驾驶证的工作由军队和武装警察部队有关部门负责。

第一百二十一条　对上道路行驶的拖拉机，由农业（农业机械）主管部门行使本法第八条、第九条、第十三条、第十九条、第二十三条规定的公安机关交通管理部门的管理职权。

农业（农业机械）主管部门依照前款规定行使职权，应当遵守本法有关规定，并接受公安机关交通管理部门的监督；对违反规定的，依照本法有关规定追究法律责任。

本法施行前由农业(农业机械)主管部门发放的机动车牌证，在本法施行后继续有效。

【释义】 本条是关于对上道路行驶的拖拉机，由农业(农业机械)主管部门行使本法第八条、第九条、第十三条、第十九条、第二十三条规定的公安机关交通管理部门的管理职权等方面的规定。

关于农村的农用机动车如何管理的问题，原草案规定由公安交通管理部门统一负责对机动车包括农用机动车的管理。这样规定，常委会在几次的审议中一直有不同意见，集中在对农用机动车(包括拖拉机、农用运输车)牌证发放，是由公安机关交通管理部门负责，还是由农业(农业机械)主管部门负责。主要的意见有三种:一是维持1986年以来实行的管理体制，即由公安机关交通管理部门委托农业(农业机械)主管部门负责。二是在保持现行管理体制的基础上，进行适当的调整，拖拉机和小型农用运输车的牌证发放由农业(农业机械)主管部门负责，大中型农用运输车由公安机关交通管理部门负责。三是由公安机关交通管理部门统一负责，但要便民，不得增加农民负担。这三种意见各有道理和根据，都应当予以重视。解决这个问题，既要考虑道路交通安全管理的统一性，又要考虑实际情况;既要重视道路交通安全保障，又要重视农民利益。应在坚持由公安机关交通管理部门对机动车实施统一管理的前提下，对农用机动车应当具体分析、区别对待。运输车不宜分工业用、农业用、商业用，凡运输车的牌证发放应由公安机关交通管理部门统一负责。拖拉机则有所不同，多数拖拉机既从事农田作业又从事运输活动，不论对其技术性能的检验，还是对其驾驶人员的考核，都需要兼顾两个方面，拖拉机牌证发放可由农业(农业机械)主管部门负责，但应接受公安机关交通管理部门的监督。此外，从方便农民、减轻农民负担考虑，对农业(农业机械)主管部门已经发放牌证的机动车，应当允许继续使用。根据常委委员上述意见，道路交通安全法作了相应规定。

本条第一款是关于对上道路行驶的拖拉机，由农业(农业机械)主管部门行使本法第八条、第九条、第十三条、第十九条、第二十三条规定的公安机关交通管理部门的管理职权的规定。本法第八条规定了公安机关交通管理部门负责对机动车实行登记制度的职责。第九条规定了公安机关交通管理部门负责对机动车的申请登记的职责；并规定机动车申请登记应当提交有关的凭证和证明，包括：机动车所有人的身份证明；机动车来历证明；机动车整车出厂合格证明或者进口机动车进口凭证；车辆购置税证明或者免税凭证；法律、行政法规规定应当在机动车登记时提交的其他证明、凭证。公安机关交通管理部门对符合规定条件的机动车登记申请，自受理申请之日起五个工作日内完成机动车登记审查工作，发放机动车登记证书、号牌和行驶证；对不符合规定条件的，应当及时向申请人说明不予登记的理由。第十三条规定了机动车应当进行定期的安全技术检验，并由公安机关交通管理部门负责对经检验合格的机动车发给检验合格标志。第十九条规定了公安机关交通管理部门负责对经考试合格的发给机动车驾驶证。第二十三条规定了公安机关交通管理部门负责依照法律、行政法规的规定，定期对机动车驾驶证实施审验等职权。上述条款中规定的由公安机关交通管理部门行使的管理职权，根据本条的规定，由农业(农业机械)主管部门在对上道路行驶的拖拉机管理时行使。关于拖拉机的车辆登记和驾驶证的发放以及审验工作，多年来由农业(农业机械)主管部门受公安机关的委托进行管理。由于拖拉机主要用于农业生产和田间作业，对它的登记和驾驶证的发放，由农业(农业机械)主管部门负责，对农业工作是有利的。从多年来的实践看也是有利于农业生产和方便农民的一种做法。

本条第二款是关于农业(农业机械)主管部门依照前款规定行使职权，应当遵守本法有关规定，并接受公安机关交通管理部门的监督；对违反规定的，依照本法的有关规定追究法律责任的规定。农业（农业机械）主管部门对拖拉机进行登记和发放驾驶证以及审验工作，应当认真遵守本法的有关规定，并接受公安机关交通管理部门的监督。如果在登记和发放过程中，违反了本法的有关规定的，如违反了本法关于申请机动车驾驶证应当符合国务院公安部门规定的驾驶许可条件和关于发放驾驶证应当经过考核合格等方面的规定的，依照本法的有关规定应当追究法律责任。

本条第三款是关于在本法施行前由农业（农业机械）主管部门发放的机动车牌证，在本法施行后继续有效的规定。在本法通过施行后，为了减少农民的负担，不再要求对农业（农业机械）主管部门过去已经发放的机动车牌证再进行重新登记和发放，而是可以继续使用。

需要指出的是，任何车辆，包括拖拉机上道路行驶，都要服从交通警察的指挥和管理，对于违反道路交通安全法律、法规的，公安机关交通管理部门及其交通警察依法予以处罚。

第一百二十二条　国家对入境的境外机动车的道路交通安全实施统一管理。

【释义】　本条是关于国家对入境的境外机动车的道路交通安全实施统一管理的规定。

随着对外开放的发展，大量入境的境外机动车不断出现在我国的道路上，而且数量日益增多。所谓“入境的境外机动车”是指从境外合法进入我国境内上道路行驶的车辆。这些车辆一旦经合法的手续进入我国境内，便成为了参与我国道路交通的参与者。根据本条的规定，就应当归我国的有关主管部门进行统一管理。所谓“实施统一管理”包括两个方面的含义。第一，对这些入境的境外机动车进行登记由我国的交通管理部门进行统一的管理。这方面应当按照我国有关道路交通安全方面的法律、法规的有关规定执行。第二,入境的境外机动车在我国境内的道路上行驶,本身参与了我国的道路交通,就必须遵守我国的道路交通方面的法律法规和道路交通规则。而我国为了道路交通安全也必须对这部分车辆依法实施统一的管理。

第一百二十三条　省、自治区、直辖市人民代表大会常务委员会可以根据本地区的实际情况,在本法规定的罚款幅度内,规定具体的执行标准。

【释义】　本条是关于省、自治区、直辖市人民代表大会常务委员会可以根据本地区的实际情况在本法规定的罚款幅度内,规定具体的执行标准的规定。

我国是一个幅员辽阔、人口众多的国家。各地由于受地理位置、民俗文化和经济发展的制约因素不同等诸方面条件的影响,在经济发展等方面存在着较大的差异。特别是内地不发达地区和东部沿海发达地区的差异更为明显。这是在立法过程中不得不面对的一个实际情况和必须考虑的一个重要因素。坚持从我国实际情况出发,是我国历来强调的做好一切工作所必须坚持的一项重要的基本原则。法律的制定从我国的实际情况出发,给各地根据本地的具体情况制定具体的执行标准留下空间,正是在立法中贯彻这一重要原则的具体体现。

法律规定了禁止性行为,也必须同时规定对禁止性行为的处罚。处罚方式的设立,又是针对禁止性行为的轻重程度,力求做到对触犯法律的行为给予相应的处罚。因此要求在立法时要遵循处罚相当和处罚幅度的适度的统一的原则。其中设置适度的处罚幅度,就是要坚持从我国的实际情况出发,考虑各地发展的不平衡等因素。规定一个处罚幅度,再规定由各省、自治区、直辖市的人民代表大会常务委员会根据本法规定的罚款数额幅度内,制定本地区的具体执行标准,正是从我国各地发展的不平衡的角度考虑的,既考虑到执法的严肃性，也兼顾了各地区不平衡的情况。其中“本法规定的罚款幅度内”是指本法在法律责任一章中，对违反本法规定的行为所规定的罚款幅度。如本法第九十一条第二款中规定的“醉酒后驾驶机动车的，由公安机关交通管理部门约束其至酒醒，处十五日以下拘留，并处五百元以上一千元以下罚款或者暂扣三个月以上六个月以下驾驶证”，其中“并处五百元以上一千元以下罚款”就是本法对酒后开车这一违法行为规定的罚款幅度。所谓“幅度内”，以上述第九十一条第二款的规定为例，就是大于或等于五百和小于或等于一千元的数额幅度。各省、自治区、直辖市的人民代表大会常务委员会可以根据本条规定的这一罚款幅度，并在此幅度内结合本地的情况制定具体的执行标准。由于地方各级人大的立法不能与全国人大的法律相违背，因此各省、自治区、直辖市的人民代表大会常务委员会只能在本法规定的罚款幅度内制定具体的执行标准，超出这一法定幅度，就是超越了本法所赋予的权限，违反了本法的规定。

第一百二十四条　本法自2004年5月1日起施行。

【释义】　本条是关于本法具体生效日期的规定。

根据本条的规定，本法自2004年5月1日起施行，也就是本法自2004年5月1日起开始发生法律效力。本法生效前颁布的与本法规定相矛盾或不一致的法律、行政法规以及部门规章都不得再适用。道路交通安全法是第十届全国人大常委会第五次会议通过的，通过颁布时间与具体生效日期相距近六个月，留出这段时间，是为了便于在群众中进行广泛的有关道路交通安全方面的教育和宣传，因为道路交通安全，牵涉千家万户和每个人的切身利益。为使这部法律的实施奠定良好的群众基础非常重要。只有借本法出台的时机，在广大人民群众中充分做好宣传道路交通安全的重要意义的工作，使道路交通安全的意识广泛深入人心，才能使我国的道路交通安全方面的管理工作上一个台阶具备一个良好的社会基础。另外,为了使本法能得到更好的贯彻和实施,各方面都要做好充分的准备。如道路设施配套方面、道路交通管理的人员队伍建设方面等都要进行充分的准备。虽然在长期的道路交通管理的实践上,我国在各方面都积累了很多经验,在道路建设上也较之过去有长足的发展,但随着市场经济和对外开放的不断发展,本法为适应形势的发展和要求作出了许多具有新的内容的规定;因此,为更好地实施本法,仍需要一个从思想和物质方面做好充分准备的过程。

第二部分　附　　录

中华人民共和国道路交通安全法

（2003 年 10 月 28 日第十届全国人民代表大会常务委员会第五次会议通过　根据 2007 年 12 月 29 日第十届全国人民代表大会常务委员会第三十一次会议《关于修改〈中华人民共和国道路交通安全法〉的决定》第一次修正　根据 2011 年 4 月 22 日第十一届全国人民代表大会常务委员会第二十次会议《关于修改〈中华人民共和国道路交通安全法〉的决定》第二次修正）

目　　录

第一章 总 则

第一条 为了维护道路交通秩序，预防和减少交通事故，保护人身安全，保护公民、法人和其他组织的财产安全及其他合法权益，提高通行效率，制定本法。

第二条 中华人民共和国境内的车辆驾驶人、行人、乘车人以及与道路交通活动有关的单位和个人，都应当遵守本法。

第三条 道路交通安全工作，应当遵循依法管理、方便群众的原则，保障道路交通有序、安全、畅通。

第四条 各级人民政府应当保障道路交通安全管理工作与经济建设和社会发展相适应。

县级以上地方各级人民政府应当适应道路交通发展的需要，依据道路交通安全法律、法规和国家有关政策，制定道路交通安全管理规划，并组织实施。

第五条 国务院公安部门负责全国道路交通安全管理工作。县级以上地方各级人民政府公安机关交通管理部门负责本行政区域内的道路交通安全管理工作。

县级以上各级人民政府交通、建设管理部门依据各自职责，负责有关的道路交通工作。

第六条 各级人民政府应当经常进行道路交通安全教育，提高公民的道路交通安全意识。

公安机关交通管理部门及其交通警察执行职务时,应当加强道路交通安全法律、法规的宣传,并模范遵守道路交通安全法律、法规。

机关、部队、企业事业单位、社会团体以及其他组织,应当对本单位的人员进行道路交通安全教育。

教育行政部门、学校应当将道路交通安全教育纳入法制教育的内容。

新闻、出版、广播、电视等有关单位,有进行道路交通安全教育的义务。

第七条 对道路交通安全管理工作,应当加强科学研究,推广、使用先进的管理方法、技术、设备。

第二章 车辆和驾驶人

第一节 机动车、非机动车

第八条 国家对机动车实行登记制度。机动车经公安机关交通管理部门登记后,方可上道路行驶。尚未登记的机动车,需要临时上道路行驶的,应当取得临时通行牌证。

第九条 申请机动车登记,应当提交以下证明、凭证:

(一)机动车所有人的身份证明;

(二)机动车来历证明;

(三)机动车整车出厂合格证明或者进口机动车进口凭证;

(四)车辆购置税的完税证明或者免税凭证;

(五)法律、行政法规规定应当在机动车登记时提交的其他证明、凭证。

公安机关交通管理部门应当自受理申请之日起五个工作日内完成机动车登记审查工作,对符合前款规定条件的,应当发放机动车登记证书、号牌和行驶证;对不符合前款规定条件的,应当向申请人说明不予登记的理由。

公安机关交通管理部门以外的任何单位或者个人不得发放机动车号牌或者要求机动车悬挂其他号牌，本法另有规定的除外。

机动车登记证书、号牌、行驶证的式样由国务院公安部门规定并监制。

第十条 准予登记的机动车应当符合机动车国家安全技术标准。申请机动车登记时，应当接受对该机动车的安全技术检验。但是，经国家机动车产品主管部门依据机动车国家安全技术标准认定的企业生产的机动车型，该车型的新车在出厂时经检验符合机动车国家安全技术标准，获得检验合格证的，免予安全技术检验。

第十一条 驾驶机动车上道路行驶，应当悬挂机动车号牌，放置检验合格标志、保险标志，并随车携带机动车行驶证。

机动车号牌应当按照规定悬挂并保持清晰、完整，不得故意遮挡、污损。

任何单位和个人不得收缴、扣留机动车号牌。

第十二条 有下列情形之一的，应当办理相应的登记：

（一）机动车所有权发生转移的；

（二）机动车登记内容变更的；

（三）机动车用作抵押的；

（四）机动车报废的。

第十三条 对登记后上道路行驶的机动车，应当依照法律、行政法规的规定，根据车辆用途、载客载货数量、使用年限等不同情况，定期进行安全技术检验。对提供机动车行驶证和机动车第三者责任强制保险单的，机动车安全技术检验机构应当予以检验，任何单位不得附加其他条件。对符合机动车国家安全技术标准的，公安机关交通管理部门应当发给检验合格标志。

对机动车的安全技术检验实行社会化。具体办法由国务院规定。

机动车安全技术检验实行社会化的地方，任何单位不得要求机动车到指定的场所进行检验。

公安机关交通管理部门、机动车安全技术检验机构不得要求机动车到指定的场所进行维修、保养。

机动车安全技术检验机构对机动车检验收取费用,应当严格执行国务院价格主管部门核定的收费标准。

第十四条 国家实行机动车强制报废制度,根据机动车的安全技术状况和不同用途,规定不同的报废标准。

应当报废的机动车必须及时办理注销登记。

达到报废标准的机动车不得上道路行驶。报废的大型客、货车及其他营运车辆应当在公安机关交通管理部门的监督下解体。

第十五条 警车、消防车、救护车、工程救险车应当按照规定喷涂标志图案,安装警报器、标志灯具。其他机动车不得喷涂、安装、使用上述车辆专用的或者与其相类似的标志图案、警报器或者标志灯具。

警车、消防车、救护车、工程救险车应当严格按照规定的用途和条件使用。

公路监督检查的专用车辆,应当依照公路法的规定,设置统一的标志和示警灯。

第十六条 任何单位或者个人不得有下列行为:

(一)拼装机动车或者擅自改变机动车已登记的结构、构造或者特征;

(二)改变机动车型号、发动机号、车架号或者车辆识别代号;

(三)伪造、变造或者使用伪造、变造的机动车登记证书、号牌、行驶证、检验合格标志、保险标志;

(四)使用其他机动车的登记证书、号牌、行驶证、检验合格标志、保险标志。

第十七条 国家实行机动车第三者责任强制保险制度,设立道路交通事故社会救助基金。具体办法由国务院规定。

第十八条 依法应当登记的非机动车,经公安机关交通管理部门登记后,方可上道路行驶。

依法应当登记的非机动车的种类，由省、自治区、直辖市人民政府根据当地实际情况规定。

非机动车的外形尺寸、质量、制动器、车铃和夜间反光装置，应当符合非机动车安全技术标准。

第二节 机动车驾驶人

第十九条 驾驶机动车，应当依法取得机动车驾驶证。

申请机动车驾驶证，应当符合国务院公安部门规定的驾驶许可条件；经考试合格后，由公安机关交通管理部门发给相应类别的机动车驾驶证。

持有境外机动车驾驶证的人，符合国务院公安部门规定的驾驶许可条件，经公安机关交通管理部门考核合格的，可以发给中国的机动车驾驶证。

驾驶人应当按照驾驶证载明的准驾车型驾驶机动车；驾驶机动车时，应当随身携带机动车驾驶证。

公安机关交通管理部门以外的任何单位或者个人，不得收缴、扣留机动车驾驶证。

第二十条 机动车的驾驶培训实行社会化，由交通主管部门对驾驶培训学校、驾驶培训班实行资格管理，其中专门的拖拉机驾驶培训学校、驾驶培训班由农业（农业机械）主管部门实行资格管理。

驾驶培训学校、驾驶培训班应当严格按照国家有关规定，对学员进行道路交通安全法律、法规、驾驶技能的培训，确保培训质量。

任何国家机关以及驾驶培训和考试主管部门不得举办或者参与举办驾驶培训学校、驾驶培训班。

第二十一条 驾驶人驾驶机动车上道路行驶前，应当对机动车的安全技术性能进行认真检查；不得驾驶安全设施不全或者机件不符合技术标准等具有安全隐患的机动车。

第二十二条 机动车驾驶人应当遵守道路交通安全法律、法规的规定，按照操作规范安全驾驶、文明驾驶。

饮酒、服用国家管制的精神药品或者麻醉药品，或者患有妨碍安全驾驶机动车的疾病，或者过度疲劳影响安全驾驶的，不得驾驶机动车。

任何人不得强迫、指使、纵容驾驶人违反道路交通安全法律、法规和机动车安全驾驶要求驾驶机动车。

第二十三条 公安机关交通管理部门依照法律、行政法规的规定，定期对机动车驾驶证实施审验。

第二十四条 公安机关交通管理部门对机动车驾驶人违反道路交通安全法律、法规的行为，除依法给予行政处罚外，实行累积记分制度。公安机关交通管理部门对累积记分达到规定分值的机动车驾驶人，扣留机动车驾驶证，对其进行道路交通安全法律、法规教育，重新考试；考试合格的，发还其机动车驾驶证。

对遵守道路交通安全法律、法规，在一年内无累积记分的机动车驾驶人，可以延长机动车驾驶证的审验期。具体办法由国务院公安部门规定。

第三章 道路通行条件

第二十五条 全国实行统一的道路交通信号。

交通信号包括交通信号灯、交通标志、交通标线和交通警察的指挥。

交通信号灯、交通标志、交通标线的设置应当符合道路交通安全、畅通的要求和国家标准，并保持清晰、醒目、准确、完好。

根据通行需要，应当及时增设、调换、更新道路交通信号。增设、调换、更新限制性的道路交通信号，应当提前向社会公告，广泛进行宣传。

第二十六条 交通信号灯由红灯、绿灯、黄灯组成。红灯表示禁止通行，绿灯表示准许通行，黄灯表示警示。

第二十七条 铁路与道路平面交叉的道口，应当设置警示灯、警示标志或者安全防护设施。无人看守的铁路道口，应当在距道口一定距离处设置警示标志。

第二十八条 任何单位和个人不得擅自设置、移动、占用、损毁交通信号灯、交通标志、交通标线。

道路两侧及隔离带上种植的树木或者其他植物，设置的广告牌、管线等，应当与交通设施保持必要的距离，不得遮挡路灯、交通信号灯、交通标志，不得妨碍安全视距，不得影响通行。

第二十九条 道路、停车场和道路配套设施的规划、设计、建设，应当符合道路交通安全、畅通的要求，并根据交通需求及时调整。

公安机关交通管理部门发现已经投入使用的道路存在交通事故频发路段，或者停车场、道路配套设施存在交通安全严重隐患的，应当及时向当地人民政府报告，并提出防范交通事故、消除隐患的建议，当地人民政府应当及时作出处理决定。

第三十条 道路出现坍塌、坑漕、水毁、隆起等损毁或者交通信号灯、交通标志、交通标线等交通设施损毁、灭失的，道路、交通设施的养护部门或者管理部门应当设置警示标志并及时修复。

公安机关交通管理部门发现前款情形，危及交通安全，尚未设置警示标志的，应当及时采取安全措施，疏导交通，并通知道路、交通设施的养护部门或者管理部门。

第三十一条 未经许可，任何单位和个人不得占用道路从事非交通活动。

第三十二条 因工程建设需要占用、挖掘道路，或者跨越、穿越道路架设、增设管线设施，应当事先征得道路主管部门的同意；影响交通安全的，还应当征得公安机关交通管理部门的同意。

施工作业单位应当在经批准的路段和时间内施工作业，并在距离施工作业地点来车方向安全距离处设置明显的安全警示标志，采取防护措施；施工作业完毕，应当迅速清除道路上的障碍物，消除安全隐患，经道路主管部门和公安机关交通管理部门验收合格，符合通行要求后，方可恢复通行。

对未中断交通的施工作业道路，公安机关交通管理部门应当加强交通安全监督检查，维护道路交通秩序。

第三十三条 新建、改建、扩建的公共建筑、商业街区、居住区、大(中)型建筑等，应当配建、增建停车场；停车泊位不足的，应当及时改建或者扩建；投入使用的停车场不得擅自停止使用或者改作他用。

在城市道路范围内，在不影响行人、车辆通行的情况下，政府有关部门可以施划停车泊位。

第三十四条 学校、幼儿园、医院、养老院门前的道路没有行人过街设施的，应当施划人行横道线，设置提示标志。

城市主要道路的人行道，应当按照规划设置盲道。盲道的设置应当符合国家标准。

第四章 道路通行规定

第一节 一般规定

第三十五条 机动车、非机动车实行右侧通行。

第三十六条 根据道路条件和通行需要，道路划分为机动车道、非机动车道和人行道的，机动车、非机动车、行人实行分道通行。没有划分机动车道、非机动车道和人行道的，机动车在道路中间通行，非机动车和行人在道路两侧通行。

第三十七条 道路划设专用车道的，在专用车道内，只准许规定的车辆通行，其他车辆不得进入专用车道内行驶。

第三十八条 车辆、行人应当按照交通信号通行；遇有交通警察现场指挥时，应当按照交通警察的指挥通行；在没有交通信号的道路上，应当在确保安全、畅通的原则下通行。

第三十九条 公安机关交通管理部门根据道路和交通流量的具体情况，可以对机动车、非机动车、行人采取疏导、限制通行、禁止通行等措施。遇有大型群众性活动、大范围施工等情况，需要采取限制交通的措施，或者作出与公众的道路交通活动直接有关的决定，应当提前向社会公告。

第四十条 遇有自然灾害、恶劣气象条件或者重大交通事故等严重影响交通安全的情形，采取其他措施难以保证交通安全时，公安机关交通管理部门可以实行交通管制。

第四十一条 有关道路通行的其他具体规定，由国务院规定。

第二节 机动车通行规定

第四十二条 机动车上道路行驶，不得超过限速标志标明的最高时速。在没有限速标志的路段，应当保持安全车速。

夜间行驶或者在容易发生危险的路段行驶，以及遇有沙尘、冰雹、雨、雪、雾、结冰等气象条件时，应当降低行驶速度。

第四十三条 同车道行驶的机动车，后车应当与前车保持足以采取紧急制动措施的安全距离。有下列情形之一的，不得超车：

（一）前车正在左转弯、掉头、超车的；

（二）与对面来车有会车可能的；

（三）前车为执行紧急任务的警车、消防车、救护车、工程救险车的；

（四）行经铁路道口、交叉路口、窄桥、弯道、陡坡、隧道、人行横道、市区交通流量大的路段等没有超车条件的。

第四十四条 机动车通过交叉路口，应当按照交通信号灯、交通标志、交通标线或者交通警察的指挥通过；通过没有交通信号灯、交通标志、交通标线或者交通警察指挥的交叉路口时，应当减速慢行，并让行人和优先通行的车辆先行。

第四十五条 机动车遇有前方车辆停车排队等候或者缓慢行驶时，不得借道超车或者占用对面车道，不得穿插等候的车辆。

在车道减少的路段、路口，或者在没有交通信号灯、交通标志、交通标线或者交通警察指挥的交叉路口遇到停车排队等候或者缓慢行驶时，机动车应当依次交替通行。

第四十六条 机动车通过铁路道口时，应当按照交通信号或者管理人员的指挥通行；没有交通信号或者管理人员的，应当减速或者停车，在确认安全后通过。

第四十七条 机动车行经人行横道时，应当减速行驶；遇行人正在通过人行横道，应当停车让行。

机动车行经没有交通信号的道路时，遇行人横过道路，应当避让。

第四十八条 机动车载物应当符合核定的载质量，严禁超载；载物的长、宽、高不得违反装载要求，不得遗洒、飘散载运物。

机动车运载超限的不可解体的物品，影响交通安全的，应当按照公安机关交通管理部门指定的时间、路线、速度行驶，悬挂明显标志。在公路上运载超限的不可解体的物品，并应当依照公路法的规定执行。

机动车载运爆炸物品、易燃易爆化学物品以及剧毒、放射性等危险物品，应当经公安机关批准后，按指定的时间、路线、速度行驶，悬挂警示标志并采取必要的安全措施。

第四十九条 机动车载人不得超过核定的人数，客运机动车不得违反规定载货。

第五十条 禁止货运机动车载客。

货运机动车需要附载作业人员的，应当设置保护作业人员的安全措施。

第五十一条 机动车行驶时，驾驶人、乘坐人员应当按规定使用安全带，摩托车驾驶人及乘坐人员应当按规定戴安全头盔。

第五十二条 机动车在道路上发生故障，需要停车排除故障时，驾驶人应当立即开启危险报警闪光灯，将机动车移至不妨碍交通的地方停放；难以移动的，应当持续开启危险报警闪光灯，并在来车方向设置警告标志等措施扩大示警距离，必要时迅速报警。

第五十三条 警车、消防车、救护车、工程救险车执行紧急任务时,可以使用警报器、标志灯具;在确保安全的前提下,不受行驶路线、行驶方向、行驶速度和信号灯的限制,其他车辆和行人应当让行。

警车、消防车、救护车、工程救险车非执行紧急任务时,不得使用警报器、标志灯具,不享有前款规定的道路优先通行权。

第五十四条 道路养护车辆、工程作业车进行作业时,在不影响过往车辆通行的前提下,其行驶路线和方向不受交通标志、标线限制,过往车辆和人员应当注意避让。

洒水车、清扫车等机动车应当按照安全作业标准作业;在不影响其他车辆通行的情况下,可以不受车辆分道行驶的限制,但是不得逆向行驶。

第五十五条 高速公路、大中城市中心城区内的道路,禁止拖拉机通行。其他禁止拖拉机通行的道路,由省、自治区、直辖市人民政府根据当地实际情况规定。

在允许拖拉机通行的道路上,拖拉机可以从事货运,但是不得用于载人。

第五十六条 机动车应当在规定地点停放。禁止在人行道上停放机动车;但是,依照本法第三十三条规定施划的停车泊位除外。

在道路上临时停车的,不得妨碍其他车辆和行人通行。

第三节 非机动车通行规定

第五十七条 驾驶非机动车在道路上行驶应当遵守有关交通安全的规定。非机动车应当在非机动车道内行驶;在没有非机动车道的道路上,应当靠车行道的右侧行驶。

第五十八条 残疾人机动轮椅车、电动自行车在非机动车道内行驶时,最高时速不得超过十五公里。

第五十九条 非机动车应当在规定地点停放。未设停放地点的,非机动车停放不得妨碍其他车辆和行人通行。

第六十条 驾驭畜力车,应当使用驯服的牲畜;驾驭畜力车横过道路时,驾驭人应当下车牵引牲畜;驾驭人离开车辆时,应当拴系牲畜。

第四节 行人和乘车人通行规定

第六十一条 行人应当在人行道内行走,没有人行道的靠路边行走。

第六十二条 行人通过路口或者横过道路,应当走人行横道或者过街设施;通过有交通信号灯的人行横道,应当按照交通信号灯指示通行;通过没有交通信号灯、人行横道的路口,或者在没有过街设施的路段横过道路,应当在确认安全后通过。

第六十三条 行人不得跨越、倚坐道路隔离设施,不得扒车、强行拦车或者实施妨碍道路交通安全的其他行为。

第六十四条 学龄前儿童以及不能辨认或者不能控制自己行为的精神疾病患者、智力障碍者在道路上通行,应当由其监护人、监护人委托的人或者对其负有管理、保护职责的人带领。

盲人在道路上通行,应当使用盲杖或者采取其他导盲手段,车辆应当避让盲人。

第六十五条 行人通过铁路道口时,应当按照交通信号或者管理人员的指挥通行;没有交通信号和管理人员的,应当在确认无火车驶临后,迅速通过。

第六十六条 乘车人不得携带易燃易爆等危险物品,不得向车外抛洒物品,不得有影响驾驶人安全驾驶的行为。

第五节 高速公路的特别规定

第六十七条 行人、非机动车、拖拉机、轮式专用机械车、铰接式客车、全挂拖斗车以及其他设计最高时速低于七十公里的机动车,不得进入高速公路。高速公路限速标志标明的最高时速不得超过一百二十公里。

第六十八条　机动车在高速公路上发生故障时，应当依照本法第五十二条的有关规定办理；但是，警告标志应当设置在故障车来车方向一百五十米以外，车上人员应当迅速转移到右侧路肩上或者应急车道内，并且迅速报警。

机动车在高速公路上发生故障或者交通事故，无法正常行驶的，应当由救援车、清障车拖曳、牵引。

第六十九条　任何单位、个人不得在高速公路上拦截检查行驶的车辆，公安机关的人民警察依法执行紧急公务除外。

第五章　交通事故处理

第七十条　在道路上发生交通事故，车辆驾驶人应当立即停车，保护现场；造成人身伤亡的，车辆驾驶人应当立即抢救受伤人员，并迅速报告执勤的交通警察或者公安机关交通管理部门。因抢救受伤人员变动现场的，应当标明位置。乘车人、过往车辆驾驶人、过往行人应当予以协助。

在道路上发生交通事故，未造成人身伤亡，当事人对事实及成因无争议的，可以即行撤离现场，恢复交通，自行协商处理损害赔偿事宜；不即行撤离现场的，应当迅速报告执勤的交通警察或者公安机关交通管理部门。

在道路上发生交通事故，仅造成轻微财产损失，并且基本事实清楚的，当事人应当先撤离现场再进行协商处理。

第七十一条　车辆发生交通事故后逃逸的，事故现场目击人员和其他知情人员应当向公安机关交通管理部门或者交通警察举报。举报属实的，公安机关交通管理部门应当给予奖励。

第七十二条　公安机关交通管理部门接到交通事故报警后，应当立即派交通警察赶赴现场，先组织抢救受伤人员，并采取措施，尽快恢复交通。

交通警察应当对交通事故现场进行勘验、检查，收集证据；因收集证据的需要，可以扣留事故车辆，但是应当妥善保管，以备核查。

对当事人的生理、精神状况等专业性较强的检验，公安机关交通管理部门应当委托专门机构进行鉴定。鉴定结论应当由鉴定人签名。

第七十三条 公安机关交通管理部门应当根据交通事故现场勘验、检查、调查情况和有关的检验、鉴定结论，及时制作交通事故认定书，作为处理交通事故的证据。交通事故认定书应当载明交通事故的基本事实、成因和当事人的责任，并送达当事人。

第七十四条 对交通事故损害赔偿的争议，当事人可以请求公安机关交通管理部门调解，也可以直接向人民法院提起民事诉讼。

经公安机关交通管理部门调解，当事人未达成协议或者调解书生效后不履行的，当事人可以向人民法院提起民事诉讼。

第七十五条 医疗机构对交通事故中的受伤人员应当及时抢救，不得因抢救费用未及时支付而拖延救治。肇事车辆参加机动车第三者责任强制保险的，由保险公司在责任限额范围内支付抢救费用；抢救费用超过责任限额的，未参加机动车第三者责任强制保险或者肇事后逃逸的，由道路交通事故社会救助基金先行垫付部分或者全部抢救费用，道路交通事故社会救助基金管理机构有权向交通事故责任人追偿。

第七十六条 机动车发生交通事故造成人身伤亡、财产损失的，由保险公司在机动车第三者责任强制保险责任限额范围内予以赔偿；不足的部分，按照下列规定承担赔偿责任：

（一）机动车之间发生交通事故的，由有过错的一方承担赔偿责任；双方都有过错的，按照各自过错的比例分担责任。

（二）机动车与非机动车驾驶人、行人之间发生交通事故，非机动车驾驶人、行人没有过错的，由机动车一方承担赔偿责任；有证据证明非机动车驾驶人、行人有过错的，根据过错程度适当减轻机动车一方的赔偿责任；机动车一方没有过错的，承担不超过百分之十的赔偿责任。

交通事故的损失是由非机动车驾驶人、行人故意碰撞机动车造成的，机动车一方不承担赔偿责任。

第七十七条　车辆在道路以外通行时发生的事故，公安机关交通管理部门接到报案的，参照本法有关规定办理。

第六章　执法监督

第七十八条　公安机关交通管理部门应当加强对交通警察的管理，提高交通警察的素质和管理道路交通的水平。

公安机关交通管理部门应当对交通警察进行法制和交通安全管理业务培训、考核。交通警察经考核不合格的，不得上岗执行职务。

第七十九条　公安机关交通管理部门及其交通警察实施道路交通安全管理，应当依据法定的职权和程序，简化办事手续，做到公正、严格、文明、高效。

第八十条　交通警察执行职务时，应当按照规定着装，佩带人民警察标志，持有人民警察证件，保持警容严整，举止端庄，指挥规范。

第八十一条　依照本法发放牌证等收取工本费，应当严格执行国务院价格主管部门核定的收费标准，并全部上缴国库。

第八十二条　公安机关交通管理部门依法实施罚款的行政处罚，应当依照有关法律、行政法规的规定，实施罚款决定与罚款收缴分离；收缴的罚款以及依法没收的违法所得，应当全部上缴国库。

第八十三条　交通警察调查处理道路交通安全违法行为和交通事故，有下列情形之一的，应当回避：

（一）是本案的当事人或者当事人的近亲属；

（二）本人或者其近亲属与本案有利害关系；

（三）与本案当事人有其他关系，可能影响案件的公正处理。

第八十四条　公安机关交通管理部门及其交通警察的行政执法

活动,应当接受行政监察机关依法实施的监督。

公安机关督察部门应当对公安机关交通管理部门及其交通警察执行法律、法规和遵守纪律的情况依法进行监督。

上级公安机关交通管理部门应当对下级公安机关交通管理部门的执法活动进行监督。

第八十五条 公安机关交通管理部门及其交通警察执行职务,应当自觉接受社会和公民的监督。

任何单位和个人都有权对公安机关交通管理部门及其交通警察不严格执法以及违法违纪行为进行检举、控告。收到检举、控告的机关,应当依据职责及时查处。

第八十六条 任何单位不得给公安机关交通管理部门下达或者变相下达罚款指标;公安机关交通管理部门不得以罚款数额作为考核交通警察的标准。

公安机关交通管理部门及其交通警察对超越法律、法规规定的指令,有权拒绝执行,并同时向上级机关报告。

第七章 法律责任

第八十七条 公安机关交通管理部门及其交通警察对道路交通安全违法行为,应当及时纠正。

公安机关交通管理部门及其交通警察应当依据事实和本法的有关规定对道路交通安全违法行为予以处罚。对于情节轻微,未影响道路通行的,指出违法行为,给予口头警告后放行。

第八十八条 对道路交通安全违法行为的处罚种类包括:警告、罚款、暂扣或者吊销机动车驾驶证、拘留。

第八十九条 行人、乘车人、非机动车驾驶人违反道路交通安全法律、法规关于道路通行规定的,处警告或者五元以上五十元以下罚款;非机动车驾驶人拒绝接受罚款处罚的,可以扣留其非机动车。

第九十条 机动车驾驶人违反道路交通安全法律、法规关于道路通行规定的，处警告或者二十元以上二百元以下罚款。本法另有规定的，依照规定处罚。

第九十一条 饮酒后驾驶机动车的，处暂扣六个月机动车驾驶证，并处一千元以上二千元以下罚款。因饮酒后驾驶机动车被处罚，再次饮酒后驾驶机动车的，处十日以下拘留，并处一千元以上二千元以下罚款，吊销机动车驾驶证。

醉酒驾驶机动车的，由公安机关交通管理部门约束至酒醒，吊销机动车驾驶证，依法追究刑事责任；五年内不得重新取得机动车驾驶证。

饮酒后驾驶营运机动车的，处十五日拘留，并处五千元罚款，吊销机动车驾驶证，五年内不得重新取得机动车驾驶证。

醉酒驾驶营运机动车的，由公安机关交通管理部门约束至酒醒，吊销机动车驾驶证，依法追究刑事责任；十年内不得重新取得机动车驾驶证，重新取得机动车驾驶证后，不得驾驶营运机动车。

饮酒后或者醉酒驾驶机动车发生重大交通事故，构成犯罪的，依法追究刑事责任，并由公安机关交通管理部门吊销机动车驾驶证，终生不得重新取得机动车驾驶证。

第九十二条 公路客运车辆载客超过额定乘员的，处二百元以上五百元以下罚款；超过额定乘员百分之二十或者违反规定载货的，处五百元以上二千元以下罚款。

货运机动车超过核定载质量的，处二百元以上五百元以下罚款；超过核定载质量百分之三十或者违反规定载客的，处五百元以上二千元以下罚款。

有前两款行为的，由公安机关交通管理部门扣留机动车至违法状态消除。

运输单位的车辆有本条第一款、第二款规定的情形，经处罚不改的，对直接负责的主管人员处二千元以上五千元以下罚款。

第九十三条 对违反道路交通安全法律、法规关于机动车停放、临时停车规定的，可以指出违法行为，并予以口头警告，令其立即驶离。

机动车驾驶人不在现场或者虽在现场但拒绝立即驶离，妨碍其他车辆、行人通行的，处二十元以上二百元以下罚款，并可以将该机动车拖移至不妨碍交通的地点或者公安机关交通管理部门指定的地点停放。公安机关交通管理部门拖车不得向当事人收取费用，并应当及时告知当事人停放地点。

因采取不正确的方法拖车造成机动车损坏的，应当依法承担补偿责任。

第九十四条 机动车安全技术检验机构实施机动车安全技术检验超过国务院价格主管部门核定的收费标准收取费用的，退还多收取的费用，并由价格主管部门依照《中华人民共和国价格法》的有关规定给予处罚。

机动车安全技术检验机构不按照机动车国家安全技术标准进行检验，出具虚假检验结果的，由公安机关交通管理部门处所收检验费用五倍以上十倍以下罚款，并依法撤销其检验资格；构成犯罪的，依法追究刑事责任。

第九十五条 上道路行驶的机动车未悬挂机动车号牌，未放置检验合格标志、保险标志，或者未随车携带行驶证、驾驶证的，公安机关交通管理部门应当扣留机动车，通知当事人提供相应的牌证、标志或者补办相应手续，并可以依照本法第九十条的规定予以处罚。当事人提供相应的牌证、标志或者补办相应手续的，应当及时退还机动车。

故意遮挡、污损或者不按规定安装机动车号牌的，依照本法第九十条的规定予以处罚。

第九十六条 伪造、变造或者使用伪造、变造的机动车登记证书、号牌、行驶证、驾驶证的，由公安机关交通管理部门予以收缴，扣留该机动车，处十五日以下拘留，并处二千元以上五千元以下罚款；构成犯罪的，依法追究刑事责任。

伪造、变造或者使用伪造、变造的检验合格标志、保险标志的，由公安机关交通管理部门予以收缴,扣留该机动车,处十日以下拘留,并处一千元以上三千元以下罚款;构成犯罪的,依法追究刑事责任。

使用其他车辆的机动车登记证书、号牌、行驶证、检验合格标志、保险标志的,由公安机关交通管理部门予以收缴,扣留该机动车,处二千元以上五千元以下罚款。

当事人提供相应的合法证明或者补办相应手续的,应当及时退还机动车。

第九十七条 非法安装警报器、标志灯具的,由公安机关交通管理部门强制拆除,予以收缴,并处二百元以上二千元以下罚款。

第九十八条 机动车所有人、管理人未按照国家规定投保机动车第三者责任强制保险的,由公安机关交通管理部门扣留车辆至依照规定投保后,并处依照规定投保最低责任限额应缴纳的保险费的二倍罚款。

依照前款缴纳的罚款全部纳入道路交通事故社会救助基金。具体办法由国务院规定。

第九十九条 有下列行为之一的,由公安机关交通管理部门处二百元以上二千元以下罚款:

(一)未取得机动车驾驶证、机动车驾驶证被吊销或者机动车驾驶证被暂扣期间驾驶机动车的;

(二)将机动车交由未取得机动车驾驶证或者机动车驾驶证被吊销、暂扣的人驾驶的;

(三)造成交通事故后逃逸,尚不构成犯罪的;

(四)机动车行驶超过规定时速百分之五十的;

(五)强迫机动车驾驶人违反道路交通安全法律、法规和机动车安全驾驶要求驾驶机动车,造成交通事故,尚不构成犯罪的;

(六)违反交通管制的规定强行通行,不听劝阻的;

(七)故意损毁、移动、涂改交通设施,造成危害后果,尚不构成犯罪的;

(八)非法拦截、扣留机动车辆,不听劝阻,造成交通严重阻塞或者较大财产损失的。

行为人有前款第二项、第四项情形之一的，可以并处吊销机动车驾驶证；有第一项、第三项、第五项至第八项情形之一的，可以并处十五日以下拘留。

第一百条 驾驶拼装的机动车或者已达到报废标准的机动车上道路行驶的，公安机关交通管理部门应当予以收缴，强制报废。

对驾驶前款所列机动车上道路行驶的驾驶人，处二百元以上二千元以下罚款，并吊销机动车驾驶证。

出售已达到报废标准的机动车的，没收违法所得，处销售金额等额的罚款，对该机动车依照本条第一款的规定处理。

第一百零一条 违反道路交通安全法律、法规的规定，发生重大交通事故，构成犯罪的，依法追究刑事责任，并由公安机关交通管理部门吊销机动车驾驶证。

造成交通事故后逃逸的，由公安机关交通管理部门吊销机动车驾驶证，且终生不得重新取得机动车驾驶证。

第一百零二条 对六个月内发生二次以上特大交通事故负有主要责任或者全部责任的专业运输单位，由公安机关交通管理部门责令消除安全隐患，未消除安全隐患的机动车，禁止上道路行驶。

第一百零三条 国家机动车产品主管部门未按照机动车国家安全技术标准严格审查，许可不合格机动车型投入生产的，对负有责任的主管人员和其他直接责任人员给予降级或者撤职的行政处分。

机动车生产企业经国家机动车产品主管部门许可生产的机动车型，不执行机动车国家安全技术标准或者不严格进行机动车成品质量检验，致使质量不合格的机动车出厂销售的，由质量技术监督部门依照《中华人民共和国产品质量法》的有关规定给予处罚。

擅自生产、销售未经国家机动车产品主管部门许可生产的机动车型的，没收非法生产、销售的机动车成品及配件，可以并处非法产品价值三倍以上五倍以下罚款；有营业执照的，由工商行政管理部门吊销营业执照，没有营业执照的，予以查封。

生产、销售拼装的机动车或者生产、销售擅自改装的机动车的，依照本条第三款的规定处罚。

有本条第二款、第三款、第四款所列违法行为，生产或者销售不符合机动车国家安全技术标准的机动车，构成犯罪的，依法追究刑事责任。

第一百零四条 未经批准，擅自挖掘道路、占用道路施工或者从事其他影响道路交通安全活动的，由道路主管部门责令停止违法行为，并恢复原状，可以依法给予罚款；致使通行的人员、车辆及其他财产遭受损失的，依法承担赔偿责任。

有前款行为，影响道路交通安全活动的，公安机关交通管理部门可以责令停止违法行为，迅速恢复交通。

第一百零五条 道路施工作业或者道路出现损毁，未及时设置警示标志、未采取防护措施，或者应当设置交通信号灯、交通标志、交通标线而没有设置或者应当及时变更交通信号灯、交通标志、交通标线而没有及时变更，致使通行的人员、车辆及其他财产遭受损失的，负有相关职责的单位应当依法承担赔偿责任。

第一百零六条 在道路两侧及隔离带上种植树木、其他植物或者设置广告牌、管线等，遮挡路灯、交通信号灯、交通标志，妨碍安全视距的，由公安机关交通管理部门责令行为人排除妨碍；拒不执行的，处二百元以上二千元以下罚款，并强制排除妨碍，所需费用由行为人负担。

第一百零七条 对道路交通违法行为人予以警告、二百元以下罚款，交通警察可以当场作出行政处罚决定，并出具行政处罚决定书。

行政处罚决定书应当载明当事人的违法事实、行政处罚的依据、处罚内容、时间、地点以及处罚机关名称，并由执法人员签名或者盖章。

第一百零八条 当事人应当自收到罚款的行政处罚决定书之日起十五日内，到指定的银行缴纳罚款。

对行人、乘车人和非机动车驾驶人的罚款，当事人无异议的，可以当场予以收缴罚款。

罚款应当开具省、自治区、直辖市财政部门统一制发的罚款收据；不出具财政部门统一制发的罚款收据的，当事人有权拒绝缴纳罚款。

第一百零九条 当事人逾期不履行行政处罚决定的，作出行政处罚决定的行政机关可以采取下列措施：

（一）到期不缴纳罚款的，每日按罚款数额的百分之三加处罚款；

（二）申请人民法院强制执行。

第一百一十条 执行职务的交通警察认为应当对道路交通违法行为人给予暂扣或者吊销机动车驾驶证处罚的，可以先予扣留机动车驾驶证，并在二十四小时内将案件移交公安机关交通管理部门处理。

道路交通违法行为人应当在十五日内到公安机关交通管理部门接受处理。无正当理由逾期未接受处理的，吊销机动车驾驶证。

公安机关交通管理部门暂扣或者吊销机动车驾驶证的，应当出具行政处罚决定书。

第一百一十一条 对违反本法规定予以拘留的行政处罚，由县、市公安局、公安分局或者相当于县一级的公安机关裁决。

第一百一十二条 公安机关交通管理部门扣留机动车、非机动车，应当当场出具凭证，并告知当事人在规定期限内到公安机关交通管理部门接受处理。

公安机关交通管理部门对被扣留的车辆应当妥善保管，不得使用。

逾期不来接受处理，并且经公告三个月仍不来接受处理的，对扣留的车辆依法处理。

第一百一十三条 暂扣机动车驾驶证的期限从处罚决定生效之日起计算；处罚决定生效前先予扣留机动车驾驶证的，扣留一日折抵暂扣期限一日。

吊销机动车驾驶证后重新申请领取机动车驾驶证的期限，按照机动车驾驶证管理规定办理。

第一百一十四条 公安机关交通管理部门根据交通技术监控记录资料，可以对违法的机动车所有人或者管理人依法予以处罚。对能够确定驾驶人的，可以依照本法的规定依法予以处罚。

第一百一十五条 交通警察有下列行为之一的，依法给予行政处分：

（一）为不符合法定条件的机动车发放机动车登记证书、号牌、行驶证、检验合格标志的；

（二）批准不符合法定条件的机动车安装、使用警车、消防车、救护车、工程救险车的警报器、标志灯具，喷涂标志图案的；

（三）为不符合驾驶许可条件、未经考试或者考试不合格人员发放机动车驾驶证的；

（四）不执行罚款决定与罚款收缴分离制度或者不按规定将依法收取的费用、收缴的罚款及没收的违法所得全部上缴国库的；

（五）举办或者参与举办驾驶学校或者驾驶培训班、机动车修理厂或者收费停车场等经营活动的；

（六）利用职务上的便利收受他人财物或者谋取其他利益的；

（七）违法扣留车辆、机动车行驶证、驾驶证、车辆号牌的；

（八）使用依法扣留的车辆的；

（九）当场收取罚款不开具罚款收据或者不如实填写罚款额的；

（十）徇私舞弊，不公正处理交通事故的；

（十一）故意刁难，拖延办理机动车牌证的；

（十二）非执行紧急任务时使用警报器、标志灯具的；

（十三）违反规定拦截、检查正常行驶的车辆的；

（十四）非执行紧急公务时拦截搭乘机动车的；

（十五）不履行法定职责的。

公安机关交通管理部门有前款所列行为之一的，对直接负责的主管人员和其他直接责任人员给予相应的行政处分。

第一百一十六条 依照本法第一百一十五条的规定，给予交通警察行政处分的，在作出行政处分决定前，可以停止其执行职务；必要时，可以予以禁闭。

依照本法第一百一十五条的规定，交通警察受到降级或者撤职行政处分的，可以予以辞退。

交通警察受到开除处分或者被辞退的，应当取消警衔；受到撤职以下行政处分的交通警察，应当降低警衔。

第一百一十七条 交通警察利用职权非法占有公共财物，索取、收受贿赂，或者滥用职权、玩忽职守，构成犯罪的，依法追究刑事责任。

第一百一十八条 公安机关交通管理部门及其交通警察有本法第一百一十五条所列行为之一，给当事人造成损失的，应当依法承担赔偿责任。

第八章 附 则

第一百一十九条 本法中下列用语的含义：

（一）“道路”，是指公路、城市道路和虽在单位管辖范围但允许社会机动车通行的地方，包括广场、公共停车场等用于公众通行的场所。

（二）“车辆”，是指机动车和非机动车。

（三）“机动车”，是指以动力装置驱动或者牵引，上道路行驶的供人员乘用或者用于运送物品以及进行工程专项作业的轮式车辆。

（四）“非机动车”，是指以人力或者畜力驱动，上道路行驶的交通工具，以及虽有动力装置驱动但设计最高时速、空车质量、外形尺寸符合有关国家标准的残疾人机动轮椅车、电动自行车等交通工具。

（五）“交通事故”，是指车辆在道路上因过错或者意外造成的人身伤亡或者财产损失的事件。

第一百二十条 中国人民解放军和中国人民武装警察部队在编

机动车牌证、在编机动车检验以及机动车驾驶人考核工作，由中国人民解放军、中国人民武装警察部队有关部门负责。

第一百二十一条 对上道路行驶的拖拉机，由农业（农业机械）主管部门行使本法第八条、第九条、第十三条、第十九条、第二十三条规定的公安机关交通管理部门的管理职权。

农业（农业机械）主管部门依照前款规定行使职权，应当遵守本法有关规定，并接受公安机关交通管理部门的监督；对违反规定的，依照本法有关规定追究法律责任。

本法施行前由农业（农业机械）主管部门发放的机动车牌证，在本法施行后继续有效。

第一百二十二条 国家对入境的境外机动车的道路交通安全实施统一管理。

第一百二十三条 省、自治区、直辖市人民代表大会常务委员会可以根据本地区的实际情况，在本法规定的罚款幅度内，规定具体的执行标准。

第一百二十四条 本法自 2004 年 5 月 1 日起施行。

关于《中华人民共和国道路交通安全法(草案)》的说明

——2001年12月24日在第九届全国人民代表大会常务委员会第二十五次会议上

公安部部长 贾春旺

委员长、各位副委员长、秘书长、各位委员:

我受国务院委托,现就《中华人民共和国道路交通安全法(草案)》作说明。

切实维护道路交通秩序,保障道路交通安全,关系到经济发展和人民群众的生命财产安全,是至关重要的。在这方面,目前还存在一些突出问题:一是道路交通安全形势严峻,道路交通事故特别是群死群伤的重特大交通事故逐年上升,给国家财产和人民群众的生命、财产带来严重损害。二是大中城市的交通拥堵日趋严重,道路通行效率降低,严重影响人们正常的生产、生活。三是办理机动车登记、检验和驾驶证审验等管理环节没有很好地体现管住重点、方便群众的原则,该严管的没管住,该便民的不便民。四是现行道路交通管理条例和治安管理处罚条例规定的管理手段单一、对违法行为的处罚力度不够,难以有效制止和惩罚道路交通违法行为。五是公安交通管理部门及其交通警察的执法行为不规范,乱执法、滥执法等现象时有发生。因此,制定道路交通安全法,加强道路交通安全管理,预防和减少交通事故,提高通行效率,规范公安交通管理部门及其交通警察的执法行为,是迫切需要的。

公安部、国务院法制办经过认真调查研究并广泛征求国务院有关部门和地方政府的意见,多次召开专家论证会,在总结实践经验并借鉴国外好的做法的基础上,拟订了《中华人民共和国道路交通安全法(草案)》(以下简称草案)。草案已经国务院第44次常务会议讨论通过。现就草案几个主要问题说明如下:

一、关于保障道路交通安全

保障道路交通安全,预防和减少交通事故,需要采取多种措施。草案在明确规定与保障道路交通安全有直接关系的道路通行基本条件和基本规范的同时,针对近几年来交通事故特别是群死群伤的重特大交通事故逐年上升的实际情况,从以下三个方面作了严格规定:

第一,防止"带病"车辆上路行驶。一是对机动车实行严格的准入制度,草案规定:准予登记的机动车应当符合机动车国家安全技术标准(第八条)。为了确保在用机动车符合安全技术要求,又尽可能方便群众,草案在维持现行对机动车实行安全技术检验制度的同时,针对不同用途的机动车规定了不同的安全技术检验间隔时间:经常发生群死群伤重大交通事故的12座以上公路营运客车,在新车登记后2年内实行年度检验,第3年至第4年每6个月检验1次,从第5年起每4个月检验1次;其他营运客车和营运货车,在新车登记后2年内进行年度检验,以后每6个月检验1次;其他机动车(大量的是小汽车),在新车登记满6年内每3年检验1次,以后实行年度检验(第十一条)。不按规定接受检验的,交通警察可以暂扣该机动车(第六十八条)。二是建立机动车强制报废制度,应当报废的机动车必须及时办理注销登记(第十二条);严禁报废的和非法拼装、改装、组装的机动车上路,对上路行驶的报废车、拼装车,由公安交通管理部门予以收缴,强制报废(第七十四条)。为了防止已经报废的大型客车重新投入使用,草案规定:"报废的大型客车应当在公安交通管理部门的监督下解体。”(第十二条第三款)通过以上措施,从制度上杜绝“带病”车辆上路行驶,可以有效预防重大交通事故的发生。

第二,防止超载运输。重大交通事故往往与超载有关。因此,草案规定:机动车装载应当符合核定的载人数、载质量,严禁超载(第三十二条);超载车辆首先必须消除违法状态(多载的人下车,多载的物卸下),再根据不同情节,给予处罚(第六十五条);严重超载危及乘车人生命安全(公路客运车辆载客超过额定乘员20%以上),货运机动车严重超载拒不消除违法状态或者被责令恢复原状的改装机动车到期未恢复原状的,草案规定还可以对驾驶人处以15日以下的行政拘留(第六十五条)。

第三,强化对驾驶人的安全管理。机动车驾驶人与道路交通安全直接有关。草案规定,机动车驾驶人符合国务院公安部门规定的驾驶许可条件,经考试合格,取得驾驶证,方可驾驶机动车;其中申请大型客车驾驶资格,还应当具有3年以上驾驶大型货车的经历;年龄已满60周岁的,不得驾驶大型客车(第十七条)。此外,草案着重对驾驶人严重影响道路交通安全的行为以及相应的处罚作了规定:一是饮酒、吸食或者注射毒品、服用抑制神经的精神药品,患有妨碍安全驾驶机动车疾病或者过度疲劳影响安全驾驶的,不得驾驶机动车(第十九条);醉酒后或者在1年内有2次被发现饮酒后驾驶机动车的,以及驾驶机动车超过规定时速50%以上的,除给予罚款和吊销驾驶证的处罚外,可以给予15日以下的行政拘留(第七十二条)。二是营运机动车驾驶人醉酒驾车或者有2次以上饮酒后驾车记录的,或者驾驶机件严重不符合安全技术要求的机动车造成人身伤亡的交通事故的,除依法给予处罚外,5年内不得驾驶营运机动车(第七十三条);造成重大交通事故后逃逸的,除依法从重追究刑事责任外,吊销驾驶证,且终生不得重新取得驾驶证(第七十七条)。三是为了加强对驾驶人安全管理的有效性,根据一些地方的成功经验,草案规定对违法的机动车驾驶人,除依法给予处罚外,实行道路交通安全违法行为累积计分制度,对累积达到规定分值的,扣留驾驶证,进行交通安全教育,重新考试(第二十一条)。

二、关于缓解城市道路交通拥堵

目前,造成城市道路交通拥堵的重要原因之一是现行道路交通事故处理办法不适应城市道路交通发展的需要。一是大量轻微交通事故得不到快速处理,造成交通阻塞。据统计,70%以上的交通事故是仅仅造成车辆及少量物品损失的轻微交通事故,这些事故发生后,当事人都要等交通警察到现场来处理。二是将公安交通管理部门对交通事故损害赔偿纠纷的调解作为当事人提起民事诉讼的前置程序,既限制了当事人的诉讼权利,又影响了纠纷的处理效率。三是缺少国际上通行的机动车第三者责任强制保险的机制,致使交通事故的人身伤亡难以得到及时的补偿。

针对上述问题,草案对现行道路交通事故处理办法作了较大的改革:一是未造成人员伤亡,当事人对事实无争议的道路交通事故,可以即行撤离现场,恢复交通,由当事人自行协商处理损害赔偿事宜(第四十四条)。从试行这种快速处理办法的实践看,对于缓解交通事故引发的交通阻塞,效果十分明显。二是不再把对交通事故损害赔偿的调解作为民事诉讼的前置程序,对于道路交通事故损害赔偿的争议,当事人可以请求公安交通管理部门调解,也可以直接向人民法院提起民事诉讼。经公安交通管理部门调解,当事人未达成协议或者调解书生效后不履行的,当事人可以向人民法院提起民事诉讼(第五十条)。三是经与保监会商量,借鉴国外成功经验,草案规定:国家实行机动车第三者责任强制保险制度。鉴于这是一种新的制度,尚待实践、逐步完善,草案规定,具体办法由国务院规定(第十五条)。

三、关于严格管理与方便群众

在保障道路交通安全的前提下,尽量为人民群众提供方便应当作为道路交通安全管理的重要原则。目前,机动车办理登记时间过长、手续繁琐、办事程序不透明、对机动车和驾驶证不区分不同情况频繁检验、审验,人民群众意见很大。为了解决上述问题,从既管住重点又方便群众出发,草案区别不同情况,分别规定了不同的管理措施:一是经国家机动车技术质量管理部门依据机动车国家安全技术标准允许投入生产的机动车型,该车型的新车在出厂时经检验符合机动车国家安全技术标准,获得合格证的,登记时免予安全技术检验(第八条)。二是公开办理机动车登记的条件、程序和期限,对符合本法规定条件的,公安交通管理部门应当自受理登记申请之日起5个工作日内完成登记审查工作,对符合规定条件的,发给号牌和行驶证(第七条)。三是对驾驶不同车型的驾驶员规定了不同的驾驶证审验期,大型客车、大型货车和特种机动车的驾驶证每年审验1次;其他机动车的驾驶证,驾龄不满4年的,每2年审验1次,驾龄4年以上的,每4年审验1次,直到年满60岁时,再恢复为每年审验1次(第二十条)。

四、关于加强对公安交通管理部门及其交通警察执法活动的规范和监督

滥罚款、当场处罚不开罚款收据、开罚单不如实填写罚款额、不严格执行罚缴分离制度、随意拦截检查正常行驶的车辆以及公安交通管理部门自办驾校等行为,往往导致腐败,影响交通警察在群众中的形象,必须坚决予以纠正。为此,草案设专章作了详细规定:一是加强组织建设入手,规定:公安交通管理部门应当根据依法履行职责的需要,加强队伍建设,提高管理水平。有计划地对交通警察进行法制教育和业务培训、考核。考核不合格的交通警察,不得上岗执行职务(第五十二条)。二是规定公安交通管理部门及其交通警察的执法必须依照法定的职权和程序,严格执法、热情服务,公开办事程序,简化办事手续,做到公正、严格、文明、高效(第五十三条)。三是针对滥发证照、滥施处罚、滥用职权、徇私枉法等职务违法行为作了13项明确的禁止性规定(第五十七条)。四是针对超标收费、罚没收入不上

缴或者不完全上缴国库的行为，草案规定："公安交通管理部门依照本法颁发证照等收取费用，必须严格执行国务院物价行政部门核定的收费标准，收取的费用必须全部上缴国库"（第五十五条）；"公安交通管理部门依法实施罚款的行政处罚，应当依照有关法律、行政法规的规定，实施罚款决定与罚款收缴分离；收缴的罚款以及依法没收的违法所得，必须全部上缴国库"（第五十六条），彻底切断公安交通管理部门行使职权与经济利益的联系。五是规定交通警察必须接受行政监察、公安机关内部督察和上级对下级的层级监督以及社会公众的监督，并规定群众可以举报、检举、控告，收到投诉、检举、控告的机关，应当按照职责分工及时查处（第六十条、第六十一条）。六是为了强化公安交通管理部门及其交通警察的责任，对有本法第五十七条所列违法行为的，根据其危害程度分别给予开除、撤职、降级、记大过、记过的行政处分（第八十条、第八十一条、第八十二条、第八十三条），对受到行政处分的交通警察，还可以分别给予禁闭、辞退、取消警衔、降低警衔的处理（第八十四条）；构成犯罪的，依法追究刑事责任；给当事人造成损失的，依法承担赔偿责任（第八十六条、第八十七条）。

五、需要说明的其他几个问题

（一）关于道路交通事故社会救助基金。道路交通事故社会救助基金是由办理机动车第三者责任强制保险的保险公司在收取的保费中按国家规定的比例（通常为1%）抽取的。国外通行的做法是，机动车第三者责任强制保险制度建立后，作为这个制度的组成部分，需要同时建立道路交通事故社会救助基金，用于支付尚未参保的机动车造成的交通事故和肇事逃逸机动车造成的交通事故受害人的抢救、赔偿费用。事后，交通事故社会救助基金有权向应当负责任的机动车所有人、管理人或者驾驶人追偿。对于基金的使用，草案规定：尚未参加机动车第三者责任保险或者肇事后逃逸的，由道路交通事故社会救助基金先行垫付抢救费用，道路交通事故社会救助基金有权向交通事故责任人追偿（第四十七条）。

（二）关于罚款的数额。考虑到我国各地经济发展不平衡，草案对道路交通安全违法行为的罚款只规定了幅度，具体罚款数额授权省、自治区、直辖市人大常委会在本法和国务院有关的行政法规规定的罚款幅度内规定（第九十一条）。

（三）关于拖拉机上路运输问题。据了解，我国目前拖拉机保有量为1,300多万台，绝大多数为轮式拖拉机。为了既保障道路交通安全，又尽量减少对农民生产、生活的影响特别是对不发达地区农民生产、生活的影响，草案规定：高速公路以及大中城市中心城区内的道路，禁止拖拉机通行。拖拉机的其他禁止道路，由省、自治区、直辖市人民政府根据当地的实际情况规定。在允许拖拉机通行的道路上，拖拉机可以从事货运，但不得用于载人（第三十六条）。

（四）关于道路通行的具体规定。道路通行的具体规定技术性、操作性较强，其中有的内容还会随着道路交通情况的发展而有所变化。因此，草案只规定了道路通行的一般规定，对于道路通行的其他具体规定，由国务院制定配套的行政法规，与本法同步实施。

《中华人民共和国道路交通安全法（草案）》和以上说明是否妥当，请审议。

全国人大法律委员会关于《中华人民共和国道路交通安全法(草案)》修改情况的汇报

全国人民代表大会常务委员会:

九届全国人大常委会第二十五次会议对国务院提交的《中华人民共和国道路交通安全法(草案)》进行了初步审议。会后,法制工作委员会将草案印发中央有关部门、地方人大、有关研究机构征求意见。法制工作委员会还就草案中的有关问题进行了调查研究。法律委员会于8月13日召开会议,根据常委委员和地方、部门提出的修改意见,对草案逐条进行了审议。农业与农村委员会、内务司法委员会和国务院法制办公室、公安部的有关负责同志列席了会议。8月19日法律委员会再次进行了审议。法律委员会认为,制定道路交通安全法,对于预防和减少交通事故,保障道路交通安全、畅通,规范公安机关交通管理部门的执法行为,维护自然人、法人和其他组织的合法权益,具有重要意义。同时,对草案提出以下修改意见:

一、有些委员和地方提出,道路交通安全法应当对道路交通活动的基本规范尽可能作出规定。因此,法律委员会建议在草案二次审议稿第四章"道路通行规定"中,增加一些内容,并分为"一般规定"、"机动车通行规定"、"非机动车通行规定"、"行人和乘车人通行规定"、"高速公路的特别规定"五节。(草案二次审议稿第四章)

二、有些委员和地方提出,目前酒后驾车、营运机动车超载、驾驶非法拼装或者报废的机动车上路等严重违法行为,是造成恶性事故频发的重要原因,应当对这些比较突出的严重违法行为的处罚作出更为明确的规定,以更好地保障道路交通安全。因此,法律委员会建议对上述道路交通违法行为的有关处罚条款作出更加具体的规定。(草案二次审议稿第八十七条、第八十八条、第八十九条、第九十四条)

三、草案规定对行人、乘车人、非机动车驾驶人的罚款数额最高为二百元,对机动车驾驶人的罚款数额最高为五千元。有些委员和地方提出,对罚款数额的规定应当结合违法行为的性质、公民收入水平、处罚的实际效果一并考虑。草案规定的罚款数额过高,给执法部门及其工作人员的自由裁量权过大。因此,法律委员会建议将对行人、乘车人、非机动车驾驶人的最高罚款数额规定为五十元(草案二次审议稿第八十五条);对机动车驾驶人的最高罚款数额规定为二千元(草案二次审议稿第八十九条、第九十三条、第九十四条、第一百条)。同时,考虑到各地经济发展水平不平衡,法律委员会建议增加规定:"省、自治区、直辖市人民代表大会常务委员会可以根据本地区的实际情况,在本法规定的罚款幅度内,规定具体的执行标准。"(草案二次审议稿第一百一十八条)

四、有些委员提出,草案规定公安机关交通管理部门对交通违法行为可给予罚款、暂扣驾驶证、吊销驾驶证、拘留、剥夺终生驾驶资格等处罚,但还应当明确规定处罚程序和处罚权限,防止权力滥用。法律委员会研究认为,对于违反本法规定的违法行为人的行政处罚程序,一般应当适用行政处罚法的规定,考虑到交通执法行为的及时性,以及交通违法行为流动性强、数量大等特点,对有些交通违法行为的处罚程序需要作出特别规定。因此,法律委员会建议增加规定:"执行职务的交通警察认为应当对道路交通违法行为人给予暂扣或者吊销驾驶证处罚的,可以先予扣留驾驶证,并在二十四小时内将案件移交公安机关交通管理部门处理。"(草案二次审议稿第一百零四条)"对违反本法规定予以拘留的行政处罚,由县、市公安局、公安分局或者相当于县一级的公安机关裁决。"(草案二次审议稿第一百零

五条）

五、有些委员和地方提出，对交通违法行为进行处罚的目的是为了防止和减少违法行为的发生，但在实际执法过程中，有的交通警察对于交通违法行为，不分轻重，一律予以重罚。有的对违法行为简单地罚款了事，对违法行为本身不予纠正，对处罚依据不作说明，达不到处罚的目的。因此，法律委员会建议增加规定："公安机关交通管理部门及其交通警察应当依据事实和本法的有关规定对道路交通违法行为予以处罚。对于情节轻微，未影响道路通行的，指出其违法行为，给予口头警告后放行。"（草案二次审议稿第八十三条）交通警察当场作出处罚决定的，应当出具行政处罚决定书。"行政处罚决定书应当载明当事人的违法事实、行政处罚的依据、处罚内容、时间、地点，并由执法人员签名或者盖章。"（草案二次审议稿第一百零一条）

这里还有两个问题需要汇报：

第一，关于农用运输车道路交通管理体制。草案第四条规定："国务院公安部门负责全国道路交通安全管理工作。县级以上地方各级人民政府公安交通管理部门负责本行政区域内的道路交通安全管理工作。"第七条规定："国家对机动车实行登记制度。机动车未按照国家有关规定登记的，不得上路行驶"。"公安交通管理部门以外的任何单位或者个人不得发放机动车号牌或者要求机动车悬挂其他号牌。"在审议中，有些委员赞成草案上述规定。有些委员和部门、地方要求维持1986年以来的做法，即1986年10月《国务院关于改革道路交通管理体制的通知》规定的："凡上道路行驶的专门从事运输和既从事农田作业又从事运输的拖拉机及其驾驶员，由公安机关按机动车辆进行管理。有关道路行驶安全技术检验、驾驶员考核、核发全国统一的道路行驶牌证等项工作，公安机关可以委托农业（农机）部门负责，并有权进行监督、检查。"法律委员会考虑到这个问题争议较大，建议由国务院法制办公室就关于《中华人民共和国道路交通安全法（草案）》中农用运输车管理体制的问题专门作出说明。同时内务司法委员会、农业与农村委员会也提出了审议意见。内司委、农委的审议意见和国务院法制办的说明已印发本次常委会会议。法律委员会拟在委员们进一步审议的基础上,继续研究这个问题。(草案二次审议稿第五条、第八条)

第二,关于机动车与行人、非机动车驾驶人发生交通事故的民事赔偿责任。草案第四十八条规定:“机动车交通事故造成人身伤亡的损失,由保险公司在机动车第三者责任强制保险投保金额的范围内予以赔偿;人身伤亡损失超过投保金额的部分,由有过错的一方承担;双方都有过错的,按照各自过错的比例分担。”“交通事故造成的财产损失,由有过错的一方承担民事责任;双方都有过错的,按照各自过错的比例分担民事责任。”有的委员和法律专家提出,上述规定的承担责任方式是过错原则。根据民法通则的规定,机动车作为高速运输工具,对行人、非机动车驾驶人的生命财产安全具有一定的危险性,发生交通事故时,应当实行无过失原则,即机动车与非机动车、行人发生交通事故,由机动车一方承担民事责任;如果能够证明损害是由受害人故意造成的,不承担民事责任。考虑到随着道路建设的发展和公民法律意识的提高,这一承担责任的方式可以适度修改。从目前情况看,有些国家已从过去采用的无过失原则改为采用过错推定原则,即对机动车与非机动车及行人发生交通事故,由机动车一方承担责任,但机动车一方能够证明自己在驾驶时对交通安全已尽了高度注意义务的,可以减轻或者免除责任。有些国家则仍然实行无过失原则。鉴于这个问题比较复杂,法律委员会建议作进一步研究。(草案二次审议稿第七十条)

草案第四十九条规定了机动车驾驶人、所有人、管理人在机动车道路交通事故的民事责任。有的委员提出,发生交通事故后,确定机动车方有关人员的民事赔偿责任问题比较复杂,建议本法不作规定,可在民事侵权法律中作具体规定。草案二次审议稿对以上条款暂未作修改,建议委员们进一步审议。(草案二次审议稿第七十一条)

此外,还对草案作了一些文字修改。

草案二次审议稿已按照上述意见作了修改,法律委员会建议全国人大常委会再次审议。

草案二次审议稿和以上意见是否妥当，请审议。

全国人大法律委员会

2002 年 8 月 20 日

全国人大法律委员会关于《中华人民共和国道路交通安全法(草案)》修改情况的汇报

全国人民代表大会常务委员会:

道路交通安全法(草案)是国务院于2001年12月提请全国人大常委会审议的。九届全国人大常委会第二十五次会议对草案进行初步审议后,法制工作委员会将草案印发中央有关部门、地方人大常委会、有关研究机构征求意见。法律委员会、法制工作委员会还就草案有关问题进行了调查研究。法律委员会于2002年8月13日召开会议,根据常委会组成人员、内务司法委员会和农业与农村委员会的审议意见以及一些部门和地方提出的意见,对草案逐条进行了审议,主要对以下问题作了修改:一是在第四章“道路通行规定”中增加一些内容,并分为“一般规定”、“机动车通行规定”、“非机动车通行规定”、“行人和乘车人通行规定”、“高速公路的特别规定”五节。二是针对目前酒后驾车、营运机动车超载、驾驶非法拼装或者报废的机动车上路等严重违法行为造成恶劣事故频发的情况,对这些比较突出的违法行为的处罚作出更为明确、具体的规定。三是考虑到草案规定的处罚数额过高,给执法部门和执法人员的裁量权过大,调低了罚款的最高限额,并规定省、自治区、直辖市人大常委会可以根据本地区的实际情况,在法律规定的罚款幅度内,规定具体的执行标准。四是进一步明确了公安机关交通管理部门的处罚程序和处罚权限。草案二次审议稿于2002年8月21日提请九届全国人大常委会第二十九次会议进行了二次审议。本届法律委员会于2003年6月5日召开会议,在九届全国人大常委会两次审议的基础上,对草案二次审议稿逐条进行了审议,农业与农村委员会、内务司法委员会、国务院法制办、公安部的有关负责同志列席了会议。6月18日法律委员会再次进行了审议。现将主要修改意见汇报如下:

一、有的委员和部门提出,为了保证道路畅通和交通安全,应当对机动车的停放作出规定。据此,法律委员会建议增加一条,规定:“机动车应当在规定地点停放;临时停放的,不得影响其他车辆通行。”(草案三次审议稿第五十五条)

二、草案二次审议稿第六十八条规定:“公安机关交通管理部门应当根据事故现场勘验、检查、调查情况和有关的检验、鉴定结论,分析查明交通事故的基本事实和形成原因,制作事故成因报告书,并送达当事人。”有些委员提出,上述规定改变了我国多年来公安机关在查明交通事故原因后,认定当事人的交通事故责任的实际做法,是否妥当,需要再作研究。一些地方和法院提出,我国公安机关每年通过交通事故责任认定并加以处理的交通事故纠纷近80万件。如果公安机关只制作事故成因报告书,不再作责任认定,大量的交通事故纠纷只能由法院处理,法院难以承担。公安机关在处理道路交通事故纠纷方面有人力、有经验,由公安机关处理纠纷,有利于及时解决纠纷、方便群众和降低诉讼成本。据此,从既有利于快速处理交通事故又有利于保护当事人的合法权益考虑,法律委员会建议将这一条修改为:“公安机关交通管理部门应当根据交通事故现场勘验、检查、调查情况和有关的检验、鉴定结论,及时制作交通事故认定书。交通事故认定书应当载明交通事故的基本事实、形成原因和当事人的责任,并送达当事人。”(草案三次审议稿第七十一条)

三、草案二次审议稿第七十条规定:“机动车交通事故造成人身伤亡、财产损失的,由保险公司在机动车第三者责任强制保险投保金额的范围内予以赔偿。超过投保金额的部分,由有过错的一方承担责任;双方都有过错的,按照各自过错的比例分担责任。”有些委员和专家提出，按照民法通则第一百二十三条的规定，高速运输工具造成损害的，应当承担无过失责任。随着道路交通的发展和交通规则的健全，并借鉴一些国家的立法例，建议规定，机动车撞人的，应当承担赔偿责任；但是，机动车一方能够证明自己没有过错的，可以减轻或免除责任；行人违反交通规则导致交通事故的，也负有相应的责任。据此，法律委员会建议将这一条修改为："机动车发生交通事故造成人身死亡、财产损失的，由保险公司在机动车第三者责任强制保险投保金额的范围内予以赔偿。超过投保金额的部分，按照下列方式承担民事责任：(一)机动车之间发生交通事故的，由有过错的一方承担责任；双方都有过错的，按照各自过错的比例分担责任。(二)机动车与非机动车驾驶人、行人之间发生交通事故的，由机动车一方承担责任。机动车一方能够证明非机动车驾驶人、行人违反交通规则，本人已经采取必要处置措施的，可以减轻机动车一方的责任。交通事故的损失是由非机动车驾驶人、行人故意造成的，机动车一方不承担责任。"(草案三次审议稿第七十四条)

四、草案二次审议稿第七十一条规定："对机动车在道路交通事故中的民事责任，按照下列规定承担：(一)驾驶人是机动车所有人、管理人的，由驾驶人承担；(二)经机动车所有人、管理人授权驾驶机动车的，由机动车驾驶人或者所有人、管理人承担；(三)未经机动车所有人、管理人授权驾驶机动车的，由驾驶人承担；(四)驾驶人与机动车所有人、管理人就机动车事故责任的负担事先已有书面约定的，从其约定。""机动车所有人、管理人依据前款第(二)项承担赔偿责任后，有权向驾驶人追偿。"有的委员提出，在处理机动车交通事故时，确定由谁承担责任的情况比较复杂，在实践中需要根据民法的有关规定和案件的具体情况确定，本法可以不作规定。据此，法律委员会建议将这一条删去。

五、草案二次审议稿第九十二条规定，对上道路行驶的机动车未悬挂机动车号牌，未放置检验合格标志、保险标志，未随车携带行驶证，以及使用伪造的上述号牌、标志的行为，给予处罚。有的委员和地方、部门提出,对故意遮挡、污损号牌或者使用其他车辆的机动车号牌、行驶证、检验合格标志、保险标志、机动车登记证的行为,也应给予处罚。据此,法律委员会建议相应增加对这些行为的处罚规定,并进一步明确规定处罚的程序(草案三次审议稿第九十四条、第九十五条)。

六、有的委员提出,草案对机动车实行第三者责任强制保险作了规定。既然是强制保险,对没有投保机动车第三者责任强制保险的就应规定相应的处罚,以切实保证机动车发生交通事故时有关当事人的合法权益。据此,法律委员会建议增加一条,规定:"机动车所有人、管理人未按照国家规定投保机动车第三者责任强制保险的,由公安机关交通管理部门扣留车辆至依照规定投保后,并处以保险金额二倍罚款。""依照前款交纳的罚款全部纳入道路交通事故社会救助基金,具体办法由国务院规定。"(草案三次审议稿第九十七条)

七、草案二次审议稿第一百一十条对交通警察违法行为作了具体规定。有的委员提出,对交通警察擅自批准不符合法定条件的机动车安装、使用特种车辆的警报器、标志的行为,应予处罚。据此,法律委员会建议在这一条中增加规定,交通警察"批准不符合法定条件的机动车安装、使用警车、消防车、救护车、工程救险车的警报器、标志灯具,喷涂标志图案的",给予行政处分(草案三次审议稿第一百一十五条)。

这里,还要汇报一个问题。草案二次审议稿第五条规定:"国务院公安部门负责全国道路交通安全管理工作。县级以上地方各级人民政府公安机关交通管理部门负责本行政区域内的道路交通安全管理工作。"第八条规定:"国家对机动车实行登记制度。机动车经公安机关交通管理部门登记后,方可上道路行驶。""公安机关交通管理部门以外的任何单位或者个人不得发放机动车号牌或者要求机动车悬挂其他号牌。"在九届全国人大常委会审议过程中,内务司法委员会和有些委员赞成草案的规定。农业与农村委员会和有些委员、地方则主张维持1986年以来的做法,即:按照1986年10月《国务院关于改革道路交通管理体制的通知》的规定，“凡上道路行驶的专门从事运输和既从事农田作业又从事运输的拖拉机及其驾驶员，由公安机关按机动车进行管理。有关道路行驶安全技术检验、驾驶员考核、核发全国统一的道路行驶牌证等项工作，公安机关可以委托农业（农机）部门负责，并有权进行监督、检查”。九届法律委员会考虑到在这个问题上争议较大，建议由国务院法制办就关于农用运输车管理体制问题专门作出说明。国务院法制办于2002年7月26日来函说明了国务院的意见，坚持由公安机关交通管理部门对机动车实行统一管理的体制。在二次审议中，农业与农村委员会和有些委员及地方对此继续提出意见，九届法律委员会研究后建议国务院对这个问题进一步研究。国务院法制办于2003年1月20日来函，重申了国务院仍维持对机动车实行统一管理的意见。在本届法律委员会审议时，农业与农村委员会负责同志提出，本届农业与农村委员会认真研究讨论了这个问题，仍然坚持九届人大农业与农村委员会在这个问题上的意见。鉴于以上情况，法律委员会建议将国务院法制办来函说明的国务院的意见与农业与农村委员会的意见印发本届常委会三次会议，对草案二次审议稿第五条、第八条暂不作修改，经本届常委会三次会议审议后，再根据常委会组成人员的审议意见和各方面的意见，进一步研究。

此外，还对草案二次审议稿作了一些文字修改。

草案三次审议稿已按上述意见作了修改，请本次常委会会议予以审议。

草案三次审议稿和以上汇报是否妥当，请审议。

全国人大法律委员会

2003年6月18日

全国人大法律委员会关于《中华人民共和国道路交通安全法(草案)》审议结果的报告

全国人民代表大会常务委员会:

十届全国人大常委会第三次会议对《中华人民共和国道路交通安全法(三次审议稿)》进行了审议。会后,根据常委会组成人员的意见,法律委员会、法制工作委员会就草案三次审议稿的主要问题,同国务院法制办、国务院有关部门进行了多次研究。法律委员会于9月28日召开会议,对草案进行了审议。农业与农村委员会、内务司法委员会、国务院法制办有关负责同志列席了会议。10月20日法律委员会再次进行了审议。法律委员会认为,为了维护交通秩序,保障交通安全,保护人民的生命财产安全,制定道路交通安全法是必要的。草案经过常委会三次审议、修改,基本可行;同时,提出以下主要修改意见:

一、草案规定,对机动车包括农用机动车的管理,由公安机关交通管理部门统一负责。对这种规定,常委会几次审议中一直有不同意见,分歧集中在对农用机动车(包括拖拉机、农用运输车)牌证发放,是由公安机关交通管理部门负责,还是由农业(农机)部门负责。主要的意见有三种:一是主张维持1986年以来实行的管理体制,由公安机关交通管理部门委托农业(农机)部门负责。二是主张在保持现行管理体制的基础上,进行适当调整,拖拉机和小型农用运输车的牌证发放由农业(农机)部门负责,大中型农用运输车的牌证发放由公安机关交通管理部门负责。三是主张由公安机关交通管理部门统一负责,但要采取便民措施,减轻农民负担。法律委员会、法制工作委员会经研究认为,三种意见各有一定的道理,都应给予重视。解决这个问题,既要坚持把人民的生命财产安全放在第一位,坚持道路交通安全管理的统一性,保障道路交通安全;同时,也要认真考虑我国对农用机动车牌照发放的管理现状,区分拖拉机和其他农用机动车的不同情况。据此,建议在坚持由公安机关交通管理部门对机动车实施统一管理的前提下,对农用机动车作具体分析、区别对待。运输车不宜分工业用、农业用、商业用等,应予同等对待,其牌证发放均由公安机关交通管理部门统一负责。拖拉机则有所不同,多数拖拉机既从事农田作业又从事运输活动,不论对其技术性能的检验,还是对其驾驶人员的考核,都要兼顾这两个方面,宜按1986年以来实行的管理体制,拖拉机的牌证发放可由农业(农机)部门负责,但应受公安机关交通管理部门监督。此外,从方便农民、减轻农民负担考虑,对农业(农机)部门在道路交通安全法施行前已经发放的机动车牌证,应当允许继续使用,不必重新换发。法律委员会、法制工作委员会就以上考虑,同国务院法制办交换了意见。国务院办公厅、法制办同有关部门协调后,经向国务院领导报告,同意法律委员会、法制工作委员会的意见。据此,法律委员会建议在草案三次审议稿附则中增加一条:"对上道路行驶的拖拉机,由农业(农业机械)主管部门行使本法第八条、第十三条、第十九条、第二十三条规定的公安机关交通管理部门的管理职权。""农业(农业机械)主管部门依照前款规定行使职权,应当遵守本法有关规定,并接受公安机关交通管理部门的监督;对违反规定的,依照本法有关规定追究法律责任。""本法施行前由农业(农业机械)主管部门发放的机动车牌证,在本法施行后继续有效。"(草案四次审议稿第一百二十一条)此外,建议将草案三次审议稿第二十条第一款修改为:"机动车的驾驶培训实行社会化,由交通主管部门对驾驶培训学校、驾驶培训班实行资格管理,其中专门的拖拉机驾驶培训学校、驾驶培训班由农业(农业机械)主管部门实行资格管理。"

（草案四次审议稿第二十条第一款）

二、草案三次审议稿第十二条第一款规定：“登记后投入使用的机动车，应当按照法律、行政法规的规定，根据车辆用途、载客载货数量、使用年限等不同情况，定期接受安全技术检验；经检验合格的，公安机关交通管理部门应当发给检验合格标志。”有的常委委员提出，一些地方在进行机动车安全技术检验时，要求提供停车泊位等与机动车安全技术性能无关的证明，这种做法应予禁止。据此，法律委员会建议在这一款中增加规定：“对提供机动车行驶证和机动车第三者责任强制保险单的，机动车安全技术检验机构应当予以检验，任何单位不得附加其他条件。”（草案四次审议稿第十三条第一款）

三、草案三次审议稿第十六条规定：“国家实行机动车第三者责任保险制度，并由有关的保险公司按照法律、行政法规的规定从所收取的机动车第三者责任强制保险费中提取一定比例的资金设立道路交通事故社会救助基金。具体办法由国务院规定。”有的常委委员和有关部门提出，社会救助基金是否或者仅从保险费中提取，还需要进一步研究，宜由国务院在作具体规定时一并明确。据此，法律委员会建议将这一条修改为：“国家实行机动车第三者责任强制保险制度，设立道路交通事故社会救助基金。具体办法由国务院规定。”（草案四次审议稿第十七条）

四、根据公安部的意见，借鉴国外对机动车驾驶人的一种有效的奖惩做法，总结我国在一些城市的试点经验，法律委员会建议在草案三次审议稿第二十三条中增加一款，规定：“对遵守道路交通安全法律、法规，在一年内无累积记分的机动车驾驶人，可以延长机动车驾驶证的审验期。具体办法由国务院公安部门规定。”（草案四次审议稿第二十四条第二款）

五、草案三次审议稿第二十九条规定：“道路出现坍塌、坑漕、水毁、隆起等损毁或者交通信号灯、交通标志、交通标线等交通设施损毁、灭失的，道路、交通信号灯、交通标志、交通标线、交通设施的养护部门或者管理部门应当设置警示标志并及时修复，由公安机关交通管理部门负责监督；未设置警示标志的道路，公安机关交通管理部门应当及时采取安全措施，疏导交通。”有些常委委员和有关部门提出，交通标志损毁、灭失的，由公安机关道路交通安全管理部门通知有关部门及时修复即可，不宜规定“由公安机关道路交通安全管理部门负责监督”。据此，法律委员会建议将这一条修改为：“道路出现坍塌、坑漕、水毁、隆起等损毁或者交通信号灯、交通标志、交通标线等交通设施损毁、灭失的，道路、交通设施的养护部门或者管理部门应当设置警示标志并及时修复。”“公安机关交通管理部门发现有前款情形，危及交通安全，尚未设置警示标志的，应当及时采取安全措施，疏导交通，并通知道路、交通设施的养护部门或者管理部门。”（草案四次审议稿第三十条）

六、草案三次审议稿第三十三条规定：“中小学校、幼儿园、医院、养老院门前的道路没有行人过街设施的，应当施划人行横道线，设置提示标志。”有的常委委员提出，在大中城市主要道路的人行道上应当设置专用盲道。据此，法律委员会建议在这一条中增加一款，规定：“城市主要道路的人行道，应当按照规划设置盲道。盲道的设置应当符合国家标准。”（草案四次审议稿第三十四条第二款）

七、草案三次审议稿第七十三条规定：“对交通事故中的受伤人员，医疗机构应当及时抢救，不得因抢救费用未及时支付而拖延救治。肇事车辆已参加机动车第三者责任强制保险的，由保险公司支付抢救费用；未参加机动车第三者责任强制保险或者肇事后逃逸的，由道路交通事故社会救助基金先行垫付抢救费用，道路交通事故社会救助基金管理机构有权向交通事故责任人追偿。”有的常委委员和部门提出，对已参加第三者责任强制保险的机动车发生交通事故造成人身伤亡的，保险公司只能在保险责任限额内支付抢救费用。据此，法律委员会建议将这一条修改为：“医疗机构对交通事故中的受伤人员应当及时抢救，不得因抢救费用未及时支付而拖延救治。肇事车辆参加机动车第三者责任强制保险的，由保险公司在责任限额范围内支付抢救费用；抢救费用超过责任限额的，未参加机动车第三者责任强制保险或者肇事后逃逸的，由道路交通事故社会救助基金先行垫付部分或者全部抢救费用，道路交通事故社会救助基金管理机构有权向交通事故责任人追偿。”（草案四次审议稿第七十五条）

八、草案三次审议稿第一百二十条第四项规定：“非机动车，是指以人力或者畜力驱动，上道路行驶的交通工具，以及虽有动力装置驱动但设计最高时速小于每小时二十公里、空车质量小于七十五千克的残疾人机动轮椅车。”有的部门提出，这一条关于残疾人机动轮椅车标准的规定不符合实际情况，而且残疾人机动轮椅车的具体技术参数应由国家质量技术监督部门发布的国家标准或行业标准加以规范，不属于道路交通安全法规定的问题。经与国务院法制办研究，法律委员会建议将这一项修改为：“‘非机动车’，是指以人力或者畜力驱动，上道路行驶的交通工具，以及虽有动力装置驱动但设计最高时速、空车质量、最大外廓符合有关国家标准的残疾人机动轮椅车、电动自行车等交通工具。”（草案四次审议稿第一百一十九条第四项）同时，为了保证交通安全，建议增加一条，作为第五十八条，规定：“残疾人机动轮椅车、电动自行车在非机动车道内行驶时，最高时速不得超过十五公里。”（草案四次审议稿第五十八条）

此外，根据常委会组成人员的意见，还对草案三次审议稿作了一些文字修改。

草案四次审议稿已按上述意见作了修改，法律委员会建议本次常委会会议审议通过。

草案四次审议稿和以上报告是否妥当，请审议。

全国人大法律委员会

2003年10月20日

全国人大法律委员会关于《中华人民共和国道路交通安全法(草案)》和《中华人民共和国证券投资基金法(草案)》修改意见的报告

(2003 年 10 月 27 日)

全国人大法律委员会主任委员　杨景宇

本次会议于 10 月 23 日下午、24 日上午对《中华人民共和国道路交通安全法(草案四次审议稿)》和《中华人民共和国证券投资基金法(草案三次审议稿)》进行了分组审议。常委会组成人员普遍认为,两部法律草案经过常委会四次或者三次审议、修改,已经比较成熟。同时,提出一些修改意见,建议本次会议进一步修改后通过。法律委员会于 10 月 25 日召开会议,根据常委会组成人员提出的修改意见,对两部法律草案进行了审议。全国人大农业与农村委员会、内务司法委员会、财经委员会和国务院法制办、公安部、证监会的负责同志分别列席了会议。法律委员会认为,两部法律草案基本可行,建议本次会议通过;同时,提出以下主要修改意见:

一、关于道路交通安全法(草案)

(一)草案四次审议稿第一条规定:"为了维护道路交通秩序,预防和减少交通事故,保障交通安全,提高通行效率,保护人身安全和自然人、法人、其他组织的财产安全及其他合法权益,制定本法。”有的常委委员提出,制定道路交通安全法,应当把保护人身安全放在首位,突出以人为本的精神。据此,法律委员会建议将这一条修改为:“为了维护道路交通秩序,预防和减少交通事故,保护人身安全,保护公民、法人和其他组织的财产安全及其他合法权益,提高通行效率,制定本法。”(建议表决稿第一条)

(二)有的常委委员提出,草案四次审议稿第十八条和第一百一十九条关于非机动车安全技术标准的表述不够准确。法律委员会经同有关部门研究,并参照国家有关技术标准,建议将这两条中的“最大外廓”修改为“外形尺寸”。(建议表决稿第十八条、第一百一十九条)

(三)草案四次审议稿第十九条第二款规定:“申请机动车驾驶证,应当符合国务院公安部门规定的驾驶许可条件;经考试合格后,由公安机关交通管理部门发给机动车驾驶证。”第三款规定:“申请大型客车驾驶资格,应当具有三年驾驶其他机动车型的经历。年满六十周岁的,不得驾驶大型客车。”有的常委会组成人员提出,机动车驾驶证根据准驾车型的不同,应当区分不同类别。有的常委会组成人员提出,要求申请驾驶大型客车资格应当具有三年驾驶其他机动车型的经历,并不能准确反映申请人的实际驾驶经验和技术水平。人与人的身体状况差别很大,规定年满六十周岁的,一律不得驾驶大型客车,也不科学。据此,法律委员会建议将这一条第二款修改为:“申请机动车驾驶证,应当符合国务院公安部门规定的驾驶许可条件;经考试合格后,由公安机关交通管理部门发给相应类别的机动车驾驶证。”同时,建议删去第三款。(建议表决稿第十九条)

(四)草案四次审议稿第四十七条第一款规定:“机动车行经人行横道时,遇行人正在通过人行横道,应当停车让行。”有的常委委员提出,为了维护行人的安全,应当增加规定机动车行经人行横道时减速行驶的内容。据此,法律委员会建议将这一款修改为:“机动车行经

人行横道时，应当减速行驶；遇行人正在通过人行横道，应当停车让行。”（建议表决稿第四十七条第一款）

（五）草案四次审议稿第五十六条规定：“机动车应当在规定地点停放；临时停车的，不得妨碍其他车辆和行人通行。”有的常委委员提出，有些地方机动车在人行道上任意停放，影响行人正常通行，应当禁止机动车在人行道上停放。据此，法律委员会建议将这一条修改为：“机动车应当在规定地点停放。禁止在人行道上停放机动车；但是，依照本法第三十三条规定施划的停车泊位除外。”“在道路上临时停车的，不得妨碍其他车辆和行人通行。”（建议表决稿第五十六条）

（六）草案四次审议稿第六十七条规定：“行人、非机动车、拖拉机、轮式专用机械车、铰接式客车以及其他设计最高时速低于七十公里的机动车，不得进入高速公路。高速公路限速标志标明的最高时速不得超过一百二十公里。”“驾驶人取得机动车驾驶证不满一年的，不得在高速公路上驾驶机动车。”

有的常委委员提出，高速公路一百二十公里的最高限速太低，建议不作具体规定或者对最高时速再提高一些。法律委员会经与国务院法制办、公安部反复研究认为，在高速公路上车速太快，十分危险，一旦出现紧急情况，往往难以控制，极易发生恶性事故。因此，对高速公路规定最高限速是必要的。从我国目前的路况、车况和以往发生交通事故的情况考虑，规定高速公路的最高时速为一百二十公里比较合适。因此，法律委员会建议维持草案四次审议稿对高速公路最高限速的规定。

有些常委委员提出，这一条第二款关于取得驾驶证不满一年的，不得驾车上高速公路的规定，不符合实际情况，一年期限并不能反映驾驶人的驾车经验和技术水平。据此，法律委员会建议删去这一款。

公安部提出，全挂拖斗车制动时，后车容易侧向移动，行驶中挂车摆幅较大，影响其他车辆安全，不得上高速公路。据此，法律委员会建议将这一条修改为：“行人、非机动车、拖拉机、轮式专用机械车、铰接式客车、全挂拖斗车以及其他设计最高时速低于七十公里的机

动车,不得进入高速公路。”(建议表决稿第六十七条)

(七)草案四次审议稿第七十六条第一款第二项规定:“机动车与非机动车驾驶人、行人之间发生交通事故的,由机动车一方承担责任。机动车一方能够证明非机动车驾驶人、行人违反道路交通安全法律、法规,机动车驾驶人已经采取必要处置措施的,可以减轻机动车一方的责任。”有的常委委员认为,机动车与非机动车驾驶人、行人之间发生交通事故,应当实行过错原则。有的认为,草案四次审议稿的规定符合目前国外处理交通事故民事责任问题的通行做法,也体现了本法以人为本的精神。有的提出,只要有证据证明事故是由于非机动车驾驶人、行人违反道路交通安全法律、法规造成的,就应当减轻机动车一方的责任。法律委员会经对上述意见认真研究、慎重考虑,建议将这一项修改为:“(二)机动车与非机动车驾驶人、行人之间发生交通事故的,由机动车一方承担责任;但是,有证据证明非机动车驾驶人、行人违反道路交通安全法律、法规,且机动车驾驶人已经采取必要处置措施的,减轻机动车一方的责任。”(建议表决稿第七十六条第二项)

(八)草案四次审议稿第九十一条第一款、第二款对酒后驾车规定了法律责任。有的常委委员提出,饮酒后特别是醉酒驾驶机动车,往往酿成严重交通事故,对道路交通安全的威胁很大,应当加大对这种行为的处罚力度,先当扣证,并处罚款,对醉酒后驾车的还应予以拘留。据此,法律委员会建议将这两款修改为:“饮酒后驾驶机动车的,处暂扣一个月以上三个月以下机动车驾驶证,并处二百元以上五百元以下罚款;醉酒后驾驶机动车的,由公安机关交通管理部门约束至酒醒,处十五日以下拘留和暂扣三个月以上六个月以下机动车驾驶证,并处五百元以上二千元以下罚款。”“饮酒后驾驶营运机动车的,处暂扣三个月机动车驾驶证,并处五百元罚款;醉酒后驾驶营运机动车的,由公安机关交通管理部门约束至酒醒,处十五日以下拘留和暂扣六个月机动车驾驶证,并处二千元罚款。”(建议表决稿第九十一条第一款、第二款)

（九）草案四次审议稿第九十二条对机动车超载规定了法律责任。有的常委委员提出，当前，机动车超载是造成重大交通事故频发的主要原因之一，对机动车超载特别是一些营运车辆为追求经济效益一再超载的违法行为，应当加大处罚力度。据此，法律委员会建议将这一条修改为："公路客运车辆载客超过额定乘员的，处二百元以上五百元以下罚款；超过额定乘员百分之二十或者违反规定载货的，处五百元以上二千元以下罚款。""货运机动车超过核定载质量的，处二百元以上五百元以下罚款；超过核定载质量百分之三十或者违反规定载客的，处五百元以上二千元以下罚款。""有前两款行为的，由公安机关交通管理部门扣留机动车至违法状态消除。""运输单位的车辆有本条第一款、第二款规定的情形，经处罚不改的，对直接负责的主管人员处二千元以上五千元以下罚款。"（建议表决稿第九十二条）

（十）有的常委委员提出，对伪造、变造机动车牌证、标志的行为，也应给予处罚。据此，法律委员会建议将草案四次审议稿第九十六条第一款修改为："伪造、变造或者使用伪造、变造的机动车登记证书、号牌、行驶证、检验合格标志、保险标志、驾驶证或者使用其他车辆的机动车登记证书、号牌、行驶证、检验合格标志、保险标志的，由公安机关交通管理部门予以收缴，扣留该机动车，并处二百元以上二千元以下罚款；构成犯罪的，依法追究刑事责任。"（建议表决稿第九十六条）

（十一）有的常委委员提出，一些单位和个人为了追求经济效益，擅自生产、销售改装的机动车，这些机动车一旦上路，对道路交通安全造成很大威胁，对这些行为也应规定处罚。据此，法律委员会建议在草案四次审议稿第一百零三条关于法律责任的规定中增加相应的规定。（建议表决稿第一百零三条）

下面还有几个问题需要汇报：

（一）草案四次审议稿第五十八条规定："残疾人机动轮椅车、电动自行车在非机动车道内行驶时，最高时速不得超过十五公里。"有的常委委员提出，残疾人机动轮椅车、电动自行车的设计最高时速大多超过二十公里，一些国家对这两类车辆的限速也是二十公里，建议将这一条中规定的时速十五公里修改为“不得超过二十公里”。关于这个问题，法律委员会经与国务院法制办、公安部研究并征求全国残联的意见认为，国外道路一般不划分非机动车道，自行车也比较少。我国划分的非机动车道是供非机动车、行人通行的，而且在非机动车道内自行车、行人较多。自行车的正常骑行速度为每小时十公里。规定残疾人电动轮椅车、电动自行车在非机动车道内行驶的最高时速为十五公里已经比较快了，如果再快，容易与行人、其他非机动车发生交通事故，不利于保护残疾人和自行车驾驶人、行人的安全。至于残疾人机动轮椅车、电动自行车在不分非机动车道的混合道路上行驶时，可以不受十五公里最高时速的限制。因此，法律委员会建议对这一条不作修改。

（二）有的常委委员提出，草案四次审议稿第一百零七条关于对违反道路交通管理法律、法规的行为，交通警察有权当场作出二百元以下罚款的规定和第一百零八条关于交通警察当场收缴罚款的规定，与行政处罚法规定的处罚程序不一致。法律委员会经研究认为，道路交通管理工作面临车流量大、行人流动性强、道路交通违法行为又比较多等特点，草案四次审议稿上述规定是针对交通警察在纠正道路交通违章过程中的特殊情况作出的特别规定，按照特别法的效力优于一般法的原则，这样规定是可以的。（建议表决稿第一百零七条、第一百零八条）

（三）有的常委委员提出，农用三轮运输车一般都是在乡村道路上行驶，与拖拉机没有多大区别，其牌证发放也应由农业（农机）部门负责。关于这个问题，法律委员会曾同有关部门反复研究、协商过，认为农用三轮运输车同工业用、商业用的同类运输车是一样的，其牌证发放难以再分别由不同部门负责。而且，草案四次审议稿第一百二十一条已经规定“本法施行前由农业（农业机械）主管部门发放的机动车牌证，在本法施行后继续有效。”因此，法律委员会建议维持草案四次审议稿的有关规定。

（四）有的常委委员提出，草案四次审议稿第五十三条对警车、消防车、救护车、工程抢险车等车辆的行驶作了特别规定，建议对军车也作出类似的规定。有的常委委员提出，军车执行军事任务时优先通行是特殊情况下采取的特殊措施，应由国防动员法等有关法律作规定，不宜在本法中作规定。法律委员会经研究认为，军车在一般情况下也应遵守交通规则。对执行军事任务时需要优先通行的，可以在有关法律中作规定。因此，法律委员会建议本法对这个问题可以不作规定。

二、关于证券投资基金法（草案）（略）